U0129365

陳新雄教授哀思錄編輯委員會編

姚榮松 李添富 合輯

陳新雄教授哀思錄

文史哲出版社印行

白雪雖教春事晚
貞松益勵歲寒蒼
姚榮松 李添富 合輯
陳新雄教授哀思錄
李鍌題耑 時年八六

江蘇金壇縣在段玉裁紀念館門前左側新建一亭，命名爲「仰玉亭」。仰玉亭上的匾額爲陳新雄教授墨寶。　　　照片由竺家寧教授提供

新雄教授 安息

績學貽徽

馬英九

馬總統輓額

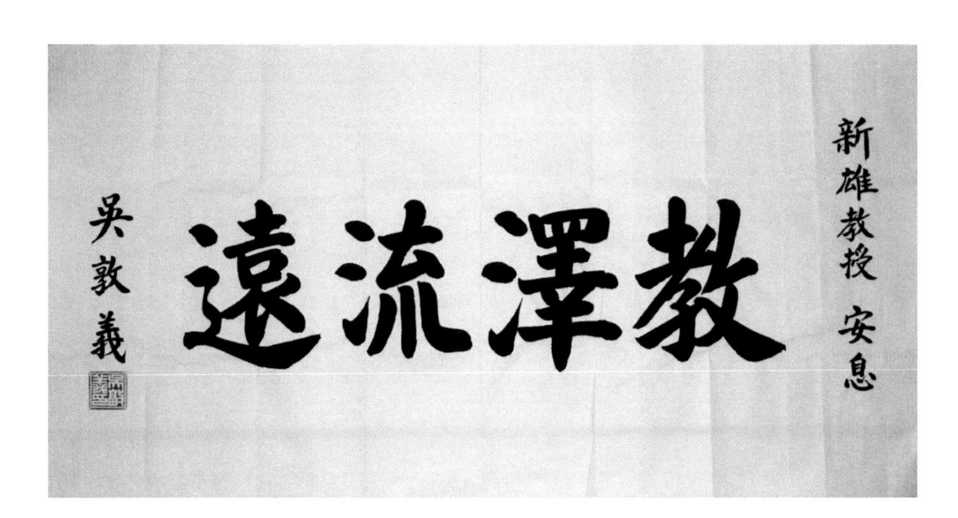

吳副總統輓額

王院長輓額

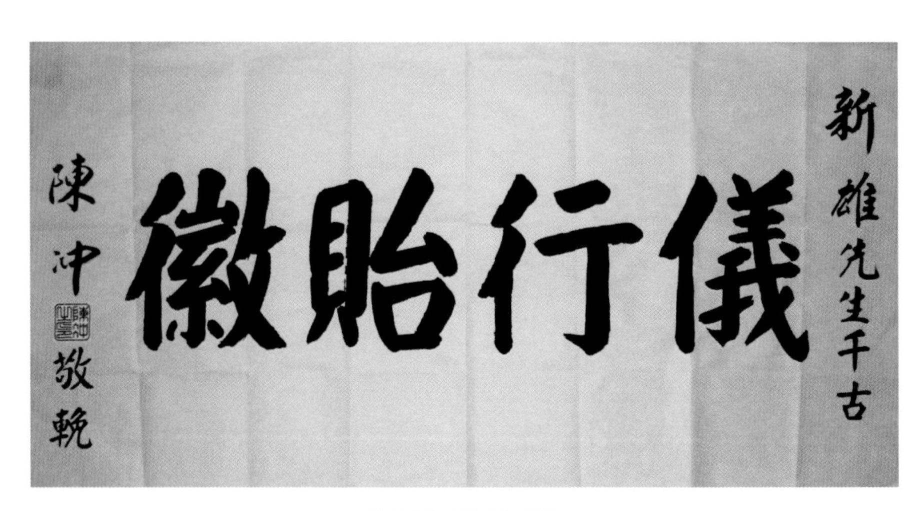

陳院長輓額

吳議長輓額

張校長輓額

伯元仁兄 千古

瑞安门下桃李盈庭惟君得以窺堂奧

鍥不舍齋絃歌聲绝徒留哀思在人间

弟李鎏拜輓

李鎏教授輓聯

陳新雄教授事略

先生諱新雄，字伯元，民國二十四年生，祖籍江西省贛縣。先生七歲，啓蒙讀書，因聰穎過人，未及一年，已識字兩千餘。民國三十八年，從尊翁定湛公隨軍遷臺，其後定居於板橋。先生就讀臺北建國高中時，因閱及潘重規教授駁論簡體字之說，對潘教授心生仰慕。畢業之後，以第一志願考上師大國文系，潘教授時爲系主任，已識先生美璞待琢，良材可塑，大一下學期，林尹教授講授國文課程，對先生更是賞識有加，此爲先生蒙林教授著意栽培之始也。

先生生前所念念不忘者，即受惠於恩師林尹教授者最多，諸如小學、詩文之基礎，皆蒙恩師親自垂教。大學結業後，分發至師大附中任實習教師，並承推薦，受聘爲東吳大學中文系兼任講師，主講「聲韻學」，時方二十四歲，爲當時各大學講師最年輕者。先生二十九歲，與夫人葉詠琍女士結婚，林教授賀詩有云：「七年壇坫誨諄諄，爲汝知津可出塵。」對先生殷切之期望，溢於言表。民國五十八年二月，待先生以《古音學發微》論文，榮獲國家文學博士時，高明教授稱爲「元元本本，殫見洽聞」，許世瑛教授評爲「成一家之言」，林教授更讚許爲「青出於藍」。從此先生於學界，日益嶄露頭角。

先生治學嚴謹，博涉經子史集，其碩士論文《春秋異文考》，爲程發軔教授所指導，誠爲先生經學之奠基。先生平日勤讀古書，舉凡文獻要籍，無不圈點精讀，於聲韻、訓詁、文字領域，用功尤深，故抒發見解最多，所倡古韻三十二部、群母古讀等說，向爲學界所推崇。先生亦喜爲詩詞，古詩人中，特鍾於蘇東坡，蓋器識風骨最爲相契也。先生授業，廣設講席，除於師大國文系所外，並曾於東吳、文化、輔大、政大、高師、文藻、華梵等校，講授經學、小學及東坡詩詞等課。先生談經則明究訓詁，論小學則條理明暢，吟詩詞則聲情動人，諸生得聞珠玉，無不企盼仰慕，期聆嘉音，受聘爲文化中文系主任時，更是聲聞學界，傳爲美談。先生春風化雨，海內外均霑，四十二歲即應聘爲美國喬治城大學中日文系客座教授，四十八及五十四歲，兩次赴香港浸會學院中文系，擔任高等及首席講師，亦嘗應邀至日本，於「大東文化大學中國語文科學術交流會」擔任講座，晚年居美期間，則時時應邀爲華人社團講授詩詞作法及欣賞，誠因先生善誘能教，故無論遐邇，聞風嚮慕。

先生爲聚集國內人才，促進研究風氣，奔走呼籲成立各種學會，故今之聲韻、文字、訓詁、經學研究等學會，先生或爲創辦者，或爲理事長，振臂一呼，風起雲興，帶動學術之發展，先生之功實不可沒。先生更趁第一次赴港講學之便，與浸會學院中文系主任共同舉辦「中國聲韻學國際學術研討會」，邀請海峽兩岸學人共聚一堂，開創學術交流新局。先生從此展開大陸學術之旅，足跡幾遍大江南北，且與大陸學人相交頗契，嘗應邀至北京清華大學中文系，擔任客座教授兩個月。

方先生五十七歲時，初學電腦，才半年，已然熟悉使用，並發表〈倉頡檢字法與文字構造的關聯〉一文。先生輸入時，單以左右食指快速敲鍵，自詡爲「一指神功」。爾後先生之著作，皆親自打字，上課之際，亦融入簡報系統，自謂「教室應像電影院」。先生對於多媒體科技，頗能知新與應用，六十歲出版《詩詞吟唱與賞析》一書，即附有先生親自吟唱之錄影帶，且因有此認知，方識文字數位化之重要。

先生爲人，孝友溫恭，誠樸堅毅，既承章、黃之風，實而不夸，亦秉師門之訓，知行合一。於講學之餘，多次參與字書之編輯，諸如教育部標準字體之研訂、《中文大辭典》、《大學字典》、《國民字典》、《字形匯典》、《大辭典》、《新辭典》等，先生或爲主編，或爲編輯。民國八十三年，先生因赴韓國參加「第二屆漢字文化圈內生活漢字問題國際研討會」，深感運用電腦，保護傳統漢字正體之切要，遂於返國之後，建議教育部編輯《異體字字典》，藉以整合亞洲漢字，宣揚標準字體。歷經六年，書方殺青，先生奉派前往日本東京，以代表團顧問身分，參加「漢字標準化資訊會議」，於會中展示成果。此書蒐羅古今漢字字形十萬餘，當是自古以來，文字整理規模最巨大者，且以數位方式編輯，艱辛複雜自不待言，然先生身爲副主任委員，全程參與，親力督導與協助，既具真知卓見，復能躬行實踐，絕非夸夸言談而已。

先生任教四十年，屆齡榮退時，自撰感賦詩云：「親恩師德心常記，俯仰無慚日麗天。」

退休之後，先生漸能挪出較多時間赴美與家人相聚，然仍時時惦記國內學術之發展。先生曾言：「石禪夫子當年於師大開講《論語》，歡迎各界人士前來聽講，座無虛席。」言下之意，頗多感佩。此當即先生晚年，健康雖漸不佳，仍欣然接受「聲韻學學會」請託，設置「聲韻講座」之故。講座設於師大，由入門講至古音，先生藉每年由美返臺授課之際，每逢週六開講，每次三小時，聽眾來自各校學生及民間詩人，輒亦無虛席。先生連講四年，從不缺課，縱於堂上突感不適，臨時就醫之後，亦立即返回續講。先生曰：「座中有自中部一早趕來聽課者，不宜辜負。」

自七十歲之後，先生體力明顯不如往昔，然仍勤於治學、授課、演講，除主講「聲韻講座」之外，先生之《訓詁學・下冊》、《廣韻研究》、《聲韻學》、《文字學》等大作陸續出版。仰慕先生之名，欲入門牆者，無論博碩士生，先生皆欣然接受。先生云：「治小學頗難，今日願學者已少，彼既有心，吾又何忍拒之？」若此收朋勤誨，絕學賴續之精神，先生榮獲教育部教學特優教師獎勵，師大並授予先生「名譽教授」稱號，允爲實至名歸也。

先生一生勤於著作，學術藝文，大小篇章，積三百餘種，專著鴻論即有二十餘本。專著之中，《古音研究》，既集古今研究之大成，並見新說之發明；《廣韻研究》，則申發研治之基礎，精研韻書之成就；《聲韻學》，則明示學術之體系，引領入門之方法；《訓詁學》，則梳理釋義之方式，說明工具之運用；《文字學》，則承繼章、黃之學說，析述條例，闡明正解。《鍥不舍齋論學集》、《文字聲韻論叢》等，則見解精闢，確論宏發；另有《東坡詩選析》、

《東坡詞選析》、《伯元倚聲・和蘇樂府》、《伯元吟草》等書，酬唱吟誦，琳瑯滿目；其於報端所寫專欄，關心世局國是，風聲雨聲，不失書生本色。先生嘗云：「高郵王念孫因長壽，故能多著作，庶幾得以天年，當亦如斯。」今觀先生成就，未及石臞先生之齡，珠璣之語，已斐然可觀，學子詳參，望重儒林。

民國九十八年年底，先生赴醫院體檢，並忙於舉辦「林尹教授百歲冥誕紀念學術研討會」，邀約海內外學人共襄盛舉。奔波之餘，遵醫囑返院複檢，赫然發現肝臟已見腫瘤。經過治療，先生尚可勉強參與學術活動。前年十月，先生偕夫人帶領門下弟子，赴大陸河南南陽師範學院，參與該校特爲先生舉辦之「陳伯元先生文字音韻訓詁學國際學術研討會」，備感顯榮，並於會中發表〈求學問道七十年〉演講。會後返臺，旋即赴美就醫療養。今年五月，先生於美，爲詩挽黃天成教授，詩中有曰：「不見先生已有年，病肝病肺莫陪筵」、「相期百歲都將去，望影猶縈薪火傳」。縱然已覺身心漸竭，薪傳之責，仍不敢稍忘，此即先生堅毅之本質也。

先生曾發表〈文化傳承與小學語文教材〉一文，闡述小學生宜讀寫分途，多識字、多讀詩文；先描紅，再練帖之教育理念。去年年底，曾函囑門下弟子曰：「聞南陽擬設一小學，將試行吾之教育理念，若身體尚可，吾當親往，作幾次演講，以資鼓勵。」故先生本規畫於近期內返臺定居，暫作休息後，轉赴大陸，卻因宿疾轉劇，終至藥石罔效，於美國當地時間七月三十一日晚上八時四十五分，溘然長逝，享壽七十有八。消息傳來，親友弟子，無不失聲哀慟，悲悽莫名。先生之驟逝，有如星之墜，月之隱，然相信先生之學，正如日之昇，風之行，先生之人品與學術，皆將影響深遠矣。

先生德配葉詠琍女士，爲國內知名兒童文學專家，與先生結褵數十年，鶼鰈情深，育有二子二女。長子曰昌華，美國馬里蘭大學國際財務管理學碩士，現任聯邦訊委會規費組高等分析師，娶妻陳氏；次子曰昌蘄，馬里蘭大學通訊管理學碩士，現任美國思科公司資深系統工程師，娶妻王氏；長女曰逸菲，馬里蘭大學商學系畢業，適美籍麥銳志先生；次女曰逸蘭，馬里蘭大學管理學碩士，適美籍日裔宮本泰先生。子女出眾，賢媳秀慧，佳婿乘龍，可謂滿門皆俊傑，桐枝必衍慶。先生闔府信奉基督，相信此刻先生已安息主懷，與主同在樂園，願主耶穌親自安慰先生家人，賜予心靈平安。

夫淑德天成，英氣自豪，直道而行，方能鍥而不舍。先生一生，傳揚師說，著作等身，研訂字體，編輯字書，創設學會，交流兩岸，桃李天下，入門牆者逾百，實爲肩承章、黃之學，勇於開創新局第一人。蘇東坡譽韓文公曰：「匹夫而爲百世師，一言而爲天下法，是皆有以參天地之化，關盛衰之運。其生也有自來，其逝也有所爲。」先生詩詞，向與東坡居士心照神交，今藉此語讚頌先生，信以先生才德與風骨，足可稱之。祈願先生無論幽明，浩然之氣長存，器識學問永傳人間。

陳新雄教授治喪委員會

（曾榮汾教授擬稿）

陳新雄教授哀思錄

目 次

輯二 唁電

輯三　海色天容意自遲（悼詩之二）

輯四　大師的跫音

輯五　述學——聲韻訓詁文字的傳承

輯六 永念師恩日月長

輯七　輓額、輓聯

輯八 祭文、家屬哀思錄

李鎏教授序

陳新雄教授，字伯元，國立台灣師範大學國文研究所文學博士，由於學術之成就，以及教學之認真，其啓迪學生更不遺餘力，享譽海內外，影響極爲深遠。故退休之時，師大乃贈以「名譽教授」之榮銜，可謂實至名歸。我與伯元兄師出同門，皆瑞安林景伊先生之弟子，而我年稍長，學則不及。景伊先生桃李遍栽，弟子盈庭，然而能獲其親炙而得以窺其堂奧者，亦惟伯元一人而已矣！

「尊師重道」乃世人所共知，蓋道之所存，師之所存也。是以「重道」則必先「尊師」，「尊師」乃所以「重道」也。是以古人有所謂「天地君親師」。將「師」之地位提昇至與「天地君親」等齊，自韓文公〈師說〉一文中慨歎「師道之不傳也久矣」，以迄於今，師道之尊嚴皆未見提昇，反而更加低落。今惟於伯元兄師生之行誼中，得以窺見「尊師重道」之實例。蓋當景伊師病篤之際，伯元兄正在香港講學，獲訊之後，便立即請假返台，於醫院中親侍湯藥，直至景伊師大去，未嘗或離，並爲之料理後事，待一切料理完善，方赴港繼續講學。在此之前，伯元兄早已蒐羅景伊師之詩作二百餘首。以毛筆正楷，一筆不苟書寫成冊，號之曰

《景伊詩鈔》以傳世。至於台師大國研所爲景伊師百歲冥誕所舉辦之學術研討會，伯元兄乃撰五言長詩以誌景伊師之生平事功。凡此視師若父之舉，令人感佩。其身體力行之真誠，亦爲其門弟子樹立良好之典範。是以當伯元兄遽歸道山之資訊一出，其門下弟子，亦無不熱淚盈眶，如喪考妣，自動自發，欲爲其師伯元先生治喪。由此顯見伯元兄師生之間，感情之篤厚，相信伯元兄地下有知，亦必欣慰無已也。

「好學不倦」乃伯元兄之學識能與時共進之主因。當伯元兄仍是大學部學生時，景伊師即嚴加督課，開列書單，責其圈點熟讀；考取國文研究所碩士、乃至博士班，仍復如此，因而紮下極堅實之國學基礎，即使執教上庠，亦始終不變。爲期自勉，遂命名其書房爲「鍥不舍齋」，數十年如一日，讀書寫字從不間斷。即使退休後居美時間較多，「鍥不舍齋」之精神不變，仍是讀書寫字並參加當地之詩社與詩友唱和、演說等活動，並覷隙圈點史籍，蓋以史爲鑑，可以知興替之所由，增廣其見識，提高其眼界。〈讀兩當軒集因懷爽秋〉詩中有「天公倘假多時日，廿史圈完學更新」之句，以爲其堅毅不拔，好學不倦之明證。

伯元兄最精進之學術，莫過聲韻、訓詁，與文字之學，皆由景伊師所親炙，著作也多，《古音學發微》乃其博士口試論文，極獲口試委員之讚賞，高師仲華歎爲「元元本本，殫見洽聞。」許世瑛師評爲「成一家之言」，而其論文指導教授景伊師，更評之曰「青出於藍」。自是之後，聲譽日隆，不僅台灣各大學爭相禮聘，即大陸各名校亦時有邀約，或短期講學、或專題演講，均座無虛席。爲期宏揚章（太炎）、黃（季剛）之學，於是成立聲韻學會、訓詁學會，而文字學會在景伊師手中即已成立。以此三學會每年會員大會，同時舉辦國際學術研討會，招引不少國際學者前來參加，乃至申請入學爲研究生。因而許多大陸學者也與之結交。放眼而觀，當今台灣各大學中文系任此三門課者，莫非伯元兄之高足，是其影響之重大，亦可知矣！

重「然諾」乃伯元兄最執著之美德之一，與朋友交或與門弟子約，無不徹底實行孔老夫子所稱「與朋友交而無信乎」之反省。聲韻之學頗爲困難，是以應聲韻學會之請。每年返臺授課之便，在臺師大每週六下午設置「聲韻學講座」義務講授三小時，對外開放，舉凡對聲韻學有興趣者，皆可報名參加聽講。真乃所謂「有教無類」。前後四年，從不間斷，即使當天有事請假一二小時，事後便覷隙補足，其敬業之精神有類如此。

民國九十八年十二月十九、二十兩日，爲紀念景伊師百歲冥誕所舉辦之國際學術研討會、由台師大國文系主辦，伯元兄與我共同策劃。伯元兄邀請兩位大陸清華及南開大學教授前來參加並發表論文。大會還安排我爲大會開幕時專題演講之主持人。不料，當時因急性膽囊發炎，必須立即切除而住院，竟無法出席參加，惟有依賴伯元兄坐鎮。其實伯元兄亦早已獲知肝臟有病，必須住院治療。但伯元兄堅持必待大會結束，陪同二人前往花蓮旅遊兩天，送走貴賓後才肯住院，由此可見伯元兄對「誠信」之重視。

伯元兄學術興趣甚廣，除「小學」三門課程外，兼及蘇東坡詩文之探究與創作，並著有《詩詞吟唱與賞析》、《伯元倚聲・和蘇樂府》等書，繼則轉而研究黃山谷之詩詞。惜天不假年，無法完成其意願，頗感遺憾。

伯元兄之治學，極爲嚴謹，至於門弟子，要求更嚴，除正課之作業外，並規定相關之作業，亦須如期完成。即使已在上庠執教，亦要時時研究並纂寫論文，至六十歲即應出論文集，以見其在學術研究之成就。其所以訂爲六十歲者，因六十歲乃人生之一甲子，若在學術上仍無成就，其他亦不足道矣！

綜伯元兄一生尊師重道，弘揚儒學、著作等身，音韻尤精，凡所立言立德，皆足爲後世英髦式。俯仰之間，上可無愧於天地，下可無忝於所生。觀其〈中華民國一百年元旦〉詩云：「應使中華民國號，長天永在不容刊。」見其愛國之情懷。〈恭輓天成師〉詩則有「五十載乘時未促，一人身覺道難宣。相期百歲都將去，望影猶縈薪火傳。」見其時時不忘中華文化之承傳。〈七七生辰感懷〉云：「七七生辰餘一事，中華經義要相傳。」道出自己責任猶未了，寄語門下諸弟子應紹志述事，完成其心中未了之事。最令人感動無已者，即其〈肝癌栓塞反應賦感〉所言：「自度此生無所憾。縱然撒手氣猶清。」此伯元兄之自道也，可見其闊達之胸襟與灑脫之風度。觀其一生之成就，誠可以無憾矣。今其門弟子欲爲其出版哀思錄，丐序於余，余與伯元兄誼屬同門，年又稍長，責無旁貸，故略述其生平成就之梗概，用以爲序。

李　鍌　謹識

一〇一年九月廿四日

編序

姚榮松

伯元師辭世後第五十一天，榮松才提筆寫這篇編輯說明。由於老師走得突然，大家都未有心理準備，幾位較早得到通知的及門弟子，就在八月四日下午，在師大綜合大樓商討作爲「陳門弟子」應該辦的事，其中爲老師在「國文天地」月刊做個特輯，是榮松最早的構想，同時很快就獲得社長兼總編輯陳滿銘董事長的慨允，添富兄也尋求「中國語文」月刊下一期（即九月份）刊出追思的專稿。由於版面的關係，「國文天地」以十篇爲限，每篇不超過五千字，並約好十五日交稿，稿件一半屬於發揚伯元先生的學術成就，包括聲韻、文字、訓詁及詩經學、詩詞創作等成就，另一半則表彰其平生行誼、真情至性、品格爲人等。九月份這兩份特刊都出刊了。

伯元老師是當代國學界或中文學界受到推崇的名師，雖然他的專業被界定爲傑出的聲韻學家，但從他的著作及一生涉及的學術領域，弟子們更願以經師來看待他，而其最大的事功，是建立一種典範，以師道自任，樹人無數，影響深遠的器識或表率。這樣的感覺是我近半月來整理老師「薨逝」一個多月來學界的反應，包括各種唁電、悼詩、輓聯及哀思文字的深刻所得到的印象。一個立足傳統、吸收新知、孜孜矻矻、劍及履及，致力溝通兩岸三地語文學界，著作等身的文字聲韻訓詁學家、詩人、詞家，自稱古虔老人的古文實踐者，由於他的治學嚴謹，嚴辨是非，待人寬厚，尊崇師道，樹德立言，關懷家國的方方面面都是被傳誦的題材，幸能及時彙整，不但保存了一個哲人的典範，也將會有民國百年學術史的價值。

噩耗從美東時間七月卅一日晚上八時四十五分傳來，正值蘇拉颱風籠罩下的台灣八月一日清晨，台北的弟子們，原來傳說老師已買好八月十八日返台的機票，看來老師的第二次南陽學術之旅可能成行，我們得加緊準備撰寫論文，而南洋師院的知音及學術同源的北京師大王寧等也準備好好迎接這次的盛會，但是惡颱夾帶來的不安，竟是先生遽歸道山，也許這才使我們驚訝於老師總帶給弟子無窮的希望，而它是以燃燒自己生命而點亮希望的火把。

驚魂之餘，幸而師母的一種篤定，老師的靈骨要回台灣，這個孕育其學術根基的土地，和昕夕與共的朋友、學生道別，然後追隨履安兄長的方式，回到自然大化之中。八月十一日幾位弟子第二次的聚會，初步決定的治喪事宜，包括九月三日晚的機場迎靈、哀思文錄是否徵稿、門弟子是否列入治喪委員名單等。個人覺得有必要由聲韻學會、訓詁學會、文字學會等向會員徵求悼輓、追思文字，並集結成書，經過討論，多數同意我的看法，就委請新任聲韻學會理事長葉鍵得負責發函，我自己也主動承擔編印的任務，並立即聯繫好出版社。稿件的多寡不可預測，我卻充滿信心。當我電話告知伯元師的聲韻學會合作伙伴丁邦新師院士，他驚愕片刻說：「聲韻學會有伯元，格局大不相同。」我就請求丁先生一定要寫一篇談這些。

還有幾位先生在我聯繫他們同意擔任治喪委員時也進行約稿，就這樣我在九月十五日截稿以前，已經整理《國文天地》九月份（總號三一八）「陳新雄教授紀念特輯」十一篇及《中國語文》九月份（總號六六三）六篇追思文字，及在網路上流傳的輓詩及由添富兄轉來的中國大陸學者、學會、語言所、教研室、學刊編輯部的唁電，由於出版法規定，必須獲得雜誌社負責人、主編及作者三方面的同意，方能轉載，這本「哀思錄」並非由書局正式出版，目前暫以「陳新雄教授哀思錄編輯委員會編印」呈現。

本編初分九輯，依照伯元師仙逝後各階段的反應，大抵按文類到達之先後，進行編輯。並且以輓詩中的警句，作爲標幟，例如輯一（悼詩之一）「海外驚傳風雨哀」，收有文幸福、黃坤堯、林正三、姚榮松等八首，依原籍，港、台各四人，題簽採文幸福詩首句，輯三「海色天容意自遲」（悼詩之二）收丁邦新、曾永義、何大安、楊秀芳、夏傳才、吳璵、韋金滿、周虎林、施向東、潘麗珠、陳冠甫、吳聖雄、謝玄等二十三首（含詞六首），「題簽」採何大安、楊秀芳詩末句，契合師心，輯二爲唁電，因收到時間早而次于兩輯悼詩之間，以寓哀思轉深沉。輯四「大師的跫音」，以見先生去後，故舊、友人、學術同行、私淑弟子的回響計有悼文二十七篇，輯六「永念師恩日月長」用伯元師赴港講學上景伊師之詩句，專收集門弟子之悼念文字十八篇，其中坤堯、雯怡二人未入門撰學位論文，但情誼有如入室弟子，故納入。在四、六兩輯「悼文」類中插入第五輯「述學」，其中五篇已見「國文天地」特輯，新增姚榮松論先生對上古音貢獻，金周生論先生《中原音韻》研究的成就，兩篇均已發表于二〇一〇年十月南陽學術研討會論集，輯五篇幅略多，均係門弟子執筆，倘能表達先生的學術精華，庶乎至善。輯七爲輓額與輓聯，輯八爲祭文及家屬哀思文字，增訂版增加葉詠琍師母「永遠的念思」及陳昌華師弟的致辭「父親的遺願」二文。最後第九輯爲附錄兩種，應魯國堯先生悼文之建議，將伯元師發表在《南大語言學》的詩作《論音絕句》三十組詩，作爲附錄，用以表彰伯元師以詩論古今韻家之戛然獨造，前無古人。二〇〇六年四月廿六日在師大大師榮譽獎座題爲「師大五十年——我從事國學研究之緣起、經過與成效」，講詞中有追憶「師大名師」二十三人，七言絕句九十二首。起於潘先生石禪迄於黃先生天成，該文又改寫爲「求學問道七十年」，並保留追憶「師大名師」二十三人的絕句九十二首，這份歌詠現代名師之絕句與「論音絕句」古今輝映，將在中國文化史上，成爲重要學術史料，因此筆者接受魯先生建議，把〈求學問道七十年〉和〈論音絕句〉單獨收入輯九作爲附錄，以廣流傳，新增各界致贈之花籃題辭亦附入「輯九」，考慮性質不同，將原「輯九」的文獻附錄改爲「輯十」。

本篇初編於倉促之間完成，文件多來自網路信箱，許雯怡助教擔任收集、轉寄的辛苦勞動，有些信落入垃圾信箱，無意中才又找回，可謂備盡苦辛，有關編輯皆由個人獨自決定，無暇由編委會共同討論，成書太倉促，難免有不周到之處。再版經過細校，已將訛誤降至最低，但是沒有文史哲出版社慨允製版印刷成書，這本書是不可能完成的。飲水思源，我們真該感謝彭先生對伯元師亦師亦友的情誼。以此獻給伯元師，當可告慰先生。老師，安息吧。

輯一　海外驚傳風雨哀（悼詩之一）

【文幸福詩二首】

哭伯元夫子

海外驚傳風雨哀，奇才聲學棟樑摧。
相期八月南陽陌，忍對一朝西路臺。
著作鍥而書萬卷，歌吟不捨賦千回。
已栽桃李盈壇坫，此日天涯涕淚縗。

其二

天涯星墜痛良儔，巖岫松崩落贛州。
身著典型寰宇重，名同璞玉大江流。
高情長記千秋日，浩氣惟憐百尺樓。
薤露風悲傷既往，生芻遙奠海西頭。

【陳樹衡輓詩】

輓伯元夫子

夫子輓天成　竟旋身作灰　颱頻荒冪冪　天慟逼雲雷
雲際眉公現　琤琮樂府徐　驚雷訊涪翁　急管繁弦摧
盧陵競永叔　大醉萬千回　免疫機能耗　古稀力寖衰
翻交豪傑膽　疾惡明是非　贏得山川秀　瑰奇素不辭
人生此一遭　何所赤松期　曲江南華寺　我輩紛追隨
清遠蕭蕭峽　長風漫落吹　大洋浮方外　卻奠悵高儀

【黃坤堯輓詩】

悼伯元師

噩耗驚聞劇可哀。重洋遙奠水雲埃。
天心有恨傷搖落，藥石無靈委化栽。
國學傳承師道永，詞章吟誦月華開。
城門河岸沙田路，縈繞前塵夢幾回。

【受業陳文華叩輓】

哭伯元夫子

四十餘年憶侍從，酒尊詩卷忝陪同。
持經更究脣喉趣，問字徒慚灌溉功。
凶耗驚傳大洋外，深悲痛澈寸心中。
靈前泣奠魂來饗，儻許重溫馬帳風。

【老權波輓詩】

慟憶伯元夫子

紅樓一別渺音容，曾訪香江恨未從。
訓詁不忘堂上樂，詞章長咏酒中濃。
忍聞危疾無由至，默禱天人運化溶。
今夜電郵傳噩耗，星河帶淚慟盈胸。

【林正三輓詩二首】

敬悼伯元夫子

忍淚深知益愴情，越洋消息怵心驚。
上庠叨幸瞻山斗，下駟偏蒙列友生。
詞客文章身後重，學人襟概域中榮。
春風絳帳歸長憶，隔海惟從酹一觥。

其二

千秋法派嗣章黃，韻學欣能乞瓣香。
問道從茲無別徑，摳衣信矣負衷腸。
家山莽莽三更夢，著述巍巍百代彰。
猶憶黌宮頒手澤，蘭亭褉序惠堂堂。

【門下柯響峰輓詩】

哭伯元師　門下柯響峰泣拜

始祝壬辰壽八千，遙驚斗落折椿年。
將懷景慕欣來雨，卻撫空車痛斷緣[1]。
大道原應酬木鐸，天時豈忍徹琴弦。
親師宴上三公遠[2]，請誨無門苦最煎。

註：

1. 近年來伯元師春赴美，秋歸台，送往迎來幸能親爲。本有八月之期，而今遙斷天涯！
2. 二〇〇二年四月十一日，伯元師赴清華講學前之數日。沈謙師作東，宴請雨盦師、伯元師於復興南路和平東路口之上園樓餐廳，並引拜入門，十年間三師皆乘鶴歸去矣！

【姚榮松輓詩】

哭伯元夫子

忽聞噩耗五雷驚，卅載紅樓夢亦傾[1]。
榮退方期追杖履，遠遊竟自遶仙城[2]。
文章學術騰中外，考古審音集大成[3]。
廣韻千年承百代，停雲詩酒振天聲[4]。

註：

1. 民國五十八年有緣與伯元師同時參加師大畢業典禮，先生獲頒博士證書，二年後予入國文所，正式受業於伯元師，其後並蒙指導博碩士論文。六十二年碩士畢業，即入師大任教，迄民八十八年先生榮退，凡共事二十六年，先生退休後，獲任國文系名譽教授，未嘗離開師大，余自一〇一年二月一日起自台文系退休，目前仍在國文系兼課，是與先生在師大相處近四十年，俯仰呼吸，無時不受先生薰陶。
2. 《乾坤詩刊》五十五期（二〇一〇秋季號）「伯元詩稿」有「肝癌栓塞反應賦感」七律一首，其頷聯作「每遇醫來重把脈，卻常夜繞九幽城」。末聯云「自度此生無所憾，縱然撒手氣猶清」。

3. 先生所著《古音學發微》、《古音研究》、《廣韻研究》、《聲韻學》、《訓詁學》均爲集大成之作。

4. 先生創立中華民國聲韻學學會迄今滿三十年，二〇〇八年宋本廣韻梓版千年，兩岸同道以學術研討會，接力盛大慶祝。又先生長期爲師大國文系汪雨盦師領袖之停雲詩社健將，所著《伯元吟草》、《伯元倚聲‧和蘇樂府》，有聲於同儕。

輯二　唁電

【邵榮芬　唐作藩　楊耐思唁電】

李添富先生並轉

國立臺灣師範大學陳新雄教授治喪委員會：

伯元先生薨逝之耗傳來，不勝震駭與痛惜。伏念先生繼承國學，弘揚傳統，著述等身，培育人才，創建中華聲韻、訓詁學會，溝通兩岸四地語文學界，享譽士林。謹致深切哀悼！敬唁陳夫人，望節哀順變、百惟珍攝。

邵榮芬　唐作藩　楊耐思

二〇一二年八月二日

【北京大學中文系郭錫良　孫玉文】

李添富先生並轉陳新雄先生親屬：

驚悉陳新雄先生不幸仙逝，痛何如之！陳先生一生是爲繼承和發揚中華文化奮力拼搏的一生，他道德高尚，著作等身，名篇佳構迭出，深有功學林；致力於繼承和發揚中華民族的傳統文化，爲傳承國學、培養學術人才、加強海內外學術交流作出了重要貢獻，深爲海內外學人宗仰。

陳先生在學術上大公無私，以極大的學術勇氣和飽滿的學術熱情積極參與發動本世紀初的漢語音韻學國際學術大討論，爲端正國際範圍內的中國語言學學術方向、發揚實事求是的優良學風作出了巨大貢獻，厥功至偉，必將永載史冊。陳先生生前一直關心《中國語言學》雜誌，擔任學術委員會委員，並惠賜大作，爲我們的雜誌增色良多，我們深爲感動。

陳先生的逝世是中國語言學界的重大損失，我們謹此表示最深切的哀悼！我們深信，陳先生的學術事業一定能發揚光大。

萬望陳先生的家人及弟子節哀順變，多多保重。

陳新雄先生永垂不朽！

北京大學中文系　**郭錫良　孫玉文**

二〇一二年八月三日

【北京師範大學 王寧 二封】

添富先生：

今天中午聽到伯元學長逝世的消息，心中悲痛，難以自已。晚間才能去信致哀！

這些時候，大家都在時時關注學長的病況，不久前還聽說他將再次來南陽一聚，我們正在策劃他到南陽之時，接他和葉老師來京，滿足更多仰慕者見他一面的願望，幾位學生主張用汽車接送，又擔心途中勞頓，準備這裡多去一些人專程到南陽，只爲探望伯元學長。我上次從台灣回來，曾從電郵中傳去兩封信，說及南陽辦學及學生們之問候，希望這次得見，但未見回音。此前信件也有時未見回音，擔心學長身體欠安，也怕地址有誤。沒有想到竟是永訣！這次向振弢專門核對位址，致信葉老師，仍怕不能到達，故將給葉老師的信再托您轉達。

我們與伯元學長的深厚友情，添富必能知曉。估計伯元兄的悼念儀式會由您主辦，不論在哪里舉行，都請代我和北京師範大學文學院各送一個花圈……上款請代擬，下款爲：「北京師範大學文學院古代漢語研究所全體師生敬輓」、「友王寧泣輓」。務請隆重，一應費用盼告，待後奉寄。

辛勞之處再再致謝！

伯元兄家屬及弟子門人在台北者，亦請代爲致意，伯元兄之學術事業應有繼承，與諸君共勉之，並請節哀！

如有訃告，煩請傳來，以便周知大陸學界！

王　寧

二〇一二年八月三日

葉老師：

驚聞伯元學長辭世，悲痛不已。

今年五月，我去台北參加景伊先生紀念會，發言中說及景伊先生培養後學、傳承章黃之學的精神，提及伯元學長，以他爲成就最佳之典範。見到諸多同行學友，很多是伯元學長的弟子門人，每每說起我們和伯元兄多年來的學術交往，我以爲，和伯元兄雖在海峽兩岸，但學術同源於章黃，廿—廿一世紀弘揚學術目標相同，我們不是一般的交情，我們的學術生命是在同一血脈中延續的。伯元兄的學問全面系統、精深醇厚，他是我最欽敬的學者。

上次振弢在南陽爲伯元兄慶壽，我已經決定啓程，但臨時被招去完成緊急任務，未能成行。此次聽說振弢的語言大學再次請伯元兄來南陽，我已經做好了準備，順便接二位來京，與這邊更多的仰慕者見面。我們準備派出專車接送，沿路的歇息也正在落實。爲此事我有一封專門的信傳去，但未見回信。沒有想到一切安排已經無法實現……在北京和在台北幾次相聚之總總，歷歷在目，在他病後，未能有緣探望，悲傷綿延，已是終生的遺憾！

這些年伯元學長病中堅持做了很多事情，非常堅強，也令我們欽敬。他雖離開，但精神和學術永存。

請您和家人節哀，您如有機會從大洋彼岸回來得以相見，實所盼望！

王　寧 於北京

二〇一二年八月三日

【北京清華大學　趙麗明】

李先生：

驚悉伯元先生仙逝，萬分悲痛！

也感謝您的告知。

伯元先生大陸得意弟子謝玄：「驚聞伯元師仙去，萬分悲痛，兩日來精神恍惚。萬里阻隔，不能見老師最後一面，甚爲遺憾！今日翻檢伯元師著作，看到老師在清華園的最後一首詞，調寄《撥棹子》，感慨萬千，遂步韻一首，遙祭伯元師。兩詞附於後。」

撥棹子・重蒞清華園贈清華師友用山谷歸去來韻

今又來，今又來，七載相離今又來。憶當日，宴設尊罍。吟復歌，到處逍遙真自在。　無分界，非利害，師友情深人有愛。一枝粉筆如垂瀨。學子殷勤意，何須供筍菜。

二〇〇九年十月十六日

撥棹子・哭伯元師

噩耗來，噩耗來，霹靂一聲噩耗來。吾師去，悲痛滿罍。天變陰，從此無晴難自在。　無疆界，無利害，文化傳承全是愛。陳門弟子飲清瀨。無意人間事，天天遙獻菜。

二〇一二年八月三日

請代爲敬獻及花圈。

企盼李先生有機會來北京，續先生薪火，賜教清華學子。

趙麗明 八・三

【中國社會科學院語言研究所 侯精一】

先生治喪委員會：

驚悉　新雄先生仙逝，悲從心起，痛惜難已。新雄先生爲人正直，心胸坦蕩。學問深邃，融會古今。遊戲書法戲曲，豪情自然山林。一位受人尊敬、愛戴的大學問家、大才子！謹在此隔海送別！敬唁陳夫人暨子女節哀順變，百惟珍攝。

侯精一 敬書

【中國文字學會 會長黃德寬】

添富先生：

驚悉伯元先生不幸病逝，甚爲悲痛！請向先生親屬轉致誠摯問候！順頌暑安！

黃德寬 上

【北京大學中文系 張渭毅】

李添富教授轉陳師母：

敬愛的陳師母：

驚悉 伯元老師不幸病逝的噩耗，學生悲傷欲絕，謹表示最沉痛的哀悼！伯元老師生前在大陸和臺灣對學生多次諄諄教誨和親切關懷，他的音容笑貌，學生至今歷歷在目，永遠銘記。

伏請師母節哀順變，萬望師母保重貴體。

學生 **張渭毅** 叩首

二〇一二年八月二日

【中國音韻學研究會 會長喬全生 秘書長楊軍】

尊敬的李先生：

驚聞原臺灣聲韻學會理事長、著名音韻學家 陳新雄先生仙逝，表示沉痛哀悼。陳新雄先生是兩岸音韻學人共同敬仰的學者，在音韻學研究上做出了卓越的貢獻，舉世矚目。陳新雄先生的逝世是兩岸音韻學界的巨大損失，我們對陳新雄先生的逝世表示沉痛哀悼。

中國音韻學研究會會長 **喬全生**
中國音韻學研究會秘書長 **楊 軍**
敬輓

【中國音韻學研究會】

尊敬的李先生：

驚聞 陳新雄先生仙逝，表示沉痛哀悼。陳先生不僅是臺灣聲韻學會的奠基人，也是兩岸音韻學交流的宣導者，爲兩岸音韻學事業的發展付出了畢生的精力，做出了巨大的貢獻。中國音韻學研究會對陳新雄先生的逝世表示沉痛哀悼。

中國音韻學研究會
二〇一二年八月五日

【中國訓詁學研究會 會長李建國 秘書長朱小健】

添富兄：

驚悉 伯元夫子仙逝，不勝震哀。夫子治學嚴謹，著述豐饒，爲兩岸學子所仰止；爲人赤誠，獎掖後學，實學界導師之楷。夫子風苑將永遠激勵後人上進。請代獻花圈並告師母親屬節哀。

李建國 朱小健

二〇一二年八月四日

【中國訓詁學研究會】

陳伯元先生治喪委員會：

驚悉 陳伯元新雄先生仙逝，不勝悲痛。 先生學承章黃，建樹卓越，爲人忠厚，對後學多有獎掖，爲兩岸文化交流特別是兩岸訓詁學界的交流做出過重大貢獻。 先生的逝世，使中國訓詁學研究會失去了一位老朋友，是兩岸學界的重大損失。 先生雖逝，其風範與功業永存。

中國訓詁學研究會

二〇一二年八月四日

【北京《中國語文》雜誌社 方梅】

李添富先生並轉

國立臺灣師範大學陳新雄教授治喪委員會：

驚悉伯元先生薨逝，不勝痛惜！

先生繼承傳統，貫通古今，獎掖後學，享譽學界。創建中華聲韻、訓詁學會，溝通兩岸四地，爲本刊的學術發展做出了貢獻。

謹代表《中國語文》雜誌社，致深切哀悼！

方梅

【北京大學中文系古代漢語教研室】

李添富先生並轉陳新雄先生親屬：

驚悉陳新雄先生不幸仙逝，噩耗傳來，我們感到十分悲痛。陳先生一生襟懷坦蕩，立德立言，著作等身；致力於繼承和發揚中華民族的傳統文化，爲傳承中華國學、培養學術人才、加強海內外學術交流作出了重要貢獻，深爲海內外學人宗仰。

陳新雄先生的逝世是中國語言學界的重大損失，我們北京大學中文系古代漢語教研室的同仁謹此表示最深切的哀悼！

萬望陳先生的家人及弟子節哀順變，多加珍攝。

陳新雄先生千古！

北京大學中文系古代漢語教研室

二〇一二年八月三日

【《語言科學》編輯部 江蘇師範大學語言研究所 楊亦鳴】

陳新雄先生治喪辦並轉陳先生親屬：

驚悉一代大家陳新雄先生不幸仙逝，我們深感痛惜！陳新雄先生在中國音韻學、訓詁學、文字學、詩詞學等多研究領域享有盛名，爲中國語言文學事業的發展做出了重要貢獻。陳新雄先生的逝世是學界的重大損失！對陳新雄先生的不幸逝世我們表示沉痛哀悼！並向陳先生家屬表示深切慰問，望請節哀順變，善自珍重！

謹此

敬禮！

楊亦鳴

《語言科學》編輯部

江蘇師範大學語言研究所

二〇一二年八月二十七日

【上海師範大學　潘悟雲】

各位仁兄：

從聶振弢先生處得知陳新雄先生仙逝的噩耗，不勝悲慟，請你們代我向他的家人表示哀悼。陳先生的在天之靈，一定會蔭佑臺灣音韻學的發展。

潘悟雲

【中國音韻研究會前秘書長　陳振寰】

添富：這次見到你，喜悲交集，喜老友久別重逢，悲伯元駕鶴西去。我不能身往伯元靈前一哭，只請你代我獻上一片心意。

告別以後，如有文字音像而又方便傳遞者，我很願藉此得最後與伯元一敘。

伯元事略即讀矣，感慨系之，心潮澎湃，難以言表。我虛長伯元一歲，罹心血管病五十年，伯元竟先我而去，復何言耶！

陳振寰

【廈門大學中文系　葉寶奎】

李老師，你好。請轉達我對陳老先生的哀悼。

驚聞陳老先生因病逝世，悲痛不已，謹表哀悼，向師母及家屬表示誠摯問候並請節哀。先生治學做事，爲人師表，堪稱一代宗師。先生學問淵博，爲人豪爽熱情，獎掖提攜後進，澤被後學，功德無量。先生安息吧。

廈門大學中文系　後學　**葉寶奎**　敬輓

【郭錫良致伯元兄（八月廿四日于廈門大學音韻學會期間）】

伯元兄：

當我聽到您走了時，感到非常悲痛。這不得不使我想起我們幾十年來的交往情況，特別是想起您在古音論爭中闢邪說、揚正氣的激昂氣概和執著精神。正如您所說的：我們是「肝膽長相照」的。毫無問題，我們是尊師重道、重視中華文化的優良傳統的，但是，決不排外，而是取世界語言學的精華而融匯貫通之。您的學術著作是貫通古今中外的佳作，您又是多才多藝的詩人。海峽兩岸、中外之間傳誦著您的詩詞佳什和學術名篇。您培養了眾多學術傳人，他們在爲中國語言學繼續作著重要貢獻。

伯元兄，您立德樹人，功垂宇內。現在魂歸道山，安息吧，人們將永遠懷念您。

郭錫良

二〇一二年八月二十四日

於廈門大學音韻學會期間

【中國人民大學　劉廣和】

添富仁兄：

陳先生的公祭日快到了，每一想起先生音容笑貌，不免令人唏噓。

我有幾句話，希望仁兄在適當場合代爲轉達：

陳新雄先生是漢語音韻學界的泰斗，是推動兩岸文化交流的先行者，他的仙逝是中華民族文化界的重大損失。

謹致深深的哀悼，並向陳先生的親屬表示慰問。

望仁兄節哀順變。

此信收到後敬請示下，若不能收到，我會再次發送。

敬祝　秋安

劉廣和　拜上

【日本大東文化大學 瀨戶口律子】

自我的學生時代起，至今一直能夠受到老師的教導和關懷，我深感榮幸。

我將永遠銘記老師的教誨，繼續在人生的旅途中邁進。

陳老師安息吧！

學生 **瀨戶口律子**

日本大東文化大學

二〇一二年九月廿一日

【韓國外國語大學校 金泰成】

驚悉 恩師不幸逝世，曷勝悲悼，由衷表示沉痛的哀念。

竝謹致故人冥福在天

金泰成

輯三 海色天容意自遲（悼詩之二）

故人悼伯元 二首

丁邦新

伯元愛家、愛國，愛學生、尤愛學術。其爲學也，聲韻、文字、訓詁，無所不通；其爲人也，古道熱腸，待人誠摯；其爲詩也，音韻鏗鏘，情懷婉轉。因寫小詩以祭詩人，不卜故人亦有知否？

故人棄我西歸去，滿面秋霜隱淚痕。
苦雨淒風憐瘦影，青天白日弔詩魂。

方死方生齊物論，亦儒亦俠故人心。
他年若有瑤池會，對舉花枝說夢深。

伯元教授吾兄千古

魂兮異國渺孤煙，望極遊雲悵遠天；
學術蜚聲鳴宇內，襟懷磊落嘯杯前；
東坡曉夢莊周蝶，太白風華杜甫賢；
灑脫人間無愧赧，宗師一代錦聯翩。

曾永義 敬輓

敬悼伯元老師

捧手從遊最老師，彌高仰止歎嶔奇。
分光獨近蘄春水，[1]疊韻端宗學士詞。[2]
嘉木千行栽棫樸，名山萬卷琢龍螭。[3]
道存不待求只履，海色天容意自遲。[4]

學生 **何大安 楊秀芳** 叩輓

註：

1. 伯元老師於量守居士爲再傳弟子，著《音略證補》；景伊先生許爲繼世龍象。
2. 伯元老師有《伯元倚聲．和蘇樂府》，行於世。
3. 伯元老師解古無上去聲，間採王了一先生說。了一先生嘗自顏其室曰「龍蟲並雕齋」。
4. 「天容海色本澄清」，東坡渡海詩中語也。伯元老師取以爲署名式，其亦有自道之意乎！

送陳伯元兄西行

夏傳才

曾盼先生破風來，驚聞噩耗心膽哀。
蓬萊亦有詩人會，祝願西行上瑤台。

私話弔伯元

吳璵

伯仲之間見元寶，元弟寶兄兩相好。
伯仲二字眾皆曉，碰杯兄弟無大小。
文字聲韻致身早，詩酒文章稱英豪。
及第門生遍中外，話及時事傷懷抱。
元弟駕鶴西遊去，寶兄思念何時了。
有朝一日返故里，馨香美酒定相告。
魂兮歸來應無憾，見到履安問聲好。

悼伯元兄

韋金滿

卅載相交得護持。乍聞駕鶴魄飛離。
上庠鳴鐸傳音韻，寶島馳名媲景師。
昔歲欣酬慶生句，今秋悲賦悼亡詩。
樓頭皎月空斜照，深盼宵宵夢見之。

憶伯元學兄古詩一首

周虎林

101.09.12

景師門下親逾子，授課上庠聲益隆。
古詩暢詠比琉琍，新韵蘇文總稱雄。
蟠胸萬卷千杯酒，講論群經永不窮。
伯元桃李滿天下，多得德丁都當東。

後記：林師景伊於民國四十六年至五十二年間，自大學部至研究所，授余文字、聲韵、訓詁及古音研究凡六載，每讚譽伯元爲最得意弟子，於群經、東坡、駢散無所不精，尤長於聲韵、訓詁之學，自與伯元相識，倏忽越半世紀矣。

本詩三、四句爲新雄、詠琍伉儷嵌名聯，琉琍者，琉琍世界也。第五句借于右老贈景伊師聯語：「蟠胸萬卷，在手一杯」。末二句用四十一聲紐中端紐切語上字，仿東坡「明日顛風當斷渡」，曲意「用晦」，示伯元師徒造詣以聲韵擅場，並隱喻桃李在學界多已爲東主祭酒也。

伯元教授千古

海外驚傳巨塔隤　錐心轟頂不知哀
從遊半世真師友　誰伴餘生共論推

學弟　**張文彬**　泣輓

哭伯元大師兄——調寄台灣短歌五首

董忠司

其一

驚聞翻疑夢
不信遠洋起怪風
入窗相愚弄

其二

方期隨東風
品曲論文扣酒甕

聊敘離情衷

其三

學德玉山琫
大兄如師啟癡蒙
叮嚀猶長啈

其四

蓬島遺勳功
學派教澤獨秀峰
泉湧聲淙淙

其五

夜思何其痛
魂兮所歸辨西東
隔穹遠相送

董忠司 悼吟於台北寓所
二〇一二年八月二十九日

敬輓陳師伯元詩

陳冠甫

曩歲華岡立雪，今朝詩社懷風。
音學蘄春加密，吟刊華府轉豐。
魚素重觀銳志，悼聯乍寫悲衷。
豈是萬緣前定，長留後世追崇。

哀悼新雄兄仙逝

張暢繁

學者詩人譽四方，來回兩地講壇忙。
榮休未減吟風樂，治病無愁體態傷。
說地談天心廣闊，填詞作賦韻鏗鏘。
途中若與東坡聚，共上仙山會李黃。*

*李黃指李白和黃庭堅。

悼念陳新雄教授

季肇瑾

海外詩詞育俊才，音聲訓詁課堂開。
秋歸夏去人何在？天問地尋師不來。
孤雁西飛惟道遠，眾儕承志感深哀。
上蒼偏愛君之技，獨攬文星入夜臺。

敬悼伯元師憶東坡詩課程二首

潘麗珠

吟誦東坡步韻詩，吾師意興啟真思，鍥而不捨書田樂，松柏青泠恆有時。
意趣飛揚蘇軾詩，坡仙形像顯吾師，江山有幸英靈在，桃李後生芳滿枝。

後記：二十餘年前，就讀臺灣師大國文研究所，授業於 伯元師東坡詩研討課程。恩師意興風發，神采飛揚，不時吟誦步韻東坡之作，鏗鏘清泠、秀俊儒雅，猶歷歷在目。鍥不捨齋筆耕不輟，著作豐碩，真知灼見啓迪甚大，誠後學典範。慟聞 恩師仙逝，泫然賦七絕二首，敬悼 在天之靈。

緬懷伯元師

陳貴麟

鍥而不捨八旬翁，駕鶴東坡建百功。
磬耳圓音傳嶰谷，章黃座下沐春風。

註：民國七十四年至七十八年期間，余就讀師大國文研究所碩士班，從伯元師修習「廣韻研究」、「東坡詩」等課。先生風範，令人景仰；遽歸道山，令人不捨！爰作七絕一首，以表哀思之意。

哭伯元夫子七律一首

吳錫昌

獨憐孤陋苦塵霾，一自從師茅塞開。
久歷崎嶇悲晚學，屢蒙稱許愧微才。
身羸應是多能累，老病何堪二豎摧。
願續他生為弟子，償吾今世未完裁。

輓伯元夫子

張詒政

海上孤雲萬壑哀，淒風到地此徘徊。
高文不意千秋業，教澤忻觀眾玉才。
章貢逶迤激清壯，瓣香珍重抱瓊瑰。
遼天鳳去尋無處，重過瀛洲併淚回。

驚聞伯元恩師仙逝悲為古詩一首以悼念之

女弟子黃芬絹敬悼

人生最難一死生，常希不朽願為賢。
伯元吾師功已大，上承章黃下薪傳。
仰霑時雨何欣樂，如坐春風幾經年。
驚聞先生忽作古，寢門之外泣三千。
上天欲召白玉樓，將遇文王反為仙。
幸承師教通聲韻，開啟詩歌向真詮。
東坡詩課意何豁，典型風範宿昔延。
誰人能為繼絕學，杳杳師恩若昊天。

永懷伯元師

潘柏年　林曉筠

千年積業百年身，
代代常期後進新。
學海無涯何處渡？
此生長憶示津人。

輓　詞

西江月・敬悼陳伯元師

陳冠甫

回首師門驚夢，文章時命難齊。
美邦歸葬痛追思，空有詩篇帶淚。
萬樹梅花長伴，春風化雨無私。
鍥齋不捨志昭垂，音學高庠稱最。

金縷曲・追憶陳伯元先生

施向東

驚聞陳新雄伯元先生於八月一日仙逝，震悼無極，哀從中來。陳師乃黃侃門生林尹先生入室弟子，台灣師範大學教授，當代小學大師，于文字音韻訓詁之學有精深研究，著作等身，桃李遍海內外。自上世紀九十年代致力于海峽兩岸學術交流，厥功至偉。一九九一年予於武昌初瞻先生大雅，自茲屢蒙教益，身心獲益良多。先生高足多士亦成爲予之師友。予初登台島，即蒙先生邀請安排。先生嘗手書詩篇賜予，其情殷切，每展讀之，心爲之顫，情爲之奮，而不能自已。爰賦數韻，聊寄哀思。

驚悼文星殞。正年來，時時祝禱、天心肯憫。借壽陳師三兩紀，沾溉多少才俊！長憶我、當年攀軫。紫府雖須扛鼎筆，怎人間此際宗師盡。幽草歇，晚晴吝！

武昌初識論音韻。最難忘，殷殷寄語，提攜後進。長白南陽暨台北，幾度丁寧諄諄。一掬淚、欲零還忍。展看詩篇親筆寫，到于今字字如瑤瑾。長吟罷，催奮迅。

虞美人・步伯元師九十九年壽宴詞

飛鴻已去情長住。筆墨抄詩處。相知相得手心連。浩氣干雲文氣貫青天。
讀書傳道功名外。話語今猶在。一罈遺骨返鄉門。桃李三千翹首共招魂。

學生 **吳聖雄** 敬輓

撥棹子・哭伯元師

謝　玄

噩耗來，噩耗來，霹靂一聲噩耗來。吾師去，悲痛滿罍。天變陰，從此無晴難自在。
無疆界，無利害，文化傳承全是愛。陳門弟子飲清瀨。無意人間事，天天遙獻菜。

江城子．驚聞伯元師過世

王巧儀

殷殷期盼兩相望墨書香，繞餘梁。夜半遙懷，無語意徬徨。泣願先生身尚健，空念想，斷肝腸。　春風化雨似冬陽。繫學庠，著千章。無盡憶思，桃李苦心傷。淚問影中君所在，徒嘆憾，照秋光。

臨江仙．讀蘇軾傳感賦

潘柏年　林曉筠

文學尚餘事，風骨更嶔錡。亭亭大節誰匹，千古莫能比。不羨先生盛譽，但慕先生慈母，道義冠當時。願為范滂母，庭訓已先知。　放江湖，逐海島，困烏臺。仕途蹇險多難，未肯易其為。十口無歸不悔，九死南荒無恨，正氣是憑依。直道行其事，不愧醉翁師。

江神子・春日讀書有感和伯元師江神子七十自賦韻

潘柏年　林曉筠

東風十里快哉亭，雨方晴，好禽聲，碧空如洗時節正清明，尚有繁花春意鬧，枝葉上，展殷情。

素懷壯志領鷹群，盡平身，日彌新，亭中獨坐吟詠口含春，百歲身家千載慮，心感念，示津人。

輯四　大師的跫音

悼伯元：最後的幾封信

丁邦新

陳新雄先生是我聲韻學的同行，也是我知己的朋友。我出國之前在台大教書，而他大部分時間則在師大。由於他的倡議，成立中華民國聲韻學學會，我跟他合作推動會務，到今年學會已經三十年了，學會的歷史見證了我們的友誼。

陳先生是江西贛縣人，字伯元，平常我就叫他伯元。相識多年以來，偶爾通信，偶爾唱和。這一年多來忽然密集通了好多封信，現在我想披露出來，說明他去世前的想法，關心的國事家事，敬表我的哀思！

民國一百年七月二十六日伯元給我一信，他說前發電郵可能地址不對，現在：

再發一函，請示地址，以便將弟近著三種呈正。

我立即給他回信，告訴他地址，同時說：

吾兄耕耘不輟，欣羡何似！弟兩月前心臟開刀，鋸開胸腔，與死神相距僅一步之遙！前寫蕪文，聊記始末，附請一讀。

他當天就給我回信：

拜讀電郵，及大著〈死神的腳步〉，方知吾兄歷經開心手術，幸吉人天相，將次第康復，聞訊欣慰。弟今春來美後，於JOHNS HOPKINS醫院動過兩次肝癌栓塞手術，此病不能根治，每隔三個月追蹤檢查，如再復發，則再度栓塞，每次手術後，體力漸轉消瘦，求癒無望，惟稍延歲月耳。去歲弟抱病赴南陽師範學院參加學術會議，承河南教育出版社為出版拙稿《伯元新樂府》，五南出版社出版拙稿《文字學》，又北京中華書局出版拙稿《陳新雄語言學論學集》，今得知吾兄地址，即將赴郵局交寄，敬請指正。

臺北學生告知，余所藏書，因家中無人照顧，為白蟻所毀，至感可惜。天意不欲多讀，亦只好俯順之耳。

肝癌是非常麻煩的病，看到「求癒無望，惟稍延歲月耳」，我心裡實在難過。表面看起來他豁達大度，還不大在意，心思還專注在專書的出版上。我自己才做過心臟繞道的手術，生死一線，對人生有深一層的體悟。但是難望痊癒的肝病，遷延歲月，又是何等沉重的心理負擔。白蟻毀了藏書，只能歸之於天意，又能奈何呢？信後他附了一首詩：

聞臺北藏書為白蟻所毀感賦

昔日收藏真不易，今朝毀去亦非難。天公不欲余多讀，病體何妨冊止觀。

經史尋來朕至理，文章寫後有餘歡。夢回羈旅饒幽意，莫再吟詩損肺肝。

我回他一信：

拜讀詩作，尤其末二句，吟哦再三，低回婉轉，餘韻悠然。得知貴恙之後，始驚覺我等風華不再，垂垂老矣！尚望注意飲食，多加珍攝！客歲早已耳聞南陽師範學院為兄特別主辦學術會議，尚不知刊印數種大作，誠為盛事！收到後當仔細拜讀，惟病後眼力漸衰，每日能閱讀之時間有限耳！

七月二十七日他又寄來兩首詞：

好女兒・南海風波

清淚一行行。兄弟鬩于牆。攜手同擒盜竊，宵小敢猖狂。　自個不思量，只留得、目下悽惶。倘能團結，讓人見了，戰又何妨。

促拍醜奴兒・南中國海用山谷得意許多時韻

按《全宋詞》黃庭堅詞此處收錄山谷〈醜奴兒・濟楚好得些〉一闋，句法不合，且多失韻，因據萬樹《詞律》補山谷〈促拍醜奴兒〉，並用其韻。

南海路何時。鄭和出、不蔓旁枝。千年無事今年急，東來呂宋，西鄰南越，鶴被雞欺。　千里共逶迤。太平島、形影相隨。鬩牆兄弟當攜手，一同抗敵，南征艦隊，羽書何遲。

這裡可以看到伯元關心國事的心意，那時南海風波初起。他認爲兄弟鬩牆是自家的事，別人要欺負我們一定要攜手抗敵！我們這一代人國族之情最重，最不能承受鄰國的欺侮。我們並不同意共產黨的種種作爲，但是他們使中國國力強大是不可爭的事實。他的詞寫出了我們兩人共同的心聲。

到了八月四日，他來信送我一首詩：

贈丁邦新有序　陳新雄

余與邦新兄以音學訂交於中央研究院史語所主辦第一居國際漢學籌備會議，時民國六十九年也。其後共同推動中華民國聲韻學會會務發展。民國七十九年邦新自港投詩，以文字唱和，亦已廿年，始終莫逆於心。民國九十八年，邦新投書相邀於臺北一敘，昔余以肝癌入院治療，未克如願。去歲余出版拙稿《伯元新樂府》、《陳新雄語言學論學集》、《文字學》三書，欲投稿請正。得邦新復函，並讀其〈死神的腳步〉，方知歷經鋸開胸骨，重大手術，聞悉不勝感歎，如兄與余，雖有意為固有語言文化，盡其綿薄，然疾病纏身，瞬成衰晚，因賦詩相贈，以誌此段因緣也。

與君名字兩同新。轉眼俱成歲暮人。平仄尚能隨你我，縱横不復費精神。論音昔日為知己，述學如今怎激塵。但願門前諸俊彥，此生相繼莫沉淪。

我馬上給他覆信：

多謝贈詩，讀序始知訂交已三十一年，弟已不復記憶。歲月易得，奈何不老！大作饒有情致，容當奉和。

日昨亦收到　尊著三冊，感謝之至！然病後目力衰退，每日讀書時間大為減少，容當慢慢拜讀。

我又提到目力衰退的事，老眼昏花，要用放大鏡才能看小字，要看三本書真不知曠日廢時，要到何時才能報老友之命。

直到八月二十四日，終於寫成我的和詩：

和陳新雄贈丁邦新並序

辛卯之夏，余入院治療心臟阻塞，作繞道手術，瀕死不遠。伯元聞訊，承遠道贈詩，情致殷切，故人厚意躍然紙上。乃搜索枯腸，敬步原玉，勉為唱和以答之。伯元與余相交三十年，同以研究聲韻為己任；而伯元復致意於詞章，除精研蘇詩外，尚有和山谷詞之作，故詩中兼及之。

英雄鐵劍色猶新，慷慨長歌落拓人。錦繡詞章抒積鬱，艱難音韻費精神。
東坡雅詠成知己；山谷高風拜後塵。蕩蕩神州才俊美，江河浩渺不沉淪。

當天他就回信：

昔讀王國維評蘇軾〈次韻章質夫楊花詞〉，謂原唱如和韻，和韻同原唱，今讀君詩，亦有同感也。

我寫詩寫得比較少，這是他給老友的鼓勵。

因爲他把兩首詩發給許多位故舊門人，不久就收到好多位先生的和詩。包括文幸福、聶振弢、姚榮松、何昆益、黃坤堯、何大安、錢拓諸位先生。他一一轉給我看，九月十二日我給他的信說：

> 接讀坤堯及榮松大安兩弟之詩，殊感安慰，可見後繼未必無人。吾　兄此作，可謂一石激起千層浪，將為音韻學界增添一段佳話。
>
> 據聞栓塞手術相當辛苦，而　兄行若無事，視若家常，真大丈夫也。

經過他的連繫，我們的兩首詩先在《華盛頓新聞・嘗試集》刊登，後來又跟其他和作發表在台灣師範大學國文系的系務簡訊上。

去年中秋之後，伯元又有信來：

> 昨夜中秋節，華府地區，碧空如洗，秋月如盤。惜病纏身，詩興不高，未作佳吟，實遺憾也。

差不多同時我也給他一封短簡：

> 昨夜月圓，默誦「但願人長久，千里共嬋娟」之句頗有感慨也。

到了十月四日，他還是寫了兩首詩：

辛卯中秋節

可憐肝疾損詩豪。斷酒尤悲韻不高。攜手同觀天上月，吟歌似響夢中濤。
喜看夜色明如水，應惜風人自作騷。倘得玉皇加數歲，何妨白髮首頻搔。

民國百年國慶

中華民國百年神。民主自由方有因。革命孫文初設局，賡歌介石始清塵。

諸侯割據艱難甚，倭冦兇危戰火頻。障礙算來皆已盡，山河拱手予他人。

美酒傷肝，愛酒的人必須止酒；寫詩傷神，詩人又要少寫好詩。真是情何以堪！在自傷以外，還要傷國。中國百年的歷史剩下的記憶大概就是戰爭！

十二月十三日伯元告訴我：

附上華府新聞《嘗試集》一份留念，其他的和詩，將絡續發表。

我給他的回信說：

收到來信，並看到嘗試集，多謝！

我目前在台灣，吾　兄如有回台之計畫，請隨時告知，以謀良晤。

保重！

十二月十四日，他回信說：

盛情相邀，本應謀求一晤，惟弟今晨在 JOHNSHOPUKINS 醫院作肝癌檢查，肝上仍有兩顆毒瘤尚未清除，因弟作了五次肝癌栓塞，身體虧損甚大，現在體重大約一百磅左右，十分消瘦。醫生謂尚需兩月調養，始能再動栓塞手術，故目前留美待醫，吾兄盛情，又將辜負也。

看到他這封信，正是風雨之夜，內心頗有不安不祥之感。十二月十七日，我回他一信：

接奉來書，深以為憂！瘦損如此，如何能承受栓塞之苦。調養期間，恐須特別注意營養，希望體重能漸次恢復。詩詞創作雖云寫意，究竟費精神於推敲。弟意以為暫時停止吟哦，僅瀏覽古人詩作，消磨時間，並作輕微之運動，以期復元。

在通信的期間，伯元時常轉寄很多篇有關時事的文章給我看。包括：陳長文的「責馬天經地義　更別吝惜掌聲」、陳文茜的「**摩天輪小姐蔡英文**」、林憲同的「給宋楚瑜的公開信」。我回信說：

寄來的兩篇文章都很好，林憲同的尤其精采，謝謝！隔兩天就要投票了，台灣的民主就是如此，如果蔡英文當選，也是台灣人民的選擇！只好大家吃苦！不過，我看馬英九大概會低空掠過。

伯元沒有再來信，大概他也同意我的看法吧！

今年二月十一日我收到他轉來的文章：「臺灣人這麼說這麼做！」同時加了幾句按語：

大陸人看台灣，說兩岸，值得詳看!!!

這就是伯元給我的最後一封信。直到去世之前，他還在關心大陸跟台灣。此後，他沒有再給我任何消息。

最近榮松打電話來說：「陳新雄先生走了！」這幾個月來故人纏綿病榻，當然不可能再給我寫信了！掛上電話以後，我默然許久，感到微微的哀傷，情感倒也沒有劇烈的波動。因爲我大病之後，想到人生本來就是一場無終點的馬拉松。

隨時有人倒下，也隨時有人加入。人生百年，如此而已。方生方死，方死方生！莊子真是有智慧！只要伯元活過精彩的一生，他的多種著作能夠留傳後世，他的身影留在家人朋友的記憶中，他的身教留在門人弟子的行爲上，我們還有什麼遺憾！

紀念詩人不可無詩，我寫了兩首詩紀念伯元：

故人 悼伯元二首

伯元愛家、愛國，愛學生、尤愛學術。其為學也，聲韻、文字、訓詁，無所不通；其為人也，古道熱腸，待人誠摯；其為詩也，音韻鏗鏘，情懷婉轉。因寫小詩以祭詩人，不卜故人亦有知否？

故人棄我西歸去，滿面秋霜隱淚痕。
苦雨淒風憐瘦影，青天白日弔詩魂。

方死方生齊物論，亦儒亦俠故人心。
他年若有瑤池會，對舉花枝說夢深。

（本文作者中央研究院院士）

陳新雄教授二、三事

李壬癸

國內對於傳統所稱的「小學」最有實質貢獻的，首推陳新雄教授，中華民國聲韻學學會和中國訓詁學會先後順利成立，他都是很重要的推手。因爲我個人所學跟聲韻學有關，我有機會跟他共事多年，對於他的爲人與處事風格，我衷心佩服。他的國學根柢深厚，更是我望塵莫及。

一九八〇年八月十五至十七日，中央研究院召開第一屆國際漢學會議，語言文字組國內學者受邀請宣讀論文的陳教授便是其中之一。他是國內學者所發表的論文比較有學術水準的一篇。有的論文水準較差，我也不客氣地提出批評。新雄兄不但有學養，而且很能包容，在會場中他並不置一詞。

不過，新雄兄畢竟也是人，也有他無法容忍的時候。二〇〇一年十二月八日，梅祖麟院士在香港講〈有中國特色的漢語歷史音韻學〉，提到傳統聲韻學者章太炎、黃侃這一學派的研究，帶有不太敬重的言詞。新雄兄覺得很受傷，便在台師大召集了一次「批梅」的座談會—「什麼是有特色的漢語歷史音韻學研討會」（二〇〇二年八月三日）。可見新雄兄也是性情中人。

龔煌城教授於二〇〇二年當選中央研究院院士，新雄兄特別安排酒席以資慶祝，我也受邀作陪。我們聲韻學界大家都相處得相當好。最近幾年來，聲韻學會上都看不到他，聽說他健康欠佳。沒想到他這麼快就走了，很遺憾！

（本文作者中央研究院院士）

往事如煙，可堪回首！

東吳大學中文系客座教授　許錟輝

八月一日，在考試院評閱高普考作文卷，學弟朱榮智趨前告以「伯元師於今晨往生了」。乍聽之下，一時難以接受。

與伯元結識，是在民國四十九年。當時他已結業，在師大附中實習。班上一位同學黃子降在一年級時與他同寢室，爲了報考本校國文研究所，子降向伯元兄借到一本張世祿撰寫的《廣韻研究》，當時這本書很少人有，子降把它轉借給我，就這樣結識了伯元兄。

民國五十九年十月，我以《先秦典籍引尚書考》一文通過教育部口試，取得國家文學博士學位，在母校國文系任職。六十二年的某一天，在校園遇到伯元兄，他當時在中國文化學院（即今中國文化大學）任中文系主任，突然問我在師大教那些課程，我告訴他教兩班外系大一國文，他頓時握住我的手說：「文化有一門尚書的課，只有兩小時，你考慮一下。」就這樣，直到八十四年離職，我在文化大學任教了二十三年。其中經歷李殿魁、林慶勳、王三慶、金榮華等四位主任，教到不少優秀的學生，像曾榮汾、鄭阿財、許學仁、朱鳳玉、孔仲溫、李瑞騰、林文慶、施順生等是，這都要感謝伯元兄的知遇之恩。

與伯元兄相交多年，而真正認識他的爲人，是在擔任文字學會，訓詁學會理事長的時候。民國七十九年，高仲華老師把當時擔任臺師大國文系主任的我同班同學王熙元請去他家，告訴他中國文字學會的重擔要交由他接棒。就這樣，王熙元兄就擔任中國文字學會改組後的第一任理事長。我自告奮勇，擔任他的祕書長，策畫改組後的運作方針，擬訂三個原則：其一、將學術研究帶進大學校園，其二、打破門戶之見，其三、南北、東西，均衡發展。改組迄今已歷經二十三年，每年在南北東西各地大學舉辦學術研討會，出版論文集，從未間斷。我從八十年至八十四年被選爲理事長，接著由蔡信發兄、陳伯元兄、王初慶兄、許學仁教授，各擔任四年理事長，現由宋建華教授擔任理事長。伯元兄從八十九年至九十一年擔任理事長。當時伯元兄玉體違和，免疫系統失調，咳嗽不停。然而　一來眾望所歸，二來學會運作多年，已漸上軌道，正需一位富於領導學會經驗的人來掌舵。伯元兄歷任聲韻學會、訓詁學會理事長，自是最理想人選。便在眾人期盼下，他無顧個人健康，毅然接下此一重擔。當時擔任祕書長的是他的高足林慶勳教授。伯元兄考慮：在離臺出國期間，惟恐影響學會會務的推動，於八十八年接任理事長時，特聘信發兄與我本人爲理事長特別顧問，叮嚀祕書長凡事先向信發兄與我報告，徵求意見而後執行。其遇事留意，認真負責者如此。

民國三十八年國民政府遷臺之後，兩岸人民音訊斷絕。七十七年，政府開放民間准許前往大陸探親。自是之後，臺灣學者彼此交流，參加兩岸主辦的學術研討會，日益頻繁。伯元兄由於身任學會理事長，對推動兩岸學術交流，更是不遺餘力。其中本人隨同參加，印象深刻的，略記數則，藉表悼念之忱。

八十一年八月二十三日，赴北京，參加北京師範大學主辦的「海峽兩岸文字統合學術研討會」，伯元兄發表論文，題目是：〈章太炎先生轉注說之真諦與漢字統合之關聯〉。在會中初識語文學前輩學人周祖謨教授、胡厚宣教授、張志公教授等人。八月二十五日，續參加北方工業大學主辦「海峽兩岸文化統合研討會」，伯元兄發表論文，題目是：「詩歌吟唱與詩歌教學」。並當場塡〈漁家傲〉詞一闋，相贈北方工業大學仇校長春霖。贏得現場熱烈掌聲。

八十六年九月應昆明儒學會的邀請，參與該學會主辦的學術研討會。同行者計有伯元兄賢伉儷、蔡信發兄、沈謙兄、李添富教授、孔仲溫教授等。會期適值中秋節，大會體念臺灣與會學者遠離家人，不免隔海相思，特別安排賞月晚會，會中孔仲溫教授上臺高歌一曲，贏得兩岸學者熱烈掌聲。

研討會閉幕後，臺灣學者隨同伯元兄賢伉儷往遊石林，眾石獻景，蔚爲奇觀。爾今美景依舊，而人事皆非，爲之噓唏不已。

八十九年參加瑞安市舉辦「孫詒讓研究國際學術研討會」。同行者有伯元兄、吳仲寶、陳錫勇、信發兄等。伯元兄在會場當眾揮毫，於閉幕典禮作專題演講，講題是：〈孫詒讓《墨子閒詁》卷一訓詁術語究析〉。會後同行者隨同伯元兄走訪瑞安市屏星街林師景伊(尹)故宅。舊貌雖存，而多所破損，瑞安市項副市長克力、文化局曾局長大滿、文化局周主任松崗、文物館潘館長知山等亦陪同在側，見臺灣學者尊師心誠，至爲感動，乃當場集議，將重修林師景伊故居，闢爲紀念館。

九十年八月，應大陸詩經學會之邀，前往張家界參加「第五屆詩經國際研討會」，伯元兄發表論文，題目是：〈從燕燕詩看詩序之價值〉，頗得好評。研討會閉幕後，與信發兄陪同伯元兄伉儷前往成都，參觀熊貓基地、合江樓，錦江公園等名勝。遊都江堰，李冰祠，九寨溝，青城山等景點。品嘗麻婆本店的「麻婆豆腐」，相談甚歡。伯元兄近年來，由於咳嗽不停，久不沾烈酒。是日一時豪興，向店家索取茅台酒一瓶，淺酌數杯，頻頻讚稱「好酒」，夫人在座亦面露微笑，不加勸阻，爾今思之，依然神往不已。

伯元兄是性情中人，上課時認真授課，不苟言笑，望之儼然；課後相處，言談風趣，即之也溫；涉及爲人處事，正顏以對，聽其言也厲。雖然，伯元兄對待學生弟子，有如兒女，生之所樂樂之，生之所憂憂之。弟子對待伯元兄夫婦，亦有如父母。八十八年三月二十五日，得意門生東吳大學中文系教授林炯陽癌症辭世，伯元兄爲之哀傷不已，作「哭炯陽弟」一詩弔之。

八十九年，弟子孔仲溫骨癌病危，伯元兄偕同夫人南下，至醫院探視病情，爲之痛心欲絕，遲遲不能離去。自撰祭文，於喪禮上，親自宣讀，泣不成聲，聞者莫不爲之動容。

八十九年七月四日，門下諸生爲紀念恩師榮退，因集議舉辦「紀念陳伯元教授榮譽退休學術研討會」，並出版論文集。九十三年二月二十一日，伯元兄門生，假臺北市六福皇宮餐廳，舉辦「陳伯元教授七秩壽宴」，並出版祝壽論文集，以爲賀慶。伯元兄六五榮退時，自作「退休感賦」，中有四句：「六五榮休退亦姸，好攜妻作五湖仙。栽蘭育蕙香盈袖，解字論音紙積肩。」令人讀後欽羨無已，其弟子文幸福和詩中有「上壽還期百歲年」句，更是與會眾人的心聲。奈何天不假年，爾今讀此詩不免爲之嗟歎。

一百年一月十一日，伯元兄的弟子臺師大臺灣語文學系教授姚榮松夫婦，假龍都酒店宴請恩師陳伯元，同席受邀者除本人外，尚有：李爽秋學長伉儷、何大安教授伉儷、張文彬教授伉儷、葉鍵得教授、柯響峰、許雯怡。這是與伯元兄最後一次的會面。餐後伯元兄與在座各位一一握手，當我與伯元兄握手時，心頭隱隱浮起一絲哀傷之意，如今回想，似已有警訊了。

與伯元兄相交五十三年，他比我高一班，我比他虛長一歲。我倆有時會戲稱對方：他稱我「老哥學弟」，我稱他「學長老弟」。煞而，在我心中，一直是亦師亦友看待。

民國七十七年元旦，伯元兄見贈墨寶一幅，內賦律詩一首：「三十年來老弟兄，丁丁伐木自嚶鳴。林公門下仁難讓，魯殿堂前學孰擎。吾祖仲弓明道義，君家叔重辨形聲。先人從古非凡俗，握手相期責豈輕。」我把它懸掛在書房，時時刻刻以此自勉。

最後，容我再戲稱你一次：

學長老弟，您安息吧！

附記：倉促成文，記事容有訛舛，措辭不免失當，尙請海涵。

（本文轉載自《國文天地》第二十八卷第四期）

記伯元兄與我的《詩經》因緣

臺灣師大國文系退休教授　余培林

伯元兄是景伊師門弟子中的大弟子，大學四年級時，就代景伊師在東吳大學中文系上「聲韻學」課，聲名赫赫，當時在我們中文系學生心目中是高不可仰的。

伯元兄大學、研究所都比我高一屆，我總稱他爲「兄」；但我比他年長四歲，他也稱我爲「兄」，有的時候就玩笑式的、稱我爲「學弟老兄」。研究所畢業後，我們相繼留校任教，見面的機會增多，但我總是和他保持一點距離，因爲他爲人正直、耿介，我既敬他，也怕他。

民國六十二年，三民書局編《大辭典》，伯元兄和我都被聘爲編纂委員，見面的機會增多，但我總是禮貌性和他打個招呼，然後坐得離他遠遠的。有一天，編輯室中只有我們兩人，他突然朗誦：「大將南征膽氣豪，腰橫秋水雁翎刀。」又重複了幾次，聲音越來越小，似乎背不下去，我就接下去說：「風吹鼉鼓山河動，電閃旌旗日月高。」然後二人一齊地把下面四句背完。伯元兄問：「培林兄，這是《千家詩》中最後一首詩，你怎麼也背得？」我說：「《三》、

《百》、《千》、《千》是我們小時候啟蒙必讀之物，所以我會背。」他說：「這首詩並沒有很高的意境，只是氣勢豪放，又是皇帝（明世宗）所作，我十分喜愛，就把它背了下來。剛才一時之間背不出來，謝謝你的提示。」

過了兩天，我們又在編輯室相遇，他說：「我回去翻查詩文，我們那天背的不錯，但有一位教授告訴我，原文不是『鼉鼓』，而是『鼊鼓』，『鼉鼓』是錯的。你有什麼意見？」我說：「『鼉鼓』有典，《詩經・大雅・靈臺》篇：『鼉鼓逢逢，矇瞍奏公。』『鼊鼓』，古書中沒有這個詞。」他驚奇地問：「《詩經》你也熟？」我說：「我小時候讀私塾，《詩經》曾背過。」他又問：「除了《詩經》之外，你還背過哪些書？」我答：「《四書》、《古文觀止》、《唐詩三百首》、《幼學瓊林》、還有《秋水軒尺牘》，不過大部分都忘光了。」他臉現驚奇地說：「你能背這許多書，講起課來一定左右逢源，真令人羨慕。我要寫詩，所以特別喜歡《詩經》，以後要向你多討教討教。」過了一會，他又對我說：「聽說你正在為三民寫《老子》，你對《詩經》這麼熟，希望你能專心研究《詩經》，把《詩經》重新注釋一次。道家務「虛」，儒家務「實」——就是誠啦，儒家的實對人生日用很有益處。六經是儒家學術的精華，孔子以六經教學，而引用、說解《詩經》最多，就是由於《詩經》溫柔敦厚的詩教。」一位專門研究聲韻、訓詁的人，竟然三言兩語就把儒、道二家思想的核心分野，說得清清楚楚，這使得我吃驚不已，更對他增加了尊敬之心，同時，他這番懇切的叮嚀，也增加了我對他的親切之感。

以後我們在一起，常常談論《詩經》，也常常發生爭執，有時甚至爭得面紅耳赤。最後伯元兄往往把桌子一拍說：「培林兄，走！我們喝酒去！」爭執於焉落幕。

六十八年開學，我的四年級的《詩經》課排在下午二至四時。第二週，我講完概論，接著就講詩文第一篇〈關雎〉篇，當我講到「左右流之」，解釋「流，求也」求，就是取的時候，有學生發問說：「老師，今天中央日報副刊刊載裴普賢先生的文章說：『流』是『流動』的意思，老師爲什麼把『流』釋作『求』？」原來時報出版公司出版一套《中國歷代經典寶庫》，裴普賢先生負責撰寫《詩經》。書完成後，她就把其中自認爲精要的部分公諸於世，當天由中央日報副刊刊出。文中她認爲「流」應解作「流動」。我回答說：「《爾雅‧釋言》說：『流，求也。』毛《傳》就用這個解釋。到了朱熹《詩集傳》，就解作『順水流而取之。』增加了一個『流動』的意思。到了方玉潤《詩經原始》，又解作『順水而流』，保留了朱熹『流動』的意思，而去掉了漢宋以來的『取』的意思，裴先生解作『流動』，就是承襲方玉潤的說法。」話還沒有說完，又有同學發問：「這兩種說法哪個正確？」我答：「答案我暫時不說，我先提供兩個思考的方向。第一個方向就是看『流』這個動作是由水發生的，還是由人發生的。如果由水發生的，就應解作『流動』；如果由人發生，就應解作『求』。而四章『左由采之』，五章『左右芼之』，可以提供你們參考。第二個方向就是『流』這個動作停止點，也就是『流』下面的『之』字，如果『流』解作『流動』，『之』字就是語詞，無義；如果『流』字解作『求』，『之』字就是代名詞，作受詞用。這一點四章『左由采之』、五章『左右芼之』也可以提供參考。參考的資料甚至可以擴及到『寤寐求之』、『琴瑟友之』、『鐘鼓樂之』。」停了一會，又有同學問：「『流』如何可以解作『求』呢？」他似乎已經肯定『流』應解作『求』了。我答：「馬瑞辰《毛詩傳箋通釋》認爲『流』通『摎』，高本漢《詩經注釋》認爲『流』是『留』的假借。我是較偏向高本漢的，因爲『流學』一詞，現在不都是說成『留學』嗎？」又有同學問：「詩人爲什麼不直接用『求』字。」我答：「爲了避免重複。」又有同學要發問，剛好下課鐘聲響起，大家似乎意猶未盡，但前後已糾纏二十幾分鐘。

一個小時候，我下課後在教師休息室洗手，伯元兄也來在我對面洗手，長長地嘆了一聲說：「培林兄，我剛上了一節悶課。」我問：「怎麼一回事？」他說：「我上課才說：『我們上星期講訓詁條例，今天我們舉例，譬如《詩經．關雎》篇『左右流之』。流，求也。』全班同學哄堂大笑。我檢查我的衣著，並沒有甚麼不妥，我也沒有講錯，笑得我莫名其妙，整個一個小時課，我上得悶悶不樂。」我說：「你問任何人，都不能解你的悶；問我，你算是問對人了。」於是我就把前一節上《詩經》課的情形，大致講述一遍。他說：「原來是你老兄『流』到我這裡來的。」我們相對而笑。以後，他見到我常問：「今天『流』了甚麼下來？」

八十一年暑假，伯元兄說要去香港講學，就把研究所的「詩經研討」課停開一年。當時我的《詩經正詁》上冊剛剛脫稿。就向系主任邱燮友先生請求把這門課排給我上，讓我多一個實驗的機會。邱先生答應了，誰知道開學後伯元兄又回來了，看到他的「詩經研討」課換上我的名字，大爲憤怒，對我拍桌子大聲吼說：「你要教這門課，跟我講一聲，我會讓給你的，爲什麼在我出國的時候，強占我的課？」我向他解釋說：「我不是強占，是因爲你出國停開，我借教一年，明年你回國，我再還給你。」他強壓著怒氣說：「這門課就讓給你教，你不要還給我了。我開『東坡詩』吧！」我向他深深地一鞠躬，大聲地說：「謝謝！」然後把桌子一拍，仿效他的口吻說：「伯元兄，走！我們喝酒去！」他被我這個滑稽動作逗笑了，於是一天風雲散得無影無蹤。

八十五年十月的一天下午，系主任蔡宗陽先生打電話到我的研究室，要我到系辦公室去一下。我進系辦公室一看，除了系主任外，伯元兄和《詩經》專家文學院院長賴明德先生也在座。由伯元兄發言說：「我們請你來，想請你做一件事。」我問：「什麼事？」伯元兄說：「你知道以前我們國文系有一段時間學術活動盛極一時，潘重規先生公開講授《論語》，牟宗三先生公開講授〈理則學〉，聽者踴躍，國文系的聲譽也盛極一時。」我說：「我知道，那是民國四十一、二的事，那時我還沒有進大學，但我聽過潘先生的《論語》。」伯元兄接著說：「我們想請你公開講授《詩經》，重現昔日勝景。」我說：「此一時也，彼一時也。那時候人心質樸，生活單純，加上娛樂節目又少，學術演講還能吸引一些聽眾；現在人人向『錢』看，電視、電影發達，娛樂名目眾多，除非你講〈發財學〉、〈戀愛學〉還能吸引些聽眾，你講《詩經》，誰有興趣長期聽這種枯燥無味的課？很對不起，我無法達成你們的願望。」他們三人臉上盡是失望之情。幾年之後，伯元兄自己公開講授一門〈聲韻講座〉課，教室滿座，昔日勝景重現，他終於遂了自己的願望。

伯元兄多才多藝，詩、詞、書、文，無不擅長；聲韻、訓詁之學，更是登峰造極，邁越前賢。他也精通《詩經》，並且惠我特多。我講授《詩經》，遇有聲韻、訓詁問題，多向他請教，他也毫不吝惜地傾囊相授；我撰寫《詩經正詁》，叶韻問題，則一以他的〈毛詩韻譜、通韻譜、合韻譜〉一文為斷，書的「例言」中早有說明。所以就《詩經》而言，他可以說是我的益友，也可以說是我的良師。如今他突然離我而去，使我頓失一位良師、益友，如再有《詩經》問題，教我向誰請益呢？走筆至此，不禁心悽愴而淚潸然了。

人如其玉，玉如其人

中央大學榮譽教授 **蔡信發**

昔之君子，以玉爲貴，或飾於冠，或佩於腰。時至今日，猶存古風。雖屬小道，必有可觀，諒以其深於比興，別有底蘊。

猶記得有個「教授」，佩玉有年，不知其玉質如何，遠遠望去，大抵光亮明潔，有個樣子，然而始終襯不出這個人來，百思不得其解，爲之迷惘。後幾經深思，漸悟其理，原來他說起話來，託大自誇，全無倫次；寫起文來，左抄右襲，習以爲常；喝起酒來，未醉先亂，胡言妄語，尤其自詡爲名教授，驕其妻室，人鄙之而不自覺，玉也無辜受累，何其不幸！此惑既解，我對玉之鍾情，一如往昔，不疑其德，且常爲那塊玉不値，深以爲憾！我雖愛玉，也偶繫腰間，然常以此人之不堪爲戒。興思及此，每吟〈芄蘭〉之詩，彷見其人，而古人以佩玉爲貴，藉象其德，豈徒然哉！

民國八十五年秋，我與伯元兄一起赴雲南昆明參加兩岸訓詁學學術研討會。會後，遊覽麗水街陌，經一工藝館，我想買塊玉作紀念。此時，伯元兄忽請我代他選一塊，霎時間，使我不禁游移。因「玉」這個東西，學問很大，稍一不慎，很易被商家訛騙破財，自購還好，上當也就認了，而爲他人選購，吃了虧，怎麼過意得去？正在此時，忽然興起一個念頭，像他這樣治學有成，桃李如林，似該爲他選件玉佩，顯其德量。於是，我很用心爲他選了個玉環。他看了十分中意，說回臺後，要學生替他拿去加個結飾，佩於腰間。接著，他把玩於手，不忍置入口袋，此刻情景，迄今猶不時浮現眼前。回臺後，有個聚會，我倆見了面，他走上前來，提起腰間的玉佩，說：「蔡公！你爲我選的玉太好了，我很喜歡，謝謝！」我答：「喜歡就好，和你很配。」說真的，他佩了這個玉環，確是很顯光彩，我不僅深慶其人得玉，也爲該玉能佩於伯元兄而欣慰。此後，不論公私場合，他都佩戴這個玉環，我也益信君子愛玉，以象其德，古人之言，實不我欺！

近年來，伯元兄身體欠佳，去冬赴美，我一直很關心他的健康。開春以來，相繼傳出他擬今秋回國，打算多和門生相聚，定居下來，不再赴美，尤以月初得悉他將於十八日返臺，機票已訂，老友相聚有日，可免東山之歎，能不忻喜！不意八月一日突獲其高足來電，告以伯元師病逝，難償回國之願。旋即電話那頭傳來陣陣飲泣哽咽，久久不能自已，令我驚詫之餘，不勝憮然。此時，不禁遙想那塊玉應仍佩戴身側，揚其光輝，以象其著作輝麗，足以不朽。言念於此，曷勝感傷！

榮辱之來，必象其德；玉之佳惡，寓自比興。伯元兄人如其玉，玉如其人。今其人云亡，志業長存，追思曩昔，能不愴悢！

懷念陳伯元教授

中興大學退休教授前文學院院長　胡楚生

陳伯元教授於民國一〇一年八月一日辭世，消息傳來，令人感傷，也使我深深懷念起陳教授。

在記憶中，第一次見到伯元教授，是在民國四十八年。當時，我是東吳大學中文系三年級的學生，九月開學不久，同學們紛紛相傳，系裡來了一位年輕的老師，講授二年級的聲韻學。其實，在中文系的課程裡面，文字、聲韻、訓詁三門功課，都是最基礎的課程，其他大學的中文系，都將這三門功課安排在二、三、四年級，而東吳中文系，爲了培養學生的根柢，卻將這三門功課，提早一年，從一年級起就開始講授。當時這三門課，原先都是由林景伊老師擔任，由於林老師當時專任於師範大學，功課較忙，所以，由四十八年開始，東吳中文系的聲韻學，便由林老師推薦陳伯元教授前來講授。陳教授那時才不過二十三、四歲，對於聲韻學的研究，卻已盡得林景伊老師的真傳，上起課來，條理清晰，將一門艱深的課程，講解得引人入勝，極受學生們的歡迎，加以伯元教授少年英俊，當時，確實轟動了東吳大學的校園。

國內的文字學會，成立得最早，不久，聲韻學會也跟著成立，但是，訓詁學會的成立，時間上卻最晚。記得在民國八十年三月，文字學會在高雄師範大學舉行國際學術研討會，在會議結束前的「綜合討論」中，由陳伯元教授擔任主持人，很自然地，大家的話題談到了訓詁學會尚未成立的事情，在討論中，陳伯元教授、左松超教授、與筆者，都為此提出了一些意見。會後，陳伯元教授積極地推動籌設訓詁學會的工作，也很快獲得政府主管單位的批准成立。大家公推由陳伯元教授擔任了第一任會長，同時快馬加鞭地在八十二年十二月，就在輔仁大學舉辦了第一屆中國訓詁學會的學術研討會，並且邀請了大陸著名的訓詁學者王寧、黃建中、王慶元等三人來臺參加會議，發表論文，成為當時中文學界的一項盛會。

民國九十六年十一月，明道大學中文系舉辦了唐宋詩詞國際學術研討會，陳伯元教授受邀南來，發表了一篇〈天涯何處無芳草——蘇東坡「蝶戀花」詞賞析〉的文章，分析得鞭闢入理，受到與會學者們一致的稱許。會後，我贈送了一冊自己出版不久的小書《中華民族抗日戰爭史略》給伯元教授，不久，收到他手書的一件條幅，寫的是一首七律詩：「臺員哈日已成狂，欣欣經儒尚激昂，八載龍蛇雖罷鬬，神州地域尚留傷，可悲人性俱泯滅，竟與讎家互表揚，今讀君書存正氣，貞松終可御寒霜」，對於經歷過抗戰艱苦歲月的人們來說，確實有著不少的激勵作用。

追懷陳伯元教授，想起了過去的許多往事，歷歷在目，因而記述了幾件事情，以表深切哀悼之意。

一位承先啓後，繼往開來的可敬學者
——敬悼陳伯元先生

中原大學應用華語文系教授　**賴明德**

前言

我生於民國二十七年，比伯元先生小三歲。我於民國四十七年到四十九年在母校臺灣師大國文專修科修滿學分結業，五十二年國文系畢業，五十五年國研所碩士班畢業，六十一年博士班畢業，六十二年到九十五年在國文系任教服務。無論是在求期間或是任教期間，對大名鼎鼎的伯元先生已經非常景仰，後來在系上有幸和他接觸相處，對他的人品風範和治學精神尤爲敬佩。記得民國八十四年他六十歲生日那一天，母校國文系師生和他在國學界的門生故舊爲他舉辦盛大隆重的學術研討會，以慶祝他的華誕。在多位尊長的致詞祝賀之後，他突然指名要我上臺也講幾句話，當時我雖然到頗爲驚訝，但因身兼系務工作，覺得這也是我義不容辭的殊榮，於是純憑個人平時對伯元先生的印象和感受率爾陳辭，想到那裡就講到那裡，當時並未留下文字記錄。沒想到十七年後的今天，他竟溘然與世長辭，讓人無比悼念。現在趁著親友和學生們爲他寫撰文編《哀思錄》之際，再憑記憶所及，還原當時陳辭的內容大要，以作爲哀思。我當時陳述伯元先生的人格特質和道德文章，約略歸納爲十點如下：

一、品格方正，是非分明

伯元先生爲人一向誠實率直，一切言行都是出自真心。凡有喜怒哀樂之發，必發而中節，舉動行止也毫不矯揉作態，無論師友或門人都可以和他坦誠交心，不必有任何顧忌。但是他面對事物，卻是就事論事，是非分明，不因個人的偏好而有所循私，不因利害的糾葛而枉法，待人接物總是光明磊落，坦坦蕩蕩，令人和他相處時有一種安全的感覺。偶爾有人舉出他的些微無心之過，他也都能虛心接納，檢討反省，不強詞奪理以維護自己的顏面，古人所謂三省吾身，君子九思，他基本上都能加以力行。

二、治學嚴謹，焚膏繼晷

伯元先生治學態度嚴謹，他遵循古人「離經辨志」的旨意，在國研所就讀期間，對所裡規定點讀的十三經注疏、段注說文解字以及文史重要典籍等都用毛筆蘸著朱砂逐句點讀，一絲不苟；覃思所得，則勤作批註記在書眉，朱墨爛然，盡是精闢之語，令人閱之，無限欽佩。他檢閱所裡學生的課業時也是逐頁檢視，毫不含糊，這就養成了學生們精確篤實的精神，無論為學與作人，都能畢生受用不盡。他治學用功的精神尤其令人敬佩，總是夜以繼日，甚至通宵達旦，直到鷄鳴方休，這是眾所皆知的事實。

三、傳道授業，真誠感人

伯元先生授課時總是全神貫注，語音宏亮，每節課自始至終，無論是對群經義蘊或是聲韻訓詁的詮釋，都是反覆論證，不厭其詳，縷縷剖析，滔滔不絕，走過他的課室，常可聽到他授課時的聲響縈繞於迴廊之間。每當盛暑期間，他授完課走入教員休息室時，總看到他的上衣自裡到外，全都濕透，有如經過雨淋，有一次我對他說：「陳老師您這樣上課實在太賣力傷身了。」他回答說：「走上傳道、授業這一條路，本來就應當全力以赴啊！」頓時讓我無言以對，心生無比的敬意。

四、尊師重道，宏揚師承

伯元先生極為崇敬師長，他對景伊師事之如父，是眾所目睹和周知的事，對程旨雲師、潘石禪師、高仲華師、黃錦鋐師等，也都是勤執弟子之禮，畢恭畢敬，侍候周至的，這為日漸式微的尊師風氣樹立了一個極為良好的榜樣。他的學術發展，在經史方面傳承自程旨雲師的春秋經傳義理，文字、聲韻、訓詁之學則傳承自景伊師的學術菁華，遠紹乾嘉徵實的遺風，近繼章黃之學的義蘊，推波助瀾，辛勤經營，使臺灣的國學界形塑了一種實事求是的務實氛圍，這是極爲難能可貴的事。

五、提攜後進，有教無類

伯元先生非常珍惜人才，無論哪一所大學的本科生或是研究生，只要是勤奮認真，有志國學的，不論聰明才智的秀出與否，他都殷切的加以勉勵提携，牽引指導，所以他的學生並不僅限於臺灣師大國文系所，也不限於本國或外國，他對有志闡發文字、聲韻之學的學生，總是特別青睞，因爲他感到要研究這一門體大思精的艱深學問，沒有極大的熱誠和毅力是辦不到的，所謂「古調雖自愛，今人多不彈」，因此，只要是碩、博士生請求他指導這一方面的論文，他總是感到特別的興奮和安慰，欣然接納，細心指導。

六、力求新知，與時俱進

伯元先生雖已屆耳順之年，但是對近年來興起的的利用電腦網路、多媒體科技以輔助教學這一方面的知能也都能加以配合和應用，他教學用的講義和發表的詩文幾乎都是親自用電腦打字印製的，對運用簡報系統（PowerPoint）融入教學以加深學生的學習效能這一方面也作的頗爲成功，這對我們這一輩的人而言，並不是一件很容易的事，但他卻能努力學習，與時俱進，運用自如。

七、詩詞精湛，書法遒勁

伯元先生除精通經籍及文字音韻之外，也雅愛詩詞，平時除了和門生友人酬酢唱和之外，興之所至，則藉詩詞詠懷，其詩風兼具唐詩的平易曉暢和宋詩的隱約幽微，在古今詩人之中獨鍾愛東坡詩詞，他曾經開設東坡詩詞課程供學生選習，其間特別揭示東坡人格的真純誠摯和詩風的磅礡宏肆。此外他也擅長書法，所作楷書工整端莊，一筆不苟，遒勁妍麗接近於唐代的歐體。

八、維護儒學，不遺餘力

伯元先生一向以踐履孔孟思想和維護中華文化爲己任，並且身體力行，以身作則。據我所知，凡是有人輕蔑儒家學說和欲去除中華文化而後快者，他必旗幟鮮明，立場堅決地起而當面加以駁斥，或撰文加入論戰， 即使對方是同事或好友，他也義正辭嚴，不假以詞色。他曾經撰寫過多篇時論投寄於報刊上面，也大多是鍼砭時弊和導正學術文化的宏識讜論。

九、待人接物，豪爽親切

伯元先生給人的印象是望之儼然，即之也溫。初次見面時會覺得他的神情頗爲嚴肅，其實他心地善良，熱情好客，對學生門人的生活起居，學養品格，尤其關懷備至。他有傳統學人的嗜好，即習慣以香菸培養文思，以美酒醞釀詩情，當他獨自吞雲吐務時，決不強人吸他的二手菸；當他參加宴飲時，與人相互敬酒，必以乾杯為禮，務使賓主盡歡。而每當他個人興之所至，則不醉不歸，醉歸之後，雖然難免受到太座以微詞曉諭一番，然而當下卻每每靈感泉湧，詩興勃發，篇篇佳作，因而一氣呵成。有關他醉後的趣事也往往成為佳話，廣為流傳。和師生好友相聚飲宴時是他最釋懷、最快樂的時光，此時也最容易發現他的熱情洋溢，豪氣干雲。

十、著作等身，桃李滿門

伯元先生勤於著述，有關春秋經義、詩經賞析、文字、聲韻、訓詁的專著、個人的詩輯、文集以及參與主持或編纂的字典、辭典、叢書等不下數十種，可謂著作等身。他所指導的碩、博士論文已經有上百篇之多。至於親炙受業的中外學生更是不計其數，世人所說的春風化雨，桃李滿門，伯元先生的確可以當之無愧。

後記

記得當時我致詞完了以後，伯元先生很高興的前來對我握手言謝，並且說：「聆聽了你的這一番即興致詞，我感到自己都快要成為十全老人了。雖然愧不敢當，但是人生在世，總要時時努力，有生之年，只要我身心健壯，我是會再接再厲，不斷努力的。」我想他這種日新又新，積健爲雄的「新雄」精神正是他立德立言，經師人師的關鍵所在。後來我因行政事務繁忙，伯元先生又因在臺、美兩地及海峽兩岸來回講學開會，相見日少，只聽說他身體欠安。今乍聞他的仙逝，除了感到非常的震驚以外，也懷著十分的哀傷。我想他的一生已經體現了《聖經》所說的「那美好的仗我已經打過了，當跑的路我已經跑盡了，所信的道我已經守住了。」深信未來他眾多的傑出弟子們一定能夠繼續發揚他的人格精神，傳承他的學術成就，實踐他們這一位可敬可愛的老師一輩子承先啓後，繼往開來的卓越典範。

悼伯元師

輔仁大學中文系教授　王初慶

當獲悉伯元師二度赴美就醫的訊息，心中不免浮現陰影。得知進入加護病房，病情穩定後，陳師尙期待立即返臺之心願，更盼望先生夙願得償。無奈天意人事叵測，竟於八月一日驟歸道山。親人恪遵遺命，靈骨返葬臺北，恬爲後學，謹以數言，追念先生。

於伯元師之道德、學術、文章，及門弟子，耳熟能詳，不待末學贅言。先生於後進之提攜，更是不遺餘力，傳爲美談。以末學言之，論道既無緣親炙，言學亦未盡同源。而屢受陳師之援引推介，即可見其一斑。謹述與先生交往之二三事，，以爲追思。

與先生在學術上有直接之接觸，始於民國六十八年：文字學界，於「六書」之理論與體系，一向各有定見，而伯元師以章、黃之傳人，面對審查末學頗有歧見之升等論文時，不僅不以之爲忤，甚至遇人即推許之，其風範令人感佩。其後，承蒙舉薦爲異體字字典編輯委員，在頻繁的編輯委員會議中，更見識擔任副總編輯的陳師治事之謹嚴。與先生遊，屢獲先生之詩文及墨寶，而末學既未黯書法，更不通詩韻，無以爲報。先生所贈「戲效東坡一字韻詩」之條幅，傳爲絕作；與靜芝師之墨寶，成爲末學研究室鎭室之寶。

民國九十年六月，由韓國「漢字振興協議會」所舉辦的「第六回漢字文化圈內生活漢字問題國際討論會」在漢城（首爾）召開，先生囑代表中國文字學會陪同與會，因撰寫會議論文，得以開展漢字傳播之視野。同年九月，章太炎、黃侃先生紀念會暨國際學術研討會在浙江海寧舉辦，先生授意發表論文；又對章、黃之文字學體系，有更深入之認知：此非先生不言之教耶？

先生於學術之推廣，歷年來，先後創設中國聲韻學會、中國訓詁學會與中國經學研究會等學術社團，嘉惠士林，誠所謂立人、達人之功業也。哲人雖萎，其志業能否可長可久，端賴後學者共同努力。以之化為追思先生之行動，不亦可乎！

伯元師榮退之後，不願赴美與兒孫共享天倫，總以傳道後學為急務，甚至有感於傳統聲韻學後繼無人，在正式授課之餘，替聲韻學會開設聲韻專班，講學不輟。即使師母或以「殺君馬者道旁兒」為勸，亦不為所動。至體力不支，此間求醫未盡如意，方赴美就醫，稍有康復，又念念回臺。先生雖生於江西，求學、服務、乃至於安身立命，畢生貢獻皆在臺灣，其精神之所繫，無非斯土斯民耳。然立足於斯，其所企望者，豈非天下國家耶？如今歸葬於此，亦先生之所願，魂兮歸來，堪有可慰。所謂：

泳涵蘇陸情懷，胸臆喜憂天下；
恪守章黃學統，德操釁舍流芳。

先生之風範，永垂不朽。

悼陳伯元先生・記陳伯元先生藝術創作二事

南京大學教授　魯國堯

一

陳伯元先生逝世，是中國學術界的重大損失。

伯元先生的成就是多方面的，他是語言學家，也是研究蘇軾的專家，他擅長詩詞創作，也精于書法，古詩文吟詠也是他的一大特長。總之他集學者、詩人、書家於一身。

在語言學方面，伯元先生于音韻、於訓詁，都有精深的著作傳世，蔚爲大家，足以繼前良而開來者。

二

關於伯元先生的道德、文章，必有大量記述，毋庸我贅言。

有兩件事只有我最清楚，我有責任記錄下來，備《陳新雄評傳》的作者採擷。

二〇〇四年上半年我在台南成功大學任客座教授，仲春我到臺北出席一個學術會議，某日中午伯元先生宴請我。伯元先生很有豪氣，這是眾所周知的，在他酒酣耳熱之時，我乘間提出一個請求。

我們南京大學漢語言文字學科辦了個《南大語言學》（「學術輯刊」，或曰「連續出版物」，俗曰「以書代刊」），我任主編。我讀過杜甫《戲為六絕句》和元遺山的《論詩絕句》，因此萌發請陳伯元先生撰《論音絕句》的想法。

我提出了這一請求，伯元先生慨然允諾。幾個月後，他從美國寄來了詩作，這就是《南大語言學》第二編（商務印書館，二〇〇五年）的首篇，論了三十人，始于吳才老，終於許世瑛，有些人不止一首，最多的是高郵王氏父子與高本漢，三首七絕。

現摘抄《南大語言學》第二編「編後言」：

「在本編，『論叢』欄目裏首先奉獻給語言學壇的是《論音絕句》。學者既然可以用散文論語言學，怎麼不可以用韻文論語言學？如果說難度，不爭的事實是，詩體難於散文遠矣！尤其是在當今之世，自詩聖杜甫創《戲為六絕句》，垂範後世，千餘年來踵繼者眾，代有名作，元遺山的《論詩絕句》三十首尤為膾炙人口。七絕這種體裁也泛入其他領域，著名的如《藏書紀事詩》、《洪憲紀事詩》。到而今，我們可以說，在中國語言學史上，在中國文化史上，《論音絕句》是以七絕論音韻學的第一編組詩，陳新雄先生是以詩歌論語言學的第一人，《南大語言學》是登載詩體論語言學的第一本刊物。」

二〇〇七年，段玉裁的故鄉江蘇省金壇縣修葺段玉裁紀念館，文化局副局長陳金娣請求江蘇省語言學會會長馬景侖教授等予以幫助。金壇縣在段玉裁紀念館門前左側新建一亭，命名爲「仰玉亭」，我提出，請臺灣師範大學的音韻學家、詩人、書法家陳新雄教授撰聯並書寫，他是最恰當的人選，陳、馬兩先生都十分同意。於是由我函請伯元先生賜墨寶，不久伯元先生從美國寄來了「仰玉亭」匾額，以及對聯「文字工夫追許鄭，音聲成就邁隋唐」，還書寫了他的《論音絕句》中的詠段茂堂的兩首，我當即轉寄金壇縣。

如今在段玉裁的故鄉，仰玉亭高聳，伯元先生的匾、聯題字爲世世代代的人們瞻仰。

二〇一二年八月中下旬

附：1.《論音絕句》。
2. 仰玉亭的匾額對聯攝影。

按：1.《論音絕句》因篇幅略長，放在本書輯九作爲附錄二。
2. 下列仰玉亭匾額及對聯照片由竺家寧教授提供。

（本文作者為中國音韻研究會前會長）

音聲成就邁隋唐
文字工夫追許鄭

私淑艾者的悲歌

元智大學中國文學系教授　莊雅州

八月初在考試院閱卷期間，有一天，朱榮智兄突然走過來說：「剛收到美國傳來的簡訊，伯元師走了。」雖然近來伯元師睽隔遠洋，健康情形每況愈下，在心理上多少有準備，但乍聞噩耗，還是難免爲之一驚，繼而是一片茫然與淒然。

認識伯元師已四十二、三年了，當時我還在臺灣師大國文研究所碩士班唸書，伯元師則剛榮獲國家文學博士，在母校大學部專任，校園中常有邂逅的機會，最多也是行個禮而已。不久，伯元師擔任同窗林炯陽、鐘克昌等兄的論文指導教授，見了面很自然就以師禮事之，而因爲幾位老師的謬賞，伯元師對我也另眼相看，但彼此之間的交情還其淡如水。

民國八十一年，碩士班剛畢業，依當時的規定，不能馬上報考博士班。這時左師松超找我說：他正在趕撰博士論文，無暇兼課，文化大學夜間部的聲韻學希望我先去代課，將來再推薦我正式兼任。我回答：「一般課程還可以濫竽充數，但聲韻學則恐怕未能勝任愉快。」松超師鼓勵我說：既然修過許師詩英、林師景伊多門聲韻學課程，已有相當基礎，只要趁著這一年較爲閒暇，多充實自己，應該就不成問題了。何況教學可以相長，何樂而不爲呢？就這樣，我半路出家，第一門在大學教的科目竟然是一般人視爲天書的聲韻學。但是我也不敢怠慢，大量閱讀有關聲韻學的著作。幾乎每教一個鐘頭的課，就要備課五、六個鐘頭。其中尤以伯元師的著作《古音學發微》、《音略證補》、《等韻述要》，兼顧傳統與現代，內容充實，立論精闢，更是令我獲益良多。不僅使我日後常擔任聲韻學課程，更爲我的學術研究奠定紮實的基礎。所以後來我在中正大學、玄奘大學擔任行政工作，邀請伯元師到校演講時，都會對聽講的同學特別提到這段私淑艾的因緣，伯元師也很高興有我這位從來沒有聽過課的學生，每有新著出版，常會惠賜一本。這是伯元師對我第一個重要影響。

其次，伯元師除講學上庠，黽勉著述外，還熱心推動學術發展，先後擔任「中國經學會」、「文字學會」、「聲韻學會」、「訓詁學會」的理事長，主持壇坫，鼓舞群倫，發揮了深遠的影響力。在他的感召下，我也都先後入會，甚至擔任理事之類，所以經常有機會聆聽伯元師的教益，也逐漸養成在學術研討會發表論文的習慣。而在香港、大陸有適當的研討會，他也會鼓勵我去參加，像香港的聲韻學研討會、桂林的詩經學研討會、杭州的訓詁學研討會，我都應邀與會，甚至發表論文，對學術研究視野的拓展，頗有助益。不過，在我發表的研討會論文當中，只有〈聲韻學與散文鑑賞〉是伯元師親自擔任特約討論，他發表的評論意見雖然不多，但都十分中肯，至今仍然印象深刻。這是伯元師對我的另一項重要影響。

繼汪師履安、黃師天成之後，伯元師又從學術的星空隕落，真是令人感傷。不過，伯元師雖然離開我們，他的著作將流傳後世；他的典範將永遠保存在我們心中。在感傷之餘，不免對生死之學有些感觸，於是重拾拋棄幾十年的詩筆，寫了一首〈寂滅〉：

縮小、縮小、縮小
摺疊於秋扇一線
黑暗、黑暗、黑暗
　聚焦於圓心一點
寂靜、寂靜、寂靜
　沉寂於鏗然一葉

浴火的鳳凰
解散五行
然後
縷縷遊絲
復歸於昊昊元氣
復歸於一陰一陽之道
復歸於太極
復歸於無

前半寫寂，後半寫滅，雖然題目用的是佛家的詞彙，但內容則融合了老莊、《易傳》、陰陽五行家的生死觀，既符合現代科學新知，與宗教鬼神思想亦不相妨。寫得平靜恬淡，願伯元師，履安師，天成師乃至於一切亡者，永遠安息於大自然的懷抱。

誨我綦多的陳新雄老師

臺灣師大國文系兼任教授 **蔡宗陽**

陳老師，諱新雄，字伯元，係中華民國第七位文學博士、國立臺灣師範大學國文系名譽教授，曾任中國文化大學中文系所主任。老師不止誨我良多，亦惠我綦多。

鄙人就讀臺灣師大國文系大四「訓詁學」、碩二「古音研究」，皆是老師誨我。尤其是「訓詁學」，大三時，先旁聽「訓詁學」一年，大四必修「訓詁學」，上學期成績給我一百二十分，教務處說明最高分一百分，也是滿分。老師向教務處詮釋，鄙人答案超出上課內容，四題除標準答案外，尚有課外「訓詁學」的作者、書名出版社、頁碼、條列式答案與內容相關，並提出創見（學生謙沖寫「淺見」），老師卻認爲真知灼見，將「淺」字改爲「創」字，後來想改爲一零五分，教務處還是堅時教育部規定滿分係一百分，老師只好再改爲一百分。老師在鄙人畢業前夕，鼓勵我：「要想當一位好老師，先準備三個『爲什麼』。爾後問一個問題，先問自己一個『爲什麼』，再問自己兩個『爲什麼』，上課學生問問題，必能對答如流，就是一流老師。」鄙人舉一反三，不僅當中學老師、大學講師、副教授、教授，甚至於當國中訓導主任、臺師大課外活動組主任（後來改爲組長）、臺灣師大國文系所主任、文學院長、副校長，先問自己三個「爲什麼」，再三思而後行，僉能順遂如意。尤其是待人、處事、治學、寫作、考試，皆問自己三個「爲什麼」，這是老師誨我甚多的結晶。

民國六十七年鄙人返母校（臺師大）擔任助教，老師鼓勵我考國文研究所，但因忙於系務，無法潛心準備，連考二次皆名落孫山。老師以毛筆楷書，賦詩一首，以茲黽勉，其詩云：

諄諄誨汝蔡宗陽，天將木鐸傳夫子，
壇坫般勤十載長；手寫斯文付俊良；
學道不回憑意志，一事莫嫌余瑣屑，
寒松終必傲風霜；劬勞方可任翱翔。

「寒松終必傲風霜」、「劬勞方可任翱翔」，永銘心版上，奉爲圭臬。老師一再惕勵，鄙人爾後不懼挫折、不畏艱辛，要披刑斬棘，乘風破浪，全力以赴，劍及履及，並不忘問三個「爲什麼」。應考博士班考試，筆試準備充分，口試準備一百多題「爲什麼」，口試委員無論問任何問題，皆能對答如流，終於榮登榜首。這歸功於老師諄諄教誨，循循善誘所致。對老師惕勵有加，獻上十二萬分謝意與敬意。

民國九十五年六月五日，臺灣師大六十周年校慶，鄙人與愛妻吳明足舉辦書畫聯展，主題「陽書明畫樂逍遙」（愛妻提供），老師以毛筆楷書，特撰對聯一副，以資勉勵。其內容是：

書欲宗陽剛之美
畫應明足願稱心

上款題「宗陽明足書畫儷展」，下款題「丙戌古虔陳新雄撰書」。鄙人與愛妻當天夜晚攜帶禮物，登府道謝。當時書法是展覽金文，又稱爲鐘鼎文，臺師大美術系教書法教授稱讚我：全部以金文展覽深具特色，至盼將來出版一本金文字帖，歷代書法家罕見「金文字帖」。殊不知金文並非《金文編》每字皆有，仍需造字。造字請益現任中原大學應用華語文學系季旭昇系主任，他教我造字，再請他審查是否錯誤，這時才發現書法家必備金文造字方法，有人指導才能撰寫「金文字帖」。繪畫是展覽油畫，每幅油畫以四個字爲主題，鄙人撰藏頭詩（又稱爲隱題詩），以七言絕句爲之。臺師大郭義雄校長主持揭幕，當時圖書館館長、現任臺師大校長張國恩暨現任臺師大副校長鄭志富、各單位主管、教職員工生皆參與，共襄盛舉。

陳老師的品德、學識、風範，真是山高水長。其一生的成就，如宋朝張橫渠所謂「爲天地立心，爲生民立命，爲往聖絕學，爲萬世太平」。（陳立夫老師贈我此二十字墨寶）著作宏富，桃李滿天下（多位弟子擔任中文系所主任、文學院長），其學術享譽國際，馳名全球。既是經師，又是人師，誠屬教育典範。其名譽教授的殊榮，是實至名歸。其教育精神，永遠活在我們的心目中。（作者爲現任國立臺灣師範大學國文系所兼任教授、中國修辭學會榮譽理事長、國際儒學聯合會理事，曾任臺灣師大副校長、文學院長、國文系所主任、教育部國中小九年一貫語文領域召集人兼任國語文組組長）

（本文轉載自《中國語文》第六六三期）

敬祭伯元先生

南陽師範學院 **聶振弢**

縱觀近百年之歷史，無頁不充斥「反傳統」三字，以致如伯元先生所云：「新學之徒，棄家雞而樂野鳧，怪舊藝而趨簡易。故所讀者皆粗淺俚俗，浮談無根，識字之外，別無內涵。翰藻之義，既無所歸；沉思之事，亦未與聞。」（《陳新雄語言學論學集自序》 中華書局 二○一○）概近百年來，主張廢漢字之人有之，主張將線裝書丟茅坑之「元老」有之，主張「隻手打倒孔家店」之「英雄」有之，交白卷不以爲恥之「革命小將」有之……如此一心摧毀自己之傳統文化，古今中外，無前例者。

可慶幸者，今尚有章黃學派大纛在焉，力挺國學正統，堅守國學陣地，尊師重道，薪火不絕，以今日觀之，吾國優秀傳統文化之保全，唯賴此學派之力撐也。

里安林景伊先生拜師黃季剛先生，伯元先生即景伊先生之嫡傳也。先生天資卓犖，學而不厭，融通經史子集，旁及詩詞曲賦，尤精文字聲韻之學。開鑿疏浚，流派湯湯，桃李滿園，蔚成大觀，實我國家民族之大幸也！

天之未喪斯文，往聖絕學有繼。伯元先生成就卓然，影響廣大，爲當今國學之大家。於舉國仰望興復國學、弘揚傳統優秀文化之今日，弢早意藉先生之名義，在中原南陽舉行一次國學研討會議，以促國學研究之進步，以勵傳統文化之弘揚。從二〇〇七年起，即幸與輔仁大學李教授添富先生多次商議籌畫南陽會議之舉辦事宜。誠意感天，終於二〇一〇年十月廿一日至十月廿六日在古城南陽如願舉行「陳伯元先生文字音韻訓詁學國際學術研討會」，四海鴻儒，八方高朋，欣然與會，濟濟一堂。弢於十月廿一日至鄭州機場歡迎先生、師母並十六位賢門。來宛途中，先生賦詩曰：「天邊一片月，隨我到南陽。諸子從師樂，聶公迎客忙……」先生興致之高由此可見一斑也。研討會上，先生做專題報告《求學問道七十年》。精神爽健，音聲朗然，大庭廣座，掌聲陣陣，南陽師生，感染之深，此前所未嘗有也。會間，南陽師院美術館舉辦「伯元先生詩詞展覽」，與會學人並南陽師生，瞻仰先生等身著述，領略先生藝文風采，無不爲先生之道德學問所傾倒。此會大獲成功，國學興復事業，爲之一振。

十月廿六日，會議圓滿謝幕。弢送先生並門下諸賢離鄭。情不可禁，含淚與先生擁別，頻頻相囑，約以來日。孰料此別竟成永訣！人神殊途，再會無期，悲夫！

先生返臺赴美，鴻羽片片，萬裏頻來，所教皆爲復興國學教育之大端。謹遵先生教誨，創辦南陽語言文化大學，於二〇一一年初在南陽市郊破土興工，年底，教學主樓大功告竣，照片傳與先生，先生興奮不已，賦詩填詞，勉勵有加，並擬設立經學、文學、語言學三系，示以詳細之教學計畫與內容。仍授意籌建附屬小學，及早奠定國學之根基。托先生賜福，小學年來已欣欣向榮，大學正待批准。先生原意於今年九月初再蒞宛下，引領國學復興之大業。六月十三日，拜接先生賜函云：「弟急於知曉何時來南陽爲宜？」弢當日拜復先生：「先生原定九月初來宛，彼時暑熱已退，天氣爽涼，甚適宜也。」此後終未再見羽書飛來，先生此函竟成絕筆！弢憶先生前函曾有語云：「弟來南陽，與南陽興學諸君子共舉國學復興之大業，雖死之日猶生之年也！」先生之絕筆，豈有意托骨骸於宛下，寄精神於中州乎？正當南陽師生翹首以盼之時，而先生溘然西行。泰山崩壞，樑柱摧折，舉宛哀傷，何可言之！弢已爲先生、師母備一別業，掃榻擁彗，恭候先生。奈何言之無果，轉瞬成空。今於居舍之中置遺像一幀，焚香斟醴，祭告先生，先生默然，雙目相顧，似有言語，而無聲焉。淚下潸然，哀痛何訴！我望先生，魂兮歸來，安居於此，常賜教焉！

弢與南陽語言文化大學並附屬小學全體師生悽然於南陽臥龍崗上，仰望西天，遙祭先生，辭曰：

偉哉陳公。一代師宗。千載一見，百年難逢。不惟聖賢，兼以豪雄。
純仁純義，大孝大忠。至誠至善，儒心儒行。望重岱嶽，氣貫長虹。
觀今家國，倦虎疲龍。道德弛廢，才若晨星。我公奮起，化導群生。
揮戈挽日，重振世風。天緣有幸，蒞我宛城。蕩滌塵氛，激濁揚清。
勉我後覺，國學為興。為憂世死，為濟世生。公其歸去，痛惜莫名。

天折柱石，夜失明燈。殘陽無語，叩拜公靈。為蒼生惜，為天下痛。去不得也，伯元先生。涕泣有止，哀心無終。

牆外弟子聶振弢並南陽師生祭拜

二〇一二年八月七日

（本文轉載自《中國語文》第六六三期）

萬裏飛鴻尺素書序

南陽師範學院 聶振弢

此書所輯，爲伯元先生二〇一〇年二月十七日至二〇一二年六月十七日，最後八百八十三天中與弢往來之通信。先生賜書一〇五函，弢復書六十三函，共一百六十八函。先生信後附檔所寄

文章六篇：《文字學自序》、《莆田黃天成教授九十壽序》、《文化承傳與小學語文教材》、《求學問道七十年》、《繼往與開來——成立國學院與強化編譯館》、《南陽語言文化學院附屬小學開學賀詞》等。

詩一百六十八首：《高山仰止景伊師》一首；《師大名師贊》九十二首；《論音絕句》四十四首；感懷、贈友、唱和、記遊三十一首等。

詞二十四首。

聯語五十四副。

此函、文、詩、詞，實爲先生炬燭殆盡之時對弢等、對南陽、對中國學界最後之諄諄教誨、切切囑託！

二〇一〇年初，爲舉辦陳伯元先生文字音韻訓詁學國際學術研討會，向先生發出邀請，先生復函曰：

承盛情以我之名義舉行學術研討會，身體無恙，一定參加。茲將回執，依樣填寫如下……

賜函發於二〇一〇年二月十七日，即本集先生之第一通函。

接先生賜函，不勝欣喜，遂拜復先生曰：

先生為當今國學大家，成就之鉅，影響之廣，為大陸學界所未有：天之未喪斯文，往聖絕學有繼，實乃學術之大幸，吾國之大幸也。故數次與李兄添富先生商討，擬在中原文化名城南陽，為先生之學術建樹，舉行一次研討大會。春節前後，弢與有關學者相商，屆時擬請中國語言學會、中國訓詁學會、中國音韻學會、中國文字學會、中國社會科學院等單位以及京、津、滬、渝、漢、廣等地學者參與盛會。此舉必將對國學之研究，學風之建樹，有所鼓勵，有所推進，亦為惠我一方之學界大事也。

先生旋即復函曰：

弟定應邀前來南陽與先生共同發揚中國文化與中國文學。弟以為個人之生命乃屬有限，學術影響方為無限。以是之故，弟之一生亦矢志發揚中國學術，並傳之於生徒。

附檔寄來長詩《高山仰止敬伊師》、文章《文字學自序》、詞《虞美人•文字學一書殺青贈榮汾弟》。時爲三月五日也。

此後，鴻雁頻來。至會前拜接先生寄來大會主題報告《求學問道七十年》，反復展讀，感慨不已！先生問道治學之法，傳薪授徒之教，數十年來，大陸之大學文科特別是中文系教學，實未嘗一見也。先生所道，皆問學之不二法門，治學之經典之言也。此正是今日大學通識教育之大缺失者。

十月二十一日至二十五日，南陽會議圓滿結束。弢送先生並門下諸賢至鄭州機場。先生往矣，楊柳依依，離緒滿懷，含淚擁別。

先生返台後於二十六日、二十八日接連兩番賜書，附詞二闋：

一

定風波・南陽國際學術研討會贈聶公振弢

用山谷把酒花前欲問溪韻

萬裏飛來白水溪。南陽勝景早銘碑。且喜聶公人未老。人道。投艱振臂正當時。欲共先生斟綠醑。細訴。論文樽酒日斜低。情結長年終不斷。請看。君從東往我來西。

二

定風波・振弢先生送至鄭州機場擁別

用山谷小院難圖雲雨期韻

相擁重圖結後期。梅花開後再開時。結伴遊春隨水去。莫誤。應看婀娜綠雲垂。　君意何勞重囑咐。眷顧。般般情意展雙眉。國學千般妍與媚。當記。與君攜手共騰飛。

弢於十一月三日復函曰：先生不計南陽偏狹，敝校卑小，更不棄振弢愚魯，欣然率門下諸賢前來與會，實南陽空前之盛舉，亦弢等最大之榮光也！聞先生尚未去過新疆，相約待先生平復，選一暑假，同往一遊，信可樂也。

和先生賜詞曰：

一

定風波・敬和伯元先生

南陽國際學術研討會贈聶公振弢

師友流觴白水溪。南陽盛會可銘碑。薪火相傳永不老。競道。國學重振正當時。　夫子真經如美酹。莫訴。岱宗梁父自高低。往聖血緣豈可斷。且看。月華日景照東西。

二

定風波・敬和伯元先生鄭州機場擁別

相約來年再會期。同遊西域看天池。萬裏新疆當一去。莫誤。風情萬種醉邊陲。　難忘別時互囑咐。頻顧。有期後會應舒眉。無限春光正豔媚。須記。風雲際會看龍飛。

先生當即賜函曰：

接獲回音，至感快慰。古人云：「得一知己，可以無憾矣。」先生可謂弟之知己也。南陽之行，獲益良多，可惜因服鎮靜劑過量，未能和與會諸君把臂交談，坐失良機，至為可憾也。先生所言「學術之盛衰關乎國家民族之之盛衰」，弟衷心佩服，而平素所行，亦以此為目標，以盡其匹夫之責也。

此後，又書數函往來，至十二月十七日，先生賜函附寄大文《莆田黃天成教授九十壽序》，先生述評尊師黃老行狀、學術，辭華都麗，光霞燦然。其對莊子內七篇內容之總結，尤爲精彩，特錄如下：

莊子思想之精華，盡在內七篇之闡述。逍遙遊者，欲隨心所欲，所謂之真自由也。齊物論者，欲泯滅是非，所謂真平等也。養生主者，欲順其自然，所謂重衛生也。人間世者，能隨變所適，不荷其累，所以論處世之道也。德充符者，言雖與世俗處，而不敖倪於物，以精神為主，所謂德充於內，應物於外者也。大宗師者，以天地之大，萬物之富，外物之累，嗜欲之情，莫不以無心為宗為師也。應帝王者，以忘形骸，外死生，無終始，無心而任乎自化；行不言之教，以無為之治，使天下之人，忘物我之別，去是非之見，始可以治天下，以應帝王也。

一部汪洋恣肆之《莊子》，先生略略數語，其玄幽渾博之內涵，迎刃而解，真如神化之庖丁也。

南陽會議前後，弢受教于先生，即決心辦一傳統語言文化學院。于南陽北郊觀山之陽，覓一佳處，辛卯正月初六，破土興工，函報先生曰：

弢等欲建之學校，山松蔥蘢，湖水如鏡，上世紀末已有人在林中隙地建別墅十餘所，大有「苔痕上階綠，草色入簾青」之趣。當地政府與民眾為支持辦學，已將十餘所別墅廉價轉售給學校。掃除乾淨，即可入住。山亦不高，水亦不深，長草豐茂，嘉木成林，仁者居之，熏風甘霖，翹首以盼，先生光臨，奉侍左右，時聆雅音，求道得道，實獲我心！

旋接先生復函曰：

讀　來函知為中國學術文化奔波宣勞，無任佩服。竊私下以為中國之國文程度日益低落者，五四以後諸君子改革語文教育有以致之也，以今人所編毫無內含之所謂課本，硬以填鴨式教育貫注於小學諸生之身，其無效果，故已顯然，非主持高等教育者有大魄力，能作改進，則要求國文教育進步，殆緣木求魚也。

語言學院已卜吉地，山不在高，有仙則名，水不在深，有龍則靈。先生一身，以發揚學術，維護文化為己任，則兼有仙龍之勝概也。

弟留美兩年正積極尋求醫療，盼兩年後，身體稍稍復原，追隨先生之後，為固有文化盡其綿薄，庶附驥尾以揚名聲，則不忝於所生也。

附檔寄來《文化承傳與小學語文教材》宏文，先生之教誨獎掖，令弢難以奮激之情，奉復先生，曰：

古來「亡羊補牢」之教，亦吾民族不滅所賴精神之一端也。亡羊之實，令人疾首痛心，而補牢之功，吾儕曷可放棄！ 先生函示：「非主持高等教育者有大魄力能做改進，則要求國文進步，殆緣木求魚也。」所言極是！弢以爲， 先生當今鉅子，賢門如雲，流派湯湯，實天之未喪斯文也！學術之大幸也！仰盼 先生早日康復，嵩嶽矗乎天中，大纛揭乎周原，吾國文化之復興，吾民文明之進步，大有望也！弢將追隨 先生，鞠躬盡瘁，一力爲作，不知老之將至，尚思爲霞滿天也！

先生之《文化傳承與小學語文教材》實爲基礎教育建設之綱領。弢意建一「師範小學」，以「集中識字，經典啓蒙，詩誦入教，禮樂並興」為方針，繼之初中、高中，以經典古文二百篇爲量，熟讀成誦，與來日之南陽語言學院相輔以成，實爲吾鄉教育之大端也。

前此，先生七十又六華誕，弢藉于公右任聯語「聖人心日月，仁者壽山河」，書壽聯一副，奉上先生、師母。

先生賜函曰：

今晨綠衣使者送來大箱包裹，揭開一看，赫然 吾兄所書右老佳聯先入眼，「聖人心日月，仁者壽山河」聯，當年右老親書贈弟先岳父監察委員葉公時修，經常張掛於客廳，十分眼熟。後此聯為內子姑父取去，則久未之見矣。不知先生從何處見之。先生所書此聯及壽屏，不僅功夫深，尚富靈氣，方克臻此也。看先生書法，方知東坡詩所雲：「退筆如山未足珍，讀書萬卷始通神」之真意所在矣。

弢即奉復曰：

於右公所書聯語，弢見之于南陽仲景堂楹柱，惟感右公之天地境界，大家氣象，筆墨文章，家國情懷，非常人所可企及。弢意此聯，唯　先生堪當。故敬錄以奉　先生、師母。不意竟爲於右公書贈葉時公者！如此巧合，豈非天賜之緣份，三生之造化耶！奉上先生、師母，唯抱景仰之心而不計工拙妍媸也。坡翁「退筆如山，萬卷通神」之語，弢何敢當之！謹藉加勉，以報先生錯愛之深也！

辛卯端陽，弢以先生《和蘇樂府》中《好事近．甲戌端午用東坡湖上雨晴時韻》奉和一首，以祝佳節。

先生次日即賜函曰：

南陽自古為漢文化中興之地，光武龍飛，前代之明徵，今又得　先生之戮力從事，如能竟其功，真我中華文化復興之機運也。新雄不敏，將以有生之年，追隨先生之後，務使「師範小學」集中識字之教，能付之實現，使為神州之表率，華夏之冠冕，則雖死之日，猶生之年也。

並云：

惟弟和山谷詞至其《鼓笛令》第四闋，正苦無題可賦，今接　先生來詞，遂以此奉和。茲錄於下：

鼓笛令．辛卯端陽謝振弢先生賜詞賀節

用山谷見來便覺情於我韻

初見便覺情於我。人間世，知音莫過。屈子投湘節遠播。歎詩苑、幾經研磨。

不計年齡老大。從今後、君唱我和。流水高山音嬝娜。振興時，眾人齊賀。

山谷此詞以方言入詞，且多俗語，其難入手。今得先生詞，勉強為之，亦助我過一關也。

時為六月七日也。

此後，許久未接先生來函，心甚惴惴，挨至七月十七日發一長函，報告南陽語言文化學院附屬小學成立與大學建設進展情況，敬請先生屈就小學校長與大學榮譽校長之位，請求先生題寫校名，並奉和先生鼓笛令，詞曰：

蒼天賞賚實多我。三生幸，宮牆拜過。夫子神州聲韻播。詩書禮，切磋琢磨。

國學精深博大。先生唱，生眾齊和。韶奏鳳鳴音嫋娜。鴻儒會，米茶相賀。

米茶二字為馮友蘭八十八歲壽辰自書聯語並贈金岳霖先生（馮先生與金先生同庚）云：何止於米，相期以茶。自注曰：日本人稱八十八歲為米壽，一〇八歲稱茶壽。米字為八十八，茶字為八十八再加廿年也。弢以此敬祝先生、師母健康長壽，辭達而已！

多日未聞先生音信，繫念深深，七月十八日中夜（華府之中午也），弢以電話致詢先生健康狀況。次日即得先生來函，曰：

接聽遠自南陽而來之關切，心頭溫暖，旋滿全身。而於教育問題，得一知己，尤為振奮。國學之復興，猶如光武之白水，可能皆當興起於南陽也。

此函于二十一日方得拜收，原是先生電子信箱出了問題。而弢十七日之奉函，先生亦于二十一日方才看到。旋即賜函曰：

接讀手教，病若減輕，昔曹操讀陳琳檄文，癒其頭風，蓋專心於此，而忽忘其痛苦也。弟今亦然，專心讀吾兄來函，病狀亦似減輕矣。

附檔賜詞一首，詞曰：

采桑子・賀南陽語言文化學院落成

語言文化相思豆，人莫忘歸。暮鼓敲時。自有青衿香滿衣。南陽白水開氣象，指點癡迷。不管東西。重振吾華手應攜。

先生于七月二十日親署南陽語言文化學院並附屬小學校名，賜函曰：

接廿三日手教，有意欲弟書寫校名，先生誠摯，不便堅辭，因信手書一紙，自覺尚能順手，故即以此張為本，未曾再寫，以保其真。校名中有兩「學」字，煩請先生一擇之，相片本身看來不太清楚，原件明日交郵局寄發，大約十天左右可抵達。除校名外，另有采桑子二闋，一以賀學院落成，一以贈我公。

先生親筆題寫之校名一副並兩幀採桑子，一爲「語言文化相思豆」，一爲「聶陳相聚如蘇李」，今已爲先生之手書絕筆矣！

七月二十五日，先生賜函，云台灣藏書毀于白蟻：

儲藏《說文解字詁林》之一架，全部蛀毀，尤可惜者，弟初從林景伊師習《廣韻》、《說文》二書，亦均遭侵毀，此種損失，實無可補償者也。

並賦詩一首，詩曰：

昔日收藏真不易，今朝毀去亦非難。
天公不欲余多讀，病體何妨冊止觀。
經史尋來腴至理，文章寫後有餘歡。
夢回羈旅饒幽意，莫再吟詩損肺肝。

附贈丁邦新並序，詩曰：

與君名字兩同新。轉眼俱成歲暮人。
平仄尚能隨你我，縱橫不復費精神。
論音昔日為知己，述學如今怎激塵。
但願門前諸俊彥，此生相繼莫沉淪。

弢於八月八日先生手書條幅《採桑子聶陳相聚如蘇李》奉和一首，詞曰：

陳公引領植桃李，文苑英華。肇自塗鴉。且看春來處處花。　心懷化育君休笑，何可攔遮。幸遇方家。鞠躬盡力你我他。

賦詩一首奉達先生：

先生學術發章黃，萬卷詩書腹內藏。
朗朗光風明霽月，湯湯流派湧長江。
甘霖幸降乾枯地，大道即通窮陋鄉。

小小蟻蟲知此義，欲搬衡嶽到南陽。

更和陳先生贈丁先生詩一首：

二公雅號兩同新。皆是南陽仰止人。
萬裏星空耀箕斗，千年文化賦精神。
文章述作自傳世，齊月光風不染塵。
國學復興最亟務，還須攜手救沉淪。

旋接先生來函，示意將藏書捐贈南陽語言文化學院，並賜詞曰：

賦鷓鴣天・夢到南陽講學
用山谷聞說君家有翠娥韻

夢赴南陽不畏峩。人間歲月已無多。
平生心意今將現，快把光陰擲玉梭。
中州地，古井波。從今處處更賡歌。
黃鍾大呂重來聽，把酒看花莫廢哦。

二〇一一年九月一日，南陽語言文化學院附小開學，奉書報告先生，並賦詩一首，仍用先生贈丁先生詩韻：

先生大道致民新。松柏長青不老人。
文化承傳約你我，詩詞酬唱勵精神。

鳳凰鳴矣呼知己，騏驥馳兮揚後塵。
重振斯文育俊彥，宗師一語起沉淪。

先生九月六日賜函二通，言身體不爽，即赴醫院就醫，而附檔寄來《致南陽語言文化學院附屬小學開學賀辭》，竟爲數千字之長文！

先生另賜詩一首：

興學南陽事業新。所欣因得道同人。
縱然老去心猶壯，念及將來筆有神。
學子莘莘初發軔，斯文朗朗可揚塵。
與君攜手千山外，終見他年起隱淪。

弢拜讀來函，感慨萬端，奉書拜謝先生，曰：

先生前函曾示九月三日即赴醫院就診。接六日長函，方知先生竟推延數日就醫，抱病勉力書此長函，寫迄發出，已至中夜——南陽正午，美國之子夜也！ 先生燃燒生命之火炬，以照亮中原之小校，嘔心之教，弢等何敢忘之！

先生《賀辭》實一教育之鴻篇大論，全體教師共同展讀——集中識字，經典啟蒙，識文習字，讀寫分途，詩文吟詠，精熟成誦，文白相輔，培養語感，奠其根基，正其文風，續斷繼絕，再育長材——此實教學之大綱，亦辦學之大綱也。先生諄諄教誨，全校教師員工如沐春風也。弢意為 先生之於經學、文學、音韻學、文字學、訓詁學、詩學、詞學、文章學、教育學皆有極高造詣，嵩嶽巍巍，可瞻可仰，實應建一「伯元先生研究院」，以便對先生學術成就深入研究，於豐富吾國學術，嘉惠當代學界，實一豐功也。

並感而賦詩曰：

一封華翰到南陽，丹桂花開滿帝鄉。
白水東流煙柳重，青山北望霧松長。
二南風雅長傳誦，三漢雲龍此發祥。
天教斯文自宛作，陳公慷慨授金方。

先生九月十四日賜函曰：

奉讀來函，令人振奮不已，傳自先師之教育思想，得從南陽再度發軔，使中華文化復興，而有一線曙光，數十年來蘊藏內心之願望，得　兄等與南陽諸賢熱心推動，而終有實現之一日。

弟從來未有像此時之強烈希望上蒼再加數年，讓我看到南陽之語文教育著有成效，中國文化展現強有力之生命力。明年暑假，弟若不是病得不能行動，定當前來南陽，與兄等南陽諸賢詳為策畫小學、中學及學院未來課程安排、教育步驟。

九月十五日再賜函曰：

將來南陽語言文化學院成立，將要成立多少系？我們只負責設計「中國文學系」、「經學系」、「語言學系」等，其他各系，尚需專人負責。一念及此，興奮未已。弟為徹底掌握吾兄辦學理念，從昨天起，已將吾兄來函自二〇一一年七月二十一日起所有函件，納入「聶振弢先生來函」資料袋中，以免遺失也。而弟之復函，亦附驥尾，如此查索方便。

九月十七日三賜函曰：

弟所思及者為中文系、史學系、經學系、語言學系、國醫系、沿革地理系、哲學系等，至於其他各系若美術系、國術系等可視情況再逐漸增設，弟以為若學院學生全由中學直升，課程按排，自然比較容易解決，例如可以於高中程度，開始講授文字、聲韻、訓詁等課程，奠定良好之語言學基礎……究竟當如何處理，似應未雨綢繆，事先考慮，此事可能望　兄多費精神，與南陽諸俊彥研討妥適。明年弟若能來南陽，盼能告知何時前來較佳。

九月十九日弢奉復先生曰：

南陽氣候九月十月最為適宜。去年之會來去匆匆，鎮平、內鄉、西峽一線之秦楚故道、春秋遺跡未得一訪，另有淅川之丹江、鄧州之範公祠、社旗之山陝會館、方城之楚長城，新野之漢桑城、議事臺，皆未能一覽。弢望明年，　先生、師母與門下諸賢，緩轡而行，隨意息止，一一觀覽。待返臺之時，順道一遊襄陽、武當、武漢。武大、華科皆有國學院，　先生如有興致，做一兩次講演，以惠三鎮，亦一樂事也。

函悉　先生將弢之短劄專存一文檔，甚暖於心。弢原已將先生自去歲二月十七日所有賜函，令孫生軍奎特設一文檔，專存在案。　先生與弢之念默契如此，心有靈犀一點通，信哉斯言也！

先生實為弢與南陽同仁之精神支柱，問學導師先生之健康，為一切事業之發端，先生必以康復為要！來日方長，先生珍重，弢之至禱也

先生九月二十四日賜函，教學內容籌畫則更爲具體，函曰：

拜讀九月十九日來函，興奮不已。先生規畫之旅遊途徑，實弟生平所嚮往者也。能賞宿願，幸何如之。

弟以為小學與初中九年最為重要，學生記憶力最強，應當多讀些有用之古典作品，甚至在初中時期，弟以為可令背誦《昭明文選》與《文心雕龍》，將來升入語言文化學院，其國學基礎，自不可同日而語也。此點可細加商討，看可否實施，當如何實施。經書弟以為可先讀四書，繼讀五經，詩經、左傳、禮記、尚書、易經外，可再加孝經。至於子書，老莊荀韓，應為基準，四史之中，亦可擇要傳授，特別史漢二書。請先策畫，俟明年見面，再作詳細規劃。

十月五日，先生函告又歷險情，曰：

本週我又從鬼門關逃返……發現主動脈旁的血管瘤，當時大小約三—四公分，若超過五公分，可隨時破裂，大量出血，而有生命危險……當機立斷即時轉入 shadygrove 醫院心臟血管科治療，裝了支架，解除了即時送命的危機。

附檔寄來《繼往與開來——成立國學院與強化編譯館之我見》。弢當即奉復曰：

拜讀先生《繼往與開來》，知先生七十年代初已經提出成立國學院之構想。耿耿赤心，天地可鑒，杲杲卓識，百年鮮有也。弢雖久有此念，而無先生所思之縝密廣遠也。日本強國之經驗，大可取法，為吾用之。來日南陽語言文化學院，必使　先生之意，一一付諸實現，育出天下英才，何慮吾國燦爛文化之不興、中華民族不雄立於世界民族之林耶！

此後兩月，通信多爲先生康復之事，弢詢之南陽中醫大夫，建議中西兼治，寄上中藥，以養氣生血，扶正祛邪。

十二月底，學院主樓竣工，寄上照片數幀，先生元月六日賜函並賦詩二首。

函曰：

寄來南陽語言文化院校舍圖片，一一細加端詳，平地起高樓，對於吾　兄及南陽興學諸君子，從內心感到無任之欽佩。如果一切均能照吾　兄計劃順利施行，則我國文化復興為有日矣。雖在病中，而精神振奮不已，似已痊可不少。中國文化與文學唯有我國人能明其振興之道，方能恢弘以往之榮境，如照一些留美留英之學者，只知去舊佈新，凡舊有者不論其良窳，皆盡去之，凡新立者，不論其優劣，乃盡取之，殊為可悲也。

詩曰：

振弢先生賜閱南陽語言文化學院新建校舍照片

感賦二首

一

學院風華一水清。悠閒巾履恣公行。
林邊花鳥參經語，湖裏龜魚識杖聲。
寄藥恰為求識己，論文偏喜老書生。
根源遠紹誠辛苦，我欲隨君擂鼓鳴。

二

一遊京洛久開思。慚愧生平國士知。
南苑張衡能作賦，天仙李白例窮詩。
欲追未了當年願，卻以無才遇數奇。
歲暮雪花飄四散，獨憐明爽敘恩私。

一月十二日，先生賜函，附詞一首：

采桑子‧贈聶公振弢

用山穀城南城北看桃李韻

聶陳相聚如蘇李，擒藻春華。老樹藏鴉。播種銜泥待發花。　與君擁抱長含笑，心熱難遮。知己誰家。攜手南陽你我他。

辛卯除夕，先生賜詞二首，以示賀年：

一

點絳脣・南陽興學

用山谷羅帶雙垂韻

華夏精神，傳承當在吾人手。莫抛紅豆。應為相思瘦。　興學南陽，辛苦眉難皺。怎能夠。千巖獻溜。且舉迎風袖。

二

南歌子・歲暮有懷振弢先生

用山谷槐綠低窗暗韻

群籍盈書架，丹心足啟明。使君興學約同行。令我一身猶似快舟輕。　幸識南都客，相將把話傾。函中得訊便鍾情。堪比廿年宿醉酒初醒。

二月十四日，弢攜妻子向先生、師母拜年。附書曰：

近百年來，國人於吾國文化輕之賤之暴之棄之，以致幾代人不知詩書，不愛母語，不知吾國文化優秀之所在，不知民族生衍發展枝繁葉茂之所從來，此誠可為痛哭，可為流涕，可為長歎息者！唯斯之故，弢久意在吾鄉之南陽建一學校，開一風氣，不計得失，不思成敗，一意孤行，一盡吾心而後已。奈何孤陋卑微，難勝其事，長憂於心而無門可投也。上天厚賚，幸得拜識　先生宮牆，　先生以博大精深之學術，繼往開來之思想，昂揚振奮之精神，鼓之，勵之，引之，領之，此誠涸田之被甘露，長夜之見晨光也！有　先生思想精神之鼓舞，理論方法之指導，南陽承傳固有文化之杏壇，必高立於中原而響徹神州也！弢與南陽同仁，畢力追隨先生，鞠躬致力，以克其功。

旋接先生賜書：

添富自臺北電話中告我，語言文化學院全由先生與南陽諸俊彥出資建成，尤為難能可貴，真期望上蒼仁慈，加我數年，令我與先生敲敲邊鼓，完成振興固有文化之大任。

附寄詩一首：

七十七生日感懷

今時漸覺不如前。只有精神勝往年。

心喜南陽尊幼學，春臨人世欲回天。

商量培養規今昔，沉淪高明看後先。

七七生辰餘一事，中華經藝要相傳。

此後弢爲學院申請報批之事，連月奔走，時向先生函報進程，先生隨時賜復，多有勸勉。

至六月十日賜函曰：

從網絡與電視得知，大陸高考結束，不知南陽語言文化學院參加招生否？久無消息，故稍為探詢。

六月十三日拜接先生賜書，曰：

弟極欲知曉　先生希望我何日抵達南陽。我於八月下旬返臺，稍微處理些事情，大概於八月三十日以後就可起程來南陽，到南陽應飛鄭州還是武漢，以便早日告知同行諸人預定機位。先生擬先招初中學生，十分合於竹意，分頭進行，看那種成果較好。學院如趕得上立案，則為正式學生，否則為預科生，亦無不可。國學教育會議是否召開，如召開當令與會諸人發表論文，以集思廣益也。

弢於六月二十七日、七月九日、七月十七日連致三函，而再未見先生隻言片語相賜——六月十三日之賜函，竟成今生先生與弢恩遇之絕筆！

先生之切切託咐，猶在眼前；中原興學，亦即將天曉夢圓。弢等正心如歡雀，恭候先生駕臨南陽，長此安居，而先生卻驟然西行，溘然而逝！千呼無應，萬呼無答！嗚呼先生，來世豈可再一逢乎？

先生賜弢之函，今日已敬纂在此，先生之道德學問，先生之精神情懷，先生之音容笑貌，先生之賜函賜書，必永篆弢心，且傳之於子子孫孫也！涕泗飄零，哀而賦之：

先生驟去我心摧。萬喚千呼盍轉回。
片片羽書成泣血，頻頻約諾化塵灰。
不聞教誨來天外，再叩宮牆涕濕懷。
翹盼三生重一遇，還迎夫子南湞來。

伯元先生牆外弟子　聶振弢　泣序
二〇一二年九月十五日

學詩憶往致同窗

交通大學退休教授　**祁　甡**

各位A班的老友：

我們的同學陳新雄已於二〇一二年八月一日（農曆二〇一二年六月十四）去世。弟因多日未查看交大信箱，以致公祭後方看到訃聞，未能前往，甚為遺憾。

憶數年前弟曾將舊日詩作一首請教於新雄兄：

西點之秋

西（好）風拂面涼如水，秋陽灑地一片金。
遠山燃起千叢火，長空一色萬里青。

新雄兄回覆如下：

「好風」比「西風」好，爲什麼呢？因爲第二句「秋陽」已隱含「西風」之意，如用西風就意有重複了。另外此詩押韻不對，金是侵韻，青是青韻，兩者不同韻，古人叫出韻。如把最後一句改爲「長空景色萬里歆」，歆也是美好之意。而且將此詩重出「一」字的問題亦解決了。

陳新雄復97/12/03

謹此分享予各位老友，並作爲對新雄兄的追憶及憑弔。

祁 甡 101/10/20

編按：這是陳伯元師高中同學祁甡教授寄給金周生教授的一封通訊，A班是建中當年某班，祁教授曾任國立交通大學副校長，現在是交大退休教授，著名的光電學家。是唯一列席治喪委員的伯元師高中同班。訃聞係由輔大金周生教授轉寄給祁教授。

桃李春風一杯酒

中國文化大學中文系教授 **陳錫勇**

伯元夫子之任教於文化大學中文系，講授文字學、聲韻學，其時；初得國家博士，授課嚴肅嚴謹，不苟言笑，在座學子，聽課專心專一，戰戰兢兢。逮三年後夫子爲中文系主任，召我爲系助教，始見夫子逸趣，處事公私分明，囑曰：「公事從公，私事隨誼。」自邇，步趨相隨至於今，四十餘載矣！陶鑄之恩，恩重如山。昔者，雖區區助教一職，覬覦者不少，或誹或謗，而夫子並拒之，事在三十年後，夫子酒後乃私語之。

夫子傳章黃訓詁之絕學，揚瑞安林公之高風，鍥而不捨，粹如金玉，望重兩岸，名滿天下。桃李廣被，博碩多有，論文字，議音韻，各擅所長，講學於上庠，或爲系主任，如學長柯淑齡；或掌文學院，如學長林慶勳，乃夫子化雨春風之所致也。唯我不肖，不得登堂，唯仰望門牆而已，及乎夫子戒菸，乃贈我菸斗、菸袋等，戲曰「菸斗傳人」，其中菸絲罐則贈與添富兄，後，我戒菸，唯留菸斗一雙，以爲誌念，其餘一併贈與顧俊兄，茲附菸斗傳承於此。

右老贈林公聯語曰：「一杯在手，萬卷羅胸。」林公豪邁，嘗引《易》曰：「君子終日乾乾。」夫子，君子也，唯樽酒無量，立三杯對一杯，乾杯敬師酒飲之禮。或行之於「西北」，暢飲啤酒，佐以海鮮；或施之於「隆記」，淺酌紹興酒，佑以青蟹；或會之於「驥園」，餔之紅酒，伴以砂鍋。飲和食德，陶然忘機，夫子之意不在酒而在師生之情、同門之誼也。山谷詩曰：「桃李春風一杯酒，江湖夜雨十年燈。」四十年倏忽而過，秋雨葉落而梁木其壞、哲人其萎。嗚呼哀哉！

夫子慈儉尚德，公而無私，《老子》曰：「不失其所者久也，死而不亡者壽也。」夫子之學，足以傳世，夫子之德，可以流芳。龍隱海天，鶴歸道山，春風既失，化雨莫沾，逝川如斯，源遠流長。

囊與妨——吾愛真理，亦愛吾師

中原大學應用華語文系教授　季旭昇

民國六十二年九月，我唸大學三年級，陳師伯元教授義班（乙班）聲韻學，我是仁班（甲班）的學生，不屬於他教授。學姊告訴我，伯元師的聲韻學很權威，教得很好，要考研究所，一定要去聽他的聲韻學。於是我花了很大力氣，跳班改選，修了伯元師的聲韻學。

開學的第一堂課，伯元師用他濃濃的江西腔說：「聲韻學並不囊，只是有點妨；如果耐得住妨，它就不囊；如果耐不住妨，它就很囊。」全班立時笑翻天，在伯元師濃濃的江西腔中，聲韻學從此既不囊（難），也不妨（煩）。只是有些同會納悶，國音這麼不標準的人，聲韻學怎麼可以學得這麼好？

伯元師講課，平淡無奇，但在他平穩的聲調中，全班都把難若天書的聲韻學學好了，令人覺得頗不可解。他上課很少眉飛色舞，幾乎沒有閒話助興，但是用語精準，循序漸進，如春暖花開，秋至果熟，一切是那麼的自然。聲韻學如此，其他課也如此。日後我才了解，這當然是來自他日積月累，未嘗一日或怠的用功，因而培養出來的深厚功力；與每次授課前周備詳密的準備。古人說：「善戰者無赫赫之功，善醫者無煌煌之名。」用在伯元師身上非常合適。

民國六十九年，我在花了一整年綿密勤苦的準備後，以榜首考上師大國文研究所，從此對伯元師有更進一層的認識。伯元師常說：「兒女傳血脈，學生傳道術。」他常常提到他當年大學時如何在林尹先生的指導下，每周到林先生家中去背誦《文選》，用「死背」這種當今某些不學無術的所謂「專家」最看不起的方法，伯元師紮紮實實地奠下了深厚的古典文學根基。在伯元師的薰陶下，我開始一步一腳印的學習、研究，改變了從前浮誇自是的壞習慣。

伯元師對我極爲愛護。我在大學時即有志進入研究所，並希望將來能進師大當教授。甫進碩士班，我即向當時的所長李爽秋師表明此意，不過，那時並沒有這樣的機會。第二年，黃天成師接任所長，我也年年向黃師表明這個意願。又過了三年，我終於獲得黃師的首肯，如願進入師大國文研究所擔任助教。幾年後我才知道，這是伯元師及爽秋師的愛護，其中伯元師對我的幫助尤其關鍵。伯元師常說他很賞識我，因此很樂於提拔我，並不因爲我的指導老師與他相處得並不是很融洽而吝於照顧。《左傳》中有「內舉不避親，外舉不避仇」的佳話，我的業師與伯元師本來交情極親，後來雖不至爲仇，但確實不甚融洽。伯元師的胸襟，我親身領受，感念至深。

伯元師的學習精神極強。大約是我博士班三年級吧，伯元師去香港浸會學院任教，我在伯元師出發前幾天打了一通電話給伯元師，我用廣東話說：「樓西猴！」伯元師說：「你是那位？」我說：「老師好，我是季旭昇。聽說老師要去香港教書，所以用廣東話向老師請安，並祝老師香江行愉快！」伯元師說，他聽了我說的「樓西猴」，深覺廣東話的重要，因此到了香港後，就發憤學廣東話，回台之後，伯元師的廣東話已經「識聽識講」了。

博士班四年級，伯元師在研究所開「詩經研究」，伯元師的弟子們對詩經有興趣的都紛紛前來旁聽，其中包括有副教授，一時群賢畢至，英才咸集，各騁所學，勝義蠭出。這是我所上過的課程中討論最熱烈，收獲最豐富的一門。每次討論一首詩，只見伯元師帶的影印資料至少有三、四百頁，把能蒐集到的相關資料幾乎全都準備妥當。我們提到什麼，伯元師立刻從那一疊資料中翻出來，師生對談，逸趣橫生，這種學術之樂，令人終生難忘。

從這一門課程中，我醞釀了一篇〈詩經王風采葛篇新探〉，把篇中首句「彼采葛兮」解爲「那茂盛的葛草」。在我請益的師長中，伯元師第一位贊成我的解釋，並且幫我找了《左傳》中一些補充資料。第二位贊成的是龍宇純先生，我與龍先生本來不認識，我冒然地把文章寄給他，請他指正，他很細心地看完全文，並且給我「發千古之覆，無懈可擊」的評語。兩位大學者對後進的提拔，都令人感動。

我生性愚魯，執著於學術研究，昧闇於人情交關，曾有幾次違忤伯元師，但都蒙伯元師大肚能容，一笑泯之。這些往事中，最常爲朋友們提起的是，有一次學術研討會，我提交大會的文章是「說李」，我根據戰國文字的「李」字作「[illegible]」，指出《說文》古文「李」字作「杍」，不可信，因爲《上博四．多薪》中「杍」字其實「梓」字，《說文》古文「杍」字的「子」旁應該是「辛」旁之訛。伯元師好意爲拙文提供一些補充意見——《說文》「囟」之古文作「[月辛]」，「縡」字或作「[糸辛]」，所從「辛」爲「宰」省聲。二例與「杍」即「梓」，皆爲「之」部字與「真」部字相通之例。但我那時可能沒有仔細聽懂伯元師的意見，而很幼稚輕率地堅持己見，並且自以爲是對伯元師說：「吾愛吾師，吾更愛真理。」伯元師肚量再大，也對我這種不夠矜慎的態度不太高興。後來，伯元師對我說，只要我找得到「子」旁和「辛」旁訛亂的例子，他就可以原諒我的幼稚輕率。我後來在出土漢簡中找到「子」旁和「辛」旁訛亂的例子，伯元師也很寬宏大量地原諒了我，師徒如初，愛護仍舊。

伯元師喜歡蘇東坡，尤其愛東坡的忠直坦誠，看到對傷害國家人民的事，往往「如蠅在食，吐之爲快」。民國八、九十年代，世變日亟，彝倫顛亂，伯元師憂國憂民，屢發詩文，如蠅在食，不吐不快。鬱卒積疊，對健康頗有影響。近年來在身體日漸違和的情況下，伯元師仍然關心學術教育、關心國計民生。今年七月七日，我收到伯元師最後一封電子信是「邀請前往南陽師範學院開『國學教育』會議」，從此音訊忽杳，聖教難聞。

年歲越長，越能體會在伯元師身上看到的認真即理，執著行道，師即是理，師理不二。撫今追昔，往事歷歷，受教卅載，師恩難忘，伯元師，我只想再對您說：「吾愛真理，亦愛吾師。」詩云：

吾愛陳夫子，學行天下聞。未冠知正字，二十精選文。
醉月頻中聖，揮毫氣干雲。高山安可仰？堂紀自清芬。

黃鶴樓五結義

輔仁大學中文系教授 李添富

那是很久很久以前的事了。

一九九一年夏天，由伯元師和香港浸會學院中文系主任左松超老師共同策劃的音韻學學術研討會議，破天荒的會聚了兩岸三地音韻學者於一堂，不僅會議順利圓滿成功，更讓大陸地區的學者見識到台灣地區設有講評人的會議震撼模式；也因而很快的有了由尉遲治平先生籌辦，於同年十一月在武漢華中理工大學召開的漢語言學國際學術研討會。

第一次到中國大陸的雀躍心情，是難以形容的，尤其是以往只能在書本上看到名字的音韻學家，就這樣活生生的出現在眼前，不只可以請求和他們合影，更可以拿著他們寫的書，請他們簽名，請他們釋疑。再加上正式會議結束後的當天晚上，由仲溫和我召集了與會年青的同行，開起另外一場會外會來；從沒有主題各就所學所知隨意的漫談，發展成爲針對某一主題深入的探討與論辯。這一場會外會，不只獲得長輩師長們的贊同，更是讓仲溫和我莫名其妙的成爲台灣與大陸地區音韻學研究溝通的窗口。就在伯元師的領導與指揮下，兩岸語言文字學界的聯繫，終於有了重大的突破與發展。

組織旅游是大陸上所有學術會議之後，必然舉行的活動，甚至還有人以他爲首要行程呢。這次會議的旅游行程是到黃鶴樓看長江大橋。對第一次到大陸去的我們而言，到黃鶴樓看長江大橋，更是一件重大的事，國文、歷史、地理等等從小學到中學所學到的相關掌故，一一的浮現腦海。興奮忘情的拍了幾十張照片之後，忽然發現一幅比長江更引人、比大橋更氣派、也比黃鶴樓更雄偉的震撼景象呈現在眼前：就在黃鶴樓上，代表著兩岸音韻學重鎭的邵榮芬先生、唐作藩先生、楊耐思先生、陳振寰先生和伯元師五位聚在一起討論著，並非論及音韻，也非談論景色，更不是討論武昌起義，而是在那兒敘年齒，排完次第之後，沒有歃血、沒有焚香，當然也沒有跪拜天地，即便稱兄道弟起來，唐先生還笑著說在社科院大家都稱楊先生爲三哥，今天果真成了三哥。就這樣大陸學者尊稱爲「台灣的王力」的伯元師和王力先生的得意門生，口說爲憑的成了結拜兄弟。

二〇〇〇年爲了些個人因素，牽繫著五兄弟間的某一條線，忽然之間失去了部分功能，五兄弟間的聯繫，也因而有了一絲絲不夠順暢的感覺。十多年來，略知一二的我，只要到了北京，甚至於只要到了大陸，總是竭盡所能的向伯元師的四位大哥請安致候，特別是失去部分功能的那一條線。當然，以我的輩分和能力，充其量只能稍盡維護伯元師這一端與其他四條線間的雙向通暢罷了。

伯元師離開的當天上午，我便在第一時間，透過電子通訊系統通知他的四位兄長，同時也向他們報告我將於八月中旬親自登門向他們作更詳細的說明。由於一九九二年初次陪同伯元師到北京時，受命設宴感謝北京地區長輩老師與學者的協助與照料時，當時伯元師的兄長們也都在，而且相談甚歡。因此，我準備於拜訪他們之後，宴請他們，有始有終的再一次代表伯元向他們表示謝意與敬意。沒想到我還沒到北京，他們四位都已經聯絡好了，而且還幫我預訂了餐廳。特別讓我感動的是那一條已經有十二個年頭不甚通暢的線路，竟然神奇的恢復了功能。北京地區，幾位對於四位先生之間有一條線路不太暢通事情略有所聞的學者，對於我居然能夠在一夕之間修復陳年不通的網絡，大感訝異。我的心裡卻很明白，其實他們都錯了，因爲跑到北京去的人固然是我，但真正修復這條線路的卻是他們的么弟伯元師呢。

八月二十日，我依照唐先生爲我規劃的行程，見到了睽違已久的邵先生、楊先生和陳先生，最後拜見幾天前一起參訪揚州瘦西湖景區的唐先生。晚間整理四位先生的慰勉影音時，腦子裡浮現的，卻都是二十年前黃鶴樓上的光景。知道黃鶴樓五結義的故事，除了伯元師他們五兄弟之外，就只有師母、已先伯元師而去的仲溫和我三個人；至於親身體驗線路建置、故障，如今又已爲伯元師所修復的，大概就只剩我一個人了。師母囑咐我把這一段寫出來，更要我記取執著細故差點留下憾恨的教訓，我完全能夠體會師母的用心，因此，雖然寫來五味雜陳，還是勉力的爲之，除了完成師母交代的工作，更想跟伯元師報告，我們已經在他的指引與感召下，完成了這麼一件看似稀鬆平常，其實卻是艱辛備至的工作。

「小學於今盡坦途」——記伯元師二三側影

國立成功大學中國文學系主任 沈寶春

八月十一日週六清早，細雨霏霏，踩著自行車到系館，瞥見臺北下來的姚老師榮松已在會議室低頭看資料，正等著九點十分即將進行的「二〇一二歌仔冊學術研討會」開幕式，走進會場時，他迫不及待地跟我邀及將爲伯元師出版「紀念」文集，後知後覺的我才知曉老師已於八月一日離開我們了……一時心緒翻騰，萬想排空，堵在隘口難以宣懷。

入夜返家進了書房，擡頭望見保存尚稱完好的「廣韻研究報告」——〈聲二十五通例疏證〉、〈蘄春黃氏正韻變韻表之修訂〉二文，工整的鋼筆字，手工線裝的封面，是當時臺灣師範大學國文研究所流行的報告式樣。大學唸淡江文理學院的我，當年轉戰各地，希望才情得售，於一九七九年「外銷」到國學重鎮的師大國文研究所。記得當時先在景美分部上課，之後再遷回和平東路的校本部，碩士班修習過伯元師的「廣韻研究」、「古音研究」，就在行政大樓左側的典雅教室上課，可惜現在已經拆除，了無痕跡。當時所長李爽秋先生常常耳提面命說，師大人要「義理、辭章、考據三者能並」，而在伯元師的身上，學子們謦欬相隨，感受到這三者出神入化的體現，典範夙昔，尤其是《廣韻》兩百零六韻反切上下字的係聯、《詩經》韻腳的歸納，是每位研究生焚膏繼晷，孜孜矻矻必蹲的基本功，底盤沉穩，令人印記深刻，後來我在臺灣大學取得博士學位回母校淡江大學教「聲韻學」，一方面是受恩師龍宇純先生的影響，一方面也得益於伯元師的教誨，這種「不言之教」，如風之行草之偃，微微而自然，也是痕跡不著。

當然，老師學生眾多，本有上中下品之分，指導博碩研究生上百人，亦有親疏遠近之別。我忝為中品末材，有機會站在「美感的適中距離」來觀察。就目前經歷所見，師生情誼之深之切，在伯元師與仲溫學長間有具體而微的映現。當時師大、政大、文化的研究生因同修林景伊、高仲華、陳伯元老師的課，同窗共硯，群策群力編字典，培養出深厚恆久的情誼。後來孔仲溫學長執掌中山大學中文系主任，雄姿英發，卻突然離世，學期中幫他代課的我，依稀記得告別式上伯元師聲淚俱下難以繼續的哀祭文，「天喪予！天喪予」的控訴悲慟，真是摧心拉肝，感人至深，所謂「有慟乎！非夫人之為慟而誰為！」其真情至性的流露，容非理想斷焉能至此？其中所透顯出的師徒間無比珍重愛惜之情與承傳發揚之遺憾，使觀者無不動容！而伯元師宛如成大榕樹般，在「群賢畢至，少長咸集」圍繞中，以其華蓋茂枝為小學命脈的永續推展，護蔭後進，獎掖來者，不遺餘力，即連魯鈍如我者，亦同享老師的無邊厚愛與關懷。

伯元師上課時神采飛揚，飽含滋味，這應是長期浸淫膚懃經籍文集而凝結成的從容自信，他講聲韻學如是，談東坡詩詞亦如是，甚至兩者融轍合一，羚羊挂角，使人神馳情往，暢游今古天地。記得當時他最常講的是，東坡在宋神宗元豐二年放舟金山時所作的〈大風留金山兩日〉詩：「塔上一鈴獨自語，明日顛風當斷渡。」尤其老師將「顛風當斷渡」拉長唸成「tien~fəŋ~taŋ~tuan~tu~~」，聽聽！那不是鈴鐺隨風擺盪搖曳的聲響嘿？老師以他滿溢聲采腴潤之美的韻學知識興奮地解讀演繹著……同學們聽得如癡如醉，而如今，那「木鐸」卻成了絕響，網路上貼出的布告：「敬愛的讀者您好！感謝您對國家圖書館辦理『千古風流人物——蘇東坡』講座的支持，二〇一二年十月二十日由陳新雄名譽教授（國立臺灣師範大學國文系）主講之『算詩人相得如我與君稀稀在何處』專題講座，因本館接獲通知，先生已於八月初病逝於美國，因此本場次活動取消。」真是詩韻相得如師稀呀！也昭示著一代碩儒的消逝，不得不讓人扼腕浩歎！

伯元師是「師大第二代大師」，他曾以今日小成追念師恩，賦〈師大名師〉二十三人，七言絕句九十二首，其中詠第一代大師「林先生景伊」詩有：「訓詁聲音今有書，欲傳大道敢踟躕。算來一事能安慰，小學於今盡坦途。」乃道師亦自道也，而期勉於後生晚輩的又何其多，拙文雖不能表述於萬一，但伯元師勇於開拓坦途，悠游於學問之海，終生不輟的恆毅精神，真是「高山仰止，景行行止」，令人懷念，令人欽仰，有爲者，當亦如是夫！

沈寶春敬識於壬辰年八月十五日

（本文轉載自《國文天地》第二十八卷第四期）

翁今爲飛仙　此意在人間

輔仁大學中文系教授兼系主任　孫永忠

接到　伯元老師辭世的噩耗，心中滿是傷感不捨。想寫些什麼，卻也不知該怎麼下筆。琢磨多日，決定記寫一些追隨　老師求學、遊歷所發生的瑣事。也許雜亂無文，但仍期望透過這些瑣事，長懷　先生高風。

老師擅長作詩填詞，這是大家都知道的。　老師喜歡上課時分享自己的新作，還邀大家唱和，這是我們學生課程中共同的經驗。二〇〇一年八月，中國蘇軾學會於四川眉山舉行「紀念蘇軾逝世九百年暨全國第十三屆蘇軾學術研討會」。老師偕師母邀　蔡信發、許錟輝兩位老師，率黃志誠夫婦、廖志超、劉淑娟及本人等出席。會後順道訪遊杜甫草堂、樂山、黃龍及九寨溝等名勝。尤其到黃龍、九寨沿途道路修整，車輛狀況又差，所以旅途十分疲憊辛苦。某天傍晚，下榻一個已經遺忘地名的小鎮。大家稍事梳洗後，餐桌前重聚，菜還沒上齊呢，的　老師即分發便條大的小箋給每個學生，原來是老師的新填的詞作。在我們讚感聲息中，老師輕輕的囑咐：「第二天早飯時繳交和作。」

當晚，大家擠到我的房間，相互切磋、苦思，感嘆、抱怨，但也都欽敬　老師的超絕功力。由於大家都是第一次伴隨　老師遊學，好不容易脫離論文發表陰影，當然沒人帶詞譜韻書。磨蹭到半夜，終於大家有了沒有把握的結果，相約明天早上不主動呈交，期望　老師忘記這件事。當然，我們沒能如願。可大夥不解的是：沿途山路盤旋顛簸，學生們昏頭昏腦，沿途景致早都不是重點。　老師怎麼會有閒情逸致填詞？欽敬的是　老師在晚餐前的短暫休息時間，將作品仔細謄寫多份，一絲不苟。可見　老師爲學做人的基本準則。

老師在詩詞吟唱的特殊成就，眾所皆知。二〇一〇年十一月，有幸伴隨　老師一起到北京參加「中華吟誦學會」舉辦的學術研討會。大會邀請　老師作專題講演，敦聘爲「中國語文現代化學會吟誦分會」專家。但在報到安排住宿時，大會僵固不通，以沒有房間爲由，硬是安排兩個人一間。時間晚了，協調無效。　老師指示：「我們倆一間吧！」面對房內僅有的一張雙人床，本人愧疚不已。後來也知道許多學長們，對大會安排不當與本人無能而氣著跳腳。但　老師卻氣定神閒說：「我們師生能夠同榻而眠，也是一段佳話。」長者的寬容雅量，令本人更羞愧。兩天之後，大會重新安排，將本人調出。　老師卻與大家說：「孫永忠搬出去以後，我反覺得寂寞。」本人當然知道　老師是替我解圍。

這些年，本人在海峽兩岸與日韓推動古典詩詞吟唱小有成果，實則多受　老師鼓勵與指點。每次公開講演都會引用一段　老師的吟唱以爲例證。大陸友人說老師吟唱的是「江西調」，本人仔細比較了各地的吟唱成果，以爲　老師的吟唱有許多個人的特色，自成一格，應該稱爲「伯元先生傳調」爲是。

二〇〇一年眉山之行，當地政府特別安排了到短松崗的蘇軾墓祭拜。　老師一時興起在王弗墓前，吟唱〈江城子〉（十年生死兩茫茫），替代蘇軾傳達無限相思之情，一時媒體爭相報導，同行學者們亦讚　老師多情。今年五月，本人與輔大東籬詩社學生在「紀念林尹教授國際學術研討會」上，吟唱　老師塡寫紀念林太老師的〈醉翁操〉（潸然珠圓），感嘆未已，孰料今日竟與　老師天人永隔。

老師的學問與人品，本人通脫筆意不足描陳，但跟在　老師身邊發生的瑣碎逸事，卻是本人與後生學子分享，印證　先生風範的最佳追憶。　老師常開玩笑地說：「我們本是兄弟相稱，是你一定要來選我的課嘛！」也許與　老師結緣的過程比較特殊，所以總覺得　老師對我比較寬愛，這是一種幸福。而今　老師已安息主懷，謹以此文呈獻　學生感激、緬懷之情。

孫永忠　敬筆

二〇一二年九月十五日

新鶯出谷傳章黃　雄霸聲韻一片天

宣中文

今年六月底我任教的學校課業結束，我計畫立即赴美研究。但我的母校美國愛我華大學 UniversityofIowa 校長莎利・梅森博士 SallyMason 率領龐大美國學者訪華團來臺北作學術交流，中華民國的愛我華大學校友在七月四日美國國慶日，假凱悅飯店舉辦盛大晚宴歡迎，校友會長陳景明要我一定出席。出國行只好延到七月六日。那天來了一百多位校友，包括 L.J.Lamb、黃俊英、李鴻源、張盛和、殷允芃，師友歡聚一堂，我度過了愉快的一天。但一個月後，上天卻讓我同一位最敬愛的老師——陳新雄教授死別。

近年來我在寫有關蒲松齡的論文，因此聯想到寫一篇英國十九世紀末至廿世紀初最膾炙人口的靈異文學大師 M.R.James 的論文。因此要去西雅圖的華盛頓大學 UniversityofWashington 從事二個月的研究，每天從早到晚都在華盛頓大學。

八月初開車回到 SeattleNorthBeach 住處，臺北家人以電子郵件傳來伯元老師仙逝噩耗，我立即放聲痛哭，良久不能從悲痛中恢復。我一直覺得老師尚年輕，他也說還有很多事要做，很多書要寫。怎麼能就這樣心願未了離開我們這一群敬愛他的學生呢？我從在師大博士班一年級初上他的課，就被他的如沐春風般的教學懾服不已。他當時也是我們博一拾個學生的導師。

他的課講解清晰，深入淺出，聲調鏗鏘，談吐風趣。兩小時的課，似乎是彈指而過，我還沒有聽夠，我還不想下課，但鐘聲已響，不得不依依不捨地離開教室、離開老師。

數年前恩師周和院長遽返道山，也曾讓我淚如泉湧，心如刀割。一田老師退休後，定居高雄，他的心臟一直不太好。我曾安排及陪同他到臺北榮總，請心臟內科的名醫做過詳細檢查，那天醫生群也爲他以儀器做了很多測驗，如跑步及靜止時的心臟狀態。我也曾開車陪送他到三重一家有名中醫醫院看診。

後來有一天半夜，照顧他的人從高雄打電話來我臺北的家。告知老師晚飯時忽然嘔吐，大汗不止，面色蒼白，胸口絞痛，即送高雄榮總，已數小時，尚在急診處候等病床，要我設法。我立即電話行政院退除役官兵輔導委員會，主任委員公館請他通知高雄榮總，趕快照顧我的老師。周師因而能急速住進病房，獲得妥善照顧。後來周師見我，一直說我救了一命。

可是對於同樣使我敬愛到頂禮膜拜的伯元老師，他賜我以泉湧，我卻未曾回報涓滴。我真恨自己這些年疏於請安，我不知他住華府。我在二〇〇九年六月還曾去華府主持一項國際會議。下榻使館區的 FairfaxHotel 一週，蒙袁健生大使在雙橡園邀宴，臺北駐美代表處的車子也常接送我，如知老師近在咫尺，我怎能不去問安敬禮？

老師在師大的課，我幾乎都上了，聲韻學、東坡研究、文選等等。有一次他居然開班教我們電腦課，讓我們學習倉頡輸入法，並強調學會電腦的重要。我心中真佩服他，聲韻泰斗，竟然也有彈指神功，對電腦如此專精，堪稱電腦大師。

在師大博士班幾年，除了受教陳新雄老師，也受業於高明老師、潘重規老師、周和老師、黃錦鋐老師、李鍌老師、楊昌年老師、邱燮友老師、汪中老師、尤信雄老師、王熙元老師、許錟輝老師、賴明德老師、賴橋本老師、陳瑤璣老師等，受惠終生。更跟隨陳師，約了我的同班學妹吳雅芝去了北、中、南部參加多次中華民國聲韻學會舉辦的學術研討會，聆聽到聲韻大師們謝雲飛、應裕康、林炯陽、姚榮松、何大安、竺家寧、林慶勳、李添富、董忠司、包根弟、孔仲溫、張正男、簡宗梧等諸位教授的精闢論文。這是我在教室上課之外，另一項重大收獲。這全是伯元老師之賜，因爲是他在民國七十一年，邀約同道成立了中華民國聲韻學會。

他曾說：

「學術乃公器，豈個人所得專；是非公論，寧一己所能定。我中華民國台灣聲韻學界，人才輩出，後浪推前浪，新枝倚舊枝。各埋首案頭，孜孜不息；覃思音學，繩繩不已。或踵前修之步武，或擷西學之菁華，或探方言之歧分，或披聲情之條貫。莫不持之有故，言之成哩，調理密察，斐然成章。

> 今世之聲韻學者，胸襟開闊，氣量寬宏。戒門戶學派之私心，祛私見而從公論。雖不抑已以從人，但亦不抑人以自高。各就理之所在，相與切磋。所論者乃以理服人，非以氣陵人也。爭持故所不免，詞言則貴平和。皆能雍雍穆穆，靄靄融融，聚師友於一堂，鎔眾說於一爐，論學固各有所專精，論理則斷之以是非。」

老師時常教誨我們求學要「勤」及「恆」，老師在和平東路的居處名曰『鍥不舍齋』。我一直記住老師的話，不僅做學問要勤恆。我也試著做任何事都要勤恆。

我有次同老師閒聊，我說：「您口吐金玉，腹有寶藏，在您周邊，何其有幸！」老師回答：「做學問是很寂寞的！」老師愛護學生，有如家人。我在寫博士論文時，提到「十三轍」，我電話求教老師，他約了我次日在師大文學院六樓教授休息室，他來教我。

隔天我依約從陽明山家中前往學校，靠在教授休息室對面牆壁上等他。不一會他從電梯那邊走來，穿著一件藍襯衫、黃卡其布長褲、黑色的皮鞋，手中拿著一大卷資料，瀟灑慢步過來，我對他微微而笑，他亦笑臉迎我。我們坐在教授休息室，他單獨教了我大半天，還爲我找了許多資料，供我參考。

他關愛學生如子女，對他的師長敬如父輩。他常在課堂上談到他的老師林尹教授。孺慕思念之情，溢於言表。他說：「你們的聲韻學，傳自正統，自章太炎到黃季剛，到林尹到陳新雄，然後再傳到你們。」我們這批陳門立雪的弟子，聽後好不沾沾自喜！

我有位朋友林穎曾，秀外慧中，氣質典雅。她是留學西班牙，西文精湛，英文也佳，還做得一手美味西班牙菜，她常在他師大路住處自己做菜，請中南美洲各國的駐華大使夫婦到她家晚宴，她也會約我。我愛吃她的西班牙海鮮飯。有次我問她：「看你的名字，你爸爸一定懂得聲韻學。」我的名字宣中文，是我爸爸命名的，所以我想她的名字，也是他爸爸所起。

她回答我：「我爸爸是林尹。」我聽了差點從座位上跌下來。我說：「我的聲韻學老師是陳新雄教授，他常向我們學生提起你爸爸。」

林穎曾說：「陳新雄是我爸爸最喜歡的學生，是我爸爸的入室弟子，爸爸常誇他聰明、用功、舉一返十，肯耐苦求學問，吩咐他的事，完成得盡善盡美，又快速。爲人真誠厚道熱心、有正義感，能明辨是非。性情溫良，待人處事謙恭有禮，氣度恢宏，才華出眾，我爸爸極爲欣賞他。」然後又加了一句：「哎！宣中文，你以後要叫我師姑啦！」

數年前老師的千金出閣，我受邀參加婚宴，那天老師和師母精神煥發、氣采奕奕、紅光滿面，玉樹臨風。我當時心想，老師健康真好，可活到一百多歲。在那以前老師有次生病住院，我去醫院看他，病床上的他，疲憊清癯，不如他上課時那樣生龍活虎，中氣十足，但那天在婚宴上，他好像更年青了。

我九月九號自國外飛回台灣，飛機在三萬五千呎的高空中，朵朵如棉絮般的白雲在機身下方，但是宇宙蒼穹還是遠遠在飛機上方，距離仍然如在地面上看天那樣遙不可及。

伯元老師的道德學問永久如天般仰之彌高，學生們是望之莫及。我對著小小機窗，凝睇著遠處壯麗藍天，我極目望著、找著，希望在天堂的門庭，又能再次看到那張圓圓睿智的臉朧，炯炯有神的關愛眾生的雙目。串串水珠，又潸然流在胸前，在淚眼婆娑，濛濛朧朧中，在飄蕩的團團白雲端，我看見老師盤腿而坐，吟誦著：

莫聽穿林打葉聲，何妨吟嘯且徐行，竹杖芒鞋輕似馬，誰怕，一蓑煙雨任平生，料峭春風吹酒醒，微冷，山頭斜照卻相迎，回首向來蕭瑟處，歸去，也無風雨也無晴。

民國一〇一年九月十二日宣中文泣血草於陽明山文曲園

湖畔光影憶當年

中國社會科學院歷史研究所 胡振宇

傾由二〇一二年九月一日之漢學研究通訊電子報第八十一期得知：臺灣師範大學國文學系陳新雄名譽教授逝世，而陳先生曾任要職的四個學會擬籌印《紀念陳新雄伯元先生哀思文錄》，不由得回想起近二十年前的一段往事。

記得初次得知先生大名，大概是在臺灣師範大學國文學系吳嶼教授贈送的一本文集上，書前有序言兩篇，一爲曾永義先生，文字寫得非常生動，似乎有希望二哥（吳教授在家排行老二）不要偷懶，繼續將文章做下去之語；再一篇即陳先生，文字由學術角度談開來，亦是引人入勝。

到了一九九三年五月，武漢的華中師範大學舉辦「中國海峽兩岸黃侃學術研討會」，陳先生伉儷由先生兩位門人，中山大學孔仲溫教授及輔仁大學李添富教授陪同與會，振宇亦隨父親胡厚宣先生前來。此外，代表中尚有台南成功大學謝一民教授等數位來自寶島的學人。

十一日大會開幕。隨即進入研討會議程，這次會中，我父親的發言題目做《黃季剛先生與甲骨文字》，認爲季剛先生根本未懷疑過甲骨文。而今天紀念季剛先生，當注意其說；研究《說文》，當注意甲金文。發言後，陳先生附和道，季剛先生民國十八年九月到十月的日記中，一月之內買書、放大鏡，抄甲骨文字。會後發言及論文由華中師範大學出版社結集出版爲《中國海峽兩岸黃侃學術研討會論文集》。

本次會議中還有一次印象極爲深刻者。一次小組研討，有一位大陸人士發言中提到「臺灣孔孟學會的會長陳立夫先生」云云，言畢陳先生發言：剛才這位先生稱陳立夫先生是臺灣孔孟學會的會長，其實陳立夫先生的職務是中華民國孔孟學會的會長，你如果不提中華民國的話，你可以說在臺灣的中國孔孟學會；接著陳先生感歎道：所以現在有人說，台獨是共產黨逼出來的；民進黨就說，你想當中國人哪，共產黨不讓你當。說罷，全場鴉雀無聲，那位大陸人士也唯唯諾諾。此情此景，振宇至今難以忘懷。

會議期間，主辦方還盛邀流覽了當地名勝，在東湖楚城風景區留影數幀，大家盡興而歸。如今再見當年照片，胡陳兩教授已駕鶴西歸，就連年輕有無的孔仲溫教授亦成故人，令人不勝唏噓。

武漢會議結束，與會代表又轉赴湖北蘄春，拜謁季剛先生故鄉。振宇則隨父親因將北返而未前往。記得是十四日早餐後陳先生一行起程，剛好那幾日氣溫下降，添富兄見振宇身著單衣略覺風寒，便將毛背心相贈，盛誼可感。

時光飛逝，不覺間已過去二十年。日前，有友人自武漢來電，交談間也問及那次會議主辦方華中師大黃建中教授之近況，告知年逾八旬的黃先生在電話交談中聲音還很洪亮，友人稱不日將前往拜見；不知添富兄是否還有機會再來敍舊？

聊寫數言，算是對故人的思念吧。

1993 年 5 月 12 日於湖北武漢東湖楚城。右起：陳太、孔仲溫教授、胡厚宣教授、陳新雄教授、李添富教授、黃建中教授。（胡振宇提供）

悼念陳伯元先生

北京語言大學人文學院 **羅衛東**

二〇一二年八月二十六日晚，打開郵箱，看見一封來函，後綴有「tw」。原來是中國文字學會的秘書長姚志豪先生群發的郵件。細讀啓事，心中一驚。

中國文字學會創辦人

陳伯元先生已於八月一日辭世，
中文學界遽失導師，並感哀慟。

陳伯元先生的大名，有些遙遠，有些熟悉。

就在今年暑期，八月十八日，在北京師範大學民俗典籍文字研究中心舉辦的「第三屆漢字與漢字教育國際研討會」上，輔仁大學李添富先生還提及他的導師——陳伯元先生對「六書」理論的分析。

筆者曾有幸和伯元先生參加同一個會議。那是一九九八年夏天，我的導師——北京師範大學的王寧教授，在遼寧省丹東市籌辦召開「漢字文化國際學術研討會」。會議的第一天，主辦方的歡迎晚宴上，伯元先生興致高昂，即席賦詩，悠揚吟誦。

從此，我的腦海裏，想起陳伯元先生，眼前總是浮現出那晚的美好，儒雅的伯元先生，抑揚頓挫、舒緩有致的聲調，悅耳、動心。

也就是在那次會議上，初見許多台灣朋友，包括已經仙逝的孔仲溫教授等。認識了時任花蓮師範學院語文教育系教師的黃靜吟博士、復興工商專科學校的張意霞老師等等。伯元先生的眾多弟子或許還記得那晚的細節，還記得那次會議的細節。大家一起研討、一起乘船遊弋于鴨綠江上、一起眺望對岸的朝鮮民主主義人民共和國。真是遙遠的記憶啊！

當今，世事動盪、災難頻發、人心無寧。伯元先生駕鶴西歸，唯留美好印象在人間。

陳伯元先生安息！

《論散氏盤書與寅邨》論考

——謹以小文一篇哀悼章黃學派的傑出傳人陳伯元教授

北京語言大學人文學院　羅衛東

摘要：章太炎先生對於古文字的態度複雜，並非如部分學者所論述的全盤否定。本文以太炎先生考釋《散氏盤》的書信爲切入點，分析太炎先生因爲質疑甲、金文材料之真僞，鄙夷編輯材料之人的品性，品鑒時人考釋古文字的方法，執著經史互證的治學道路，所以在甲金文的運用上態度複雜。其態度又取決於太炎先生的師承、學風、性格等方面。

關鍵字：章太炎；散氏盤；古文字；態度

繼清代乾嘉時期段（玉裁）王（王氏父子）之學後，章黃學派引領了中國傳統語言文字學的主流。章太炎及其弟子黃侃等人堅持以《說文解字》爲中心進行語言文字的研究，而他們對於傳世文獻以外的出土語言文字材料態度如何呢？已有學者詳細論述過黃侃先生對於甲、金文的態度[1]。章太炎先生對於古文字材料態度似乎已成定論，學者大多認爲他堅持以《說文解字》爲中心，否定甲、金文的價值。著名甲骨學家董作賓曾指出：「章太炎（炳麟）是我國學術界唯一不相信而反對研究甲骨文字的人。」[2]同時他認爲太炎先生對於金文的態度是：「章氏小學功深，奉《說文》爲金科玉律，不容以鐘鼎甲骨，訂正《說文》之訛誤。他對於金文是疑信參半。」[3]復旦大學張世祿教授也在《黃侃論學雜著・前言》中指出：「關於許書在字源學上的價值問題，實際就是關於金石古文字學和甲骨文字學對於漢字研究的貢獻問題。章炳麟和黃侃，他們講文字和古音，絕對以許書爲宗，這種學說的片面性，早已有定評。」[3]也有相當一部分研究者注意到太炎先生對於古文字材料態度的發展變化，郭沫若客觀地指出：「（章太炎）於鼎彝已由懷疑變而爲肯定，於甲骨則由否認變而爲懷疑，此先生爲學之進境也。再隔若干年，餘深信『甲骨可信爲古物者什有六七』之語必將出於章先生之筆下矣」[4]。

章太炎先生對於古文字的真實態度是什麼？本文擬從章太炎先生與易培基（字寅邨）關於《散氏盤》考釋的書信往來入手，考證、辨析他對於古文字的複雜態度。

章太炎先生與易寅邨的通信現存有三封，都是有關古文字問題的。易寅邨（一八八〇—一九三七）曾任湖南省立第一師範學校校長與故宮博物院院長等職。一九三三年，因故宮盜寶案蒙遭冤屈，被迫辭去院長之職。一九二二年易寅邨在廣州，時任廣東大學教授，兼任孫中山先生的顧問。他從湖南某軍官處拓得其所藏散氏盤銘文後，發書與章太炎先生討論其中文字。章太炎先生寫于一九二二年五月五日與六月七日的兩封信都是與易寅邨探討《散氏盤》的，即《論散氏盤書與寅邨》。這兩封書信在章太炎先生自定年譜以及其他一些年譜中沒有編入[5]。在謝櫻甯的《章太炎先生年譜摭遺》中有節選[6]。這兩封信件一九二三年三月發表于東南大學《國學叢刊》第一卷第一期，現全文收錄在《章太炎先生書信集》[7]中。

接易寅邨的來信後，太炎先生回信：「得書，並散氏盤拓本，字畫精湛，允爲名寶」[7]。在第一封信中，章太炎先生針對阮元的釋文[8]，考釋了十餘字。緊接著在六月七日的第二封信中又考出散盤中一字，並稱「已將拓本付裝，自寫釋文於上」[7]。

散氏盤是西周銅器中的重器，現藏臺灣「故宮博物院」，共十九行，每行十九字，其中除有幾個字已經銹蝕不可辨認外，實認三五七字，內容涉及西周中晚期諸侯國之間的事務。關中畿內的夨、散二國，就土地賠償問題訂立了誓約，散人將之鑄在盤上，即爲散氏盤。

據學者考證，散氏盤爲周厲王時期的器物，盤銘可謂信史。而此盤的流傳過程也頗曲折。散氏盤於乾隆中葉出土，爲江南一位收藏家購得，長期存放揚州。著名學者阮元考證後，定名爲「散氏盤」。嘉慶十五年冬（一八一〇年），當時的兩江總督阿毓寶從一個鹽商手裏購得此盤，入貢紫禁城，賀嘉慶五十壽辰，歷經道光、咸豐、同治、光緒、宣統諸朝，管理不善，無人知其下落，以致訛傳毀於圓明園大火，宣告「失蹤」。一九二四年三月，遜清內務府爲核查養心殿的陳設，由羅振玉等人清點倉庫，才意外發現，開始以爲是贋品，後與舊拓本比對，才知確屬真品無疑，溥儀知道後，立即令人拓六十份，分贈臣屬（王國維也獲贈一份）。溥儀出宮後，此器仍留故宮；一九四九年解放前夕，被攜往臺灣。

在散氏盤出土不久，就有仿製品，阮元也曾在揚州模仿鑄造兩個散氏盤。一九二四年于養心殿重新尋找到原器，說明湘中某軍官藏器當屬僞器，章太炎先生所得拓本非原器銘文。對本文而言有意義的是：從章太炎先生這兩封書信中，我們可以瞭解他對金文乃至古文字的態度。

在回復易寅邨的第一封信中，章太炎先生說「向來對於彝器古文，但視爲法帖，不視爲小學參考書。所以然者，字體譎觚不可臆度。」[7]的確，在早期的文章中，章太炎先生對甲、金文是持懷疑態度的。太炎先生認爲：

以經籍非記事，而古史不足徵，欲穿地以求石史，斯又惑於西方之說也。碑版款識，足以參校近史，稍有補苴，然弗能得大體。厥巫妄者，漢世有四皓刻石，以東園公為惠帝司徒，徒亂事狀，搢紳所不道。世人多以金石匡史傳，苟無明識，只自罔耳！[9]

在《理惑論》中他對金文材料本身提出質疑：首先章太炎先生認爲在宋代開始著錄金文，這時銅器出土數量多，但是在宋代以前，政府的土木工程很多，出土器物的數量卻不如宋代。這一現象令人費解。但是器物的出土以及流傳過程卻並沒有可信的記載：

自宋以降，載祀九百，轉相積累，其器愈多，然發之何地、得之何時、起自何役、獲自誰手，其事狀多不詳，就有一二詳者，又非眾所周見。[10]

章太炎先生指出如此之多的銅器與禮制不符：

古之簠簋，鹹雲竹木所為，管仲鏤簋，已譏其侈。而晚世所獲，悉是鎔金，著錄百數，何越禮者之多？[10]

他認爲從器物種類分析，也有可疑之處：

祭享庸器，非匹庶之家所有，至於戈戟刀鈸，布在行伍，錡釜耒耜，用之家人，少多之劑，千萬相越。然晚世所見者，禮器有餘，兵農之器反寡。[10]

對於甲骨文材料章太炎先生同樣認爲不可信：

又近有掊得龜甲者，文如鳥蟲，又與彝器小異，其人蓋欺世豫賈之徒。國土可鬻，何有文字？而一二豎儒，信以為質，斯亦通人之蔽。按《周官》有釁龜之典，未聞銘勒，其餘見於龜策列傳者，乃有白雉之灌，酒脯之禮，梁卵之祓，黃絹之裹，而刻畫書契無傳焉。假令灼龜以蔔，理兆錯迎，釁裂自見，則誤以為文字，然非所論於二千年之舊藏也。夫骸骨入土，未有千年不壞，積歲少久，故當化為灰塵。[10]他認為甲骨不可能歷經幾千年而不壞，況且在史書上也並沒有在龜甲、獸骨上刻寫文字的記載。章太炎先生早期既質疑甲骨文、金文材料的真實性，也對當時的著錄者及考釋者提出了質疑：「作偽有須臾之便，得者非貞信之人，而群相信以為法物。」[10]

章太炎先生認爲甲骨文材料的著錄之人——例如羅振玉等是「非貞信之人」。羅振玉一生在收集、公佈甲骨文資料方面成績卓然[11]，編選、出版了《殷虛書契前編》、《殷虛書契後編》、《殷虛書契續編》、《鐵雲藏龜之餘》等書。而太炎先生論列學者，尤重道德。「夷夏之防」的思想自小便紮根于太炎先生心中，因慕顧絳（炎武）排清之志行，將自己的名號也改爲「絳」、「太炎」[12]。太炎先生是反滿抗清的主將之一，而羅振玉的仕清之舉爲太炎先生所不齒，季剛先生也譏諷「今鄭孝胥、羅振玉輩自謂清之遺臣矣，奈何委質於倭，如之滿洲乎？身似要離卻畏風」[13]。羅振玉的言行常爲太炎先生詬病。在一九一〇年寫與羅振玉的書信中，太炎先生曾直斥羅振玉：

> 「足下學術雖未周挾，自視過於林泰輔輩，固當絕遠。身在大學，為四方表儀，不務求山谷含章之士，與之商略，而熹與九能馳騁，已稍負職。今複妄自鄙薄，以下海外腐生，令四方承學者不識短長，以為道藝廢滅，學在四夷。」[7]因為對羅振玉的行為不認同，所以對他輯錄的甲骨文也不相信。章太炎先生也指出有人用真偽難辨的金文來校訂《說文》：「穿鑿之徒，務欲立異，自莊述祖、龔自珍，好玩奇辭，文致瑑兆，晚世則吳大澂，尤喜銅器，亦有燔燒餅餌，毀瓦畫墁，以相欺紿，不悟偽跡，顧疑經典有譌，《說文》未諦。」[10]正如郭沫若先生所言，章太炎先生在接觸古文字材料時，態度是漸變的。

在晚年所寫的一封書信中，太炎先生指出「要而言之，鐘鼎可信爲古器者，什有六七，其釋文則未有可信者。甲骨之爲物，真僞尙不可知，其釋文則更無論也」[7]。由早期的全部質疑變化爲相信一部分金文材料是可信的，因此太炎先生也開始進行金文考釋。

太炎先生對於古文字材料的態度，與金文考釋諸家的方法相關。在給易寅邨的第一封信中，章太炎先生如此評價金文釋文諸家：

> 自宋以來，為彝器款識作釋文者，皆取之胸懷，既非師授，亦無顯證。……陳簠齋鑒器雖精，絕無學識（曾見簠齋尺牘，真是一八股先生。有時忽論及程、朱、陸、王，不知於考彝器何與？此是高頭講章識見。）前後二吳（荷屋、清卿）亦古董客，刻印師之流。點畫聲韻，似尚未辨，無論六書也。陳自知淺陋，不敢妄作釋文；二吳憑臆妄定，郢書燕說，十有七八。視《荊公字說》正為同此比例耳。[7]

章太炎先生認爲釋金文者如同王安石，多出於主觀臆斷，出現「波是水之皮」之類解說。他曾在《漢儒識古文考》一文中列舉金文考釋者的明顯錯誤：「款識之學，始宋時楊南仲、劉原父，歐陽氏《集古錄》用之。楊、劉二子，非有所從受也，直臆決之耳。秦叔和鐘：『不顯皇且受天命，竈又下國。』竈從穴從籀文黽，此竈字也。《周禮》故書以竈爲造，《廣雅・釋詁》：造，始也。然則『竈又下國』者，始有下國云爾，而南仲說爲奄字。」「竈」寫作「[illegible]」，呂大臨《考古圖》始著錄，名之爲『秦銘勳鐘』，薛尚功《歷代鐘鼎彝器款識法帖》也收此器物銘文摹本。楊南仲釋爲「奄」，孫詒讓《古籀拾遺》上卷考釋薛尚功《法帖》時，沿襲成說釋爲「奄」，太炎先生考釋爲「竈」，不僅符合形體，也使文意通暢。是正確的。宋人的金文考釋，確實有些是不可信的。因爲宋代是大規模金文考釋的開端，草創之初。章太炎先生認爲依據宋代直至清代的考釋成果，只能是「終之無一器可以卒讀者，持之既無故，言之又不成理。」太炎先生曾經深入研究金石考釋諸家的得失，據季剛先生日記記載，一九三一年七月二十日，太炎先生還曾令其閱覽自己手批的薛、阮二家《鐘鼎彝器款識》諸書，季剛先生終迻錄一遍。因此一九三二年四月十五日，太炎先生曾讓弟子黃侃先生寫作《古彝器諸家釋文匡謬》[13]。弟子們也常為老師尋覓、呈送有關金文書籍，在季剛先生的日記中有多處記載。例如一九三二年七月十一日，「以昔年所購《三古圖》囑鷹若歸遺師章君」[13]，太炎先生對於所獲金文研究著作的態度非常明朗，本著「入室操戈」的原則來批判。例如「孫生來，得所惠《考古》、《博古》二錄，欣快之至。款識釋文，自昔是非無正，沿襲既久，以為固然。其實，《汗簡》尤為荒誕。欲加攻擊，必先潰其首都。永叔《集古》不錄正文；錄正文者，莫先于呂氏。得此，則首都在吾掌中矣。」[7]

正如有學者所言「炳麟故以文字張革命而有成功；譽望高，講學推為大師。而持論適峻厲」[14]。太炎先生不僅在政論文章中表現出鮮明的立場，在學術研究方面也頗具個性。

同一時期王國維也對《散氏盤》做過考釋，他充分運用甲金文資料進行研究。幾年後，即一九二五年九月，在清華國學研究院講授「古史新證」課程，提出了二重證據法[15]，充分闡述了甲、金文出土材料的意義。對當時乃至後世的學術界產生了深遠影響。

章太炎先生為何對甲骨文、金文材料及釋文持上述態度？不可否認的是他受到了老師俞樾的影響。雖然在一九〇一年因為政見不同，章太炎先生被逐出師門，他寫下有名的《謝本師》一文，而就在此文中，章太炎先生深情回憶自己從二十三歲進入詁經精舍，從師學習，「出入八年，相得也」。在自定的《太炎文錄初編》中，章太炎先生未收《謝本師》一文，卻反而收錄了俞樾逝世後他作的《俞先生傳》。在《俞先生傳》中，章太炎先生提到老師「治小學不摭商周彝器，曰：『歐陽修作《集古錄》，金石始萌芽，榷略可采。其後多巫史誑豫爲之，韓非所謂番吾之跡，華山之棊，可以辨形體，識通假者，至秦漢碑銘則止。』」章太炎先生深受其師的影響，在《理惑論》中，他提到上古文字傳至後世有四途：一爲《說文》獨體字；二爲《周禮》、《儀禮》古文，有《說文》所未錄者；三爲邯鄲淳三體石經；四爲陳倉石鼓。「四者以外，宜在闕疑之科」。因此章太炎先生對於甲骨文、金文無所用力，而在上列幾種古文字材料的研究方面傾注了大量精力，甚至財力。例如在一九二〇年左右，洛陽出土了三體石經，即曹魏正始年間用古文、小篆、隸書三種字體刻寫的儒家經典，又稱正始石經。章太炎先生得到拓片後，寫了《新出三體石經考》，對正始石經上三種字體之一的古文進行了考證，認爲可信，足以補《說文》之不足。在與友人的多封書信中探討新出的三體石經：「古文之錄在《說文》者，形體已多詭變，叔重亦不敢以六書強說。蓋自周室之衰，而文字漸多不正，雖孔氏亦不能盡改也。然其二三可說者，往往出於秦、漢篆文之表，《說文》所不盡者，更于石經見之。」[7] 太炎先生甚至願意自己斥資獲得更多的材料「當由吾輩出資雇掘，其碑石仍舊歸官有，而拓片則先讓吾輩得之」。[7] 而研究石經的意義在於對經學的貢獻「更有所得，則寶藏盡出，非徒以爲美觀，實于經學有無窮之益。所謂一字千金者，並非虛語。」[7] 章太炎先生認爲甲骨文、金文則與經史無關：「龜甲且勿論真僞，即是真物，所著占繇不過晴雨弋獲諸碎事，何足以補商史？且如周代彝器存者百數，其可以補周史者甚少也。」[7]「若三代彝器，作僞者眾，更有乍得奇物，不知年月名號者，其器既非可信，而欲持是以爲考史之端，益見其愚誣也。」[7]

在經史研究方面，他提出「徵信」的觀點，發揚乾嘉學者「實事求是」的精神，主張足證，反對主觀推測。章太炎先生認爲甲骨文不知真僞，而金文材料也有不可信之處，因此用甲金文研究歷史的方法是「自罔」：「以經籍非記事，而古史不足徵，欲穿地以求石史，斯又惑於西方之說也。」[16] 另一方面章太炎先生不贊同前人的甲骨文、金文考釋方法，認爲他們沒有依據《說文》這一根本：「文字源流，除《說文》外不可妄求，甲骨文真僞且勿論，但問其文字之不可識者，誰實識之？非羅振玉乎？其字既于《說文》碑版經史字書無徵，振玉何以能獨識之乎？非特甲骨文爲然，鐘鼎彝器真者固十有六七，但其文字之不可識者，又誰實識之，非托始于歐陽公、呂與叔等乎？字既無徵，歐、呂諸公何以能獨識之。」[7]

太炎先生批評有學者考釋文字不依據「六書」，常常出於主觀。「循《彝器釋文》之說，文不必見於字書，音義不必受之故老。苟以六書皮傅，從而指之曰，此某字也。其始猶不敢正言，逮及末嗣，習爲故然。直以其說破篆籒正文，而析言亂名者滋起矣。」[17] 章太炎先生比較贊許的孫詒讓等人在考釋古文字時，就是從《說文》出發，以「六書」爲準則。在《孫詒讓傳》中章氏寫道：「詒讓初辨彝器情僞，擯北宋人所假名者，即部居形聲不可知，輒置之；即可知，審其刻畫，不跌豪氂，然後傅之六書。所定文字，皆隱括就繩墨，古文由是大明。」[18] 在寫給易培基的第一封信中，章太炎先生在評價古文字考釋諸家時也提到：「其比附六書者，差可信任，前一王菉友（王筠），近一孫仲容（孫詒讓）而止耳。」[7]作爲清代《說文》四大家之一的王筠在文字考釋方面得到章太炎先生認同，而太炎先生在語言文字研究方面和王筠等人的路子並不相同。他在《自述學術次第》中這樣說：「余治小學，不欲爲王菉友輩，滯於形體，將流爲字學舉隅之陋也」。[5]「若王筠所爲者，又非夫達神旨也」[19]。因此章太炎先生在甲骨文、金文方面的考釋成果有限，他在《論散氏盤書與寅郜》的第二封信中說：「僕本不欲妄說，今此所釋，亦未敢自信。」[7]由此可窺太炎先生的自知之明。

太炎先生對於出土古文字的態度是複雜的，一方面前期的太炎先生不願利用古文字資料，這既受俞樾先生的影響，也因爲承襲了漢學「實事求是」的學風，對部分甲金文著錄者、考釋者不能客觀研學表示鄙夷。另一方面後期的太炎先生開始關注金文研究，本文所揭的《論散氏盤書與寅郜》一信就是明證。因此太炎先生並非如有些學者所論：對甲金文一味否定，我們應該對學術史上此問題進行重新梳理。

註：

1. 孔仲溫：《從〈黃季剛先生手寫日記〉論黃先生治古文字學》，《黃侃學術研究——95黃侃國際學術研討會論文集》，武漢：武漢大學出版社，一九九七年；李運富：《章太炎黃侃先生的文字學研究》，《古漢語研究》二〇〇四年第二期，第三九—四五頁。
2. 董作賓：《甲骨學六十年》，《中國現代學術經典・董作賓卷》第一九五頁。石家莊：河北教育出版社，一九九九六年。

3. 黃侃：黃侃論學雜著[M]北京：中華書局，一九六四年。

4. 郭沫若：序甲骨文辨證[A]郭沫若全集第十卷。考古編[C]北京：科學出版社，二〇〇二年。

5. 章太炎：太炎先生自定年譜[M]上海：上海書店，一九八六；湯志均：章太炎先生年譜長編[M]北京：中華書局，一九七九。

6. 謝櫻寧：章太炎先生年譜摭遺[M]北京：中國社會科學出版社，一九八七年；姚奠中、董國炎・章太炎先生學術年譜[M]也據謝書轉引了節錄書信。

7. 馬勇：章太炎先生書信集[M]石家莊：河北人民出版社，二〇〇三年。

8. 阮元的釋文現存于《積古齋鐘鼎彝器款識》，第四冊第八卷，中華書局，一九八五年。

9. 章太炎：太炎文錄初編——信史上[M]上海：上海書店，一九二四年。

10. 章太炎：國故論衡——理惑論[M]上海：上海古籍出版社，二〇〇三年。

11. 趙誠：二十世紀甲骨文研究述要[M]太原：書海出版社，二〇〇六年。

12. 謝櫻寧：章太炎先生年譜摭遺[M]北京：中國社會科學出版社，一九八七年。

13. 黃侃：黃侃文存——黃侃日記[M]南京：江蘇教育出版社，二〇〇一年。

14. 錢基博：現代中國文學史[M]上海：上海書店出版社，二〇〇七年。

15. 王國維：古史新證——王國維最後的講義[M]北京：清華大學出版社，一九九四年。

16. 章太炎：章太炎全集——信史[M]上海：上海人民出版社，一九八五年。

17. 章太炎：章太炎全集——漢學論[M]上海：上海人民出版社，一九八五年。
18. 章太炎：章太炎全集——孫詒讓傳[M]上海：上海人民出版社，一九八五年。
19. 章太炎：《小學略說》，轉引自傅傑編《章太炎先生學術史論集》[M]北京：中國社會科學出版社，頁四一，一九九七年。

淵博的學識，偉大的人格

——深切懷念陳伯元師

北京大學中文系 張渭毅

一

敬愛的伯元老師八月一日凌晨永遠離開了我們，噩耗傳來，我感到很震驚，很悲痛。在大陸的中青年學人中，我是跟他老人家交往求教次數較多的一位，經常受到他的指導，他的親切教誨，他的音容笑貌，至今歷歷在目，恍若昨日。

我自一九九一年秋天起，在導師楊耐思先生的指導下，在北京圖書館（後改名國家圖書館）港臺閱覽室開始有系統的學習和鑽研臺灣學者的音韻學著作，其中陳老師的著作我看得最多，也最細緻，從那時起，我就把陳老師看作我心目中最敬重、最仰慕、最欽佩的臺灣著名的文字音韻訓詁學大家。二〇〇二年春天，伯元師應趙麗明教授之邀，來清華大學講學一個學期，開設「音韻學研究」與「東坡詩詞研究」兩門課，我前去旁聽，課上、課下有幸拜見、結識了我心儀已久的伯元老師。自此後的十年裏，我對伯元師執弟子禮，每一次見到陳老師，每一次書信往來，總是能夠學習到不少有益的學問，感受到他巨大的人格魅力。

二〇〇四年二月至六月，我去臺北實踐大學講學一個學期，在此期間，多次拜見陳老師，請教學術問題，總得到陳老師的熱情款待和幫助。二〇〇四年二月二十日下午，陳門弟子們在臺北「六福皇宮飯店」舉辦了的「慶祝陳伯元教授七秩華誕宴會」，二百多位嘉賓、著名學者前來祝壽，盛況空前。我應邀陪同當時在成功大學講學研究的、中國音韻學研究會會長魯國堯先生和師母一道與會，席間，魯先生代表中國音韻學研究會發表了熱情洋溢的講話，令人難忘。

二〇〇四年五月的一天中午，陳老師在臺灣師大講授音韻學課程結束後，專門召集聽課的研究生，邀請我去臺北的「北京樓」飯館，跟他的弟子們一起共進午餐，把酒論盞，討論清代古音學，場面生動感人。

二〇〇七年十一月二十四日—二十五日我應李添富主任、教授之邀，參加輔仁大學中國文學系舉辦的第六屆先秦兩漢學術國際研討會。午餐休息期間，我拜見了陳老師，與他暢談現代古音學，我向先生求教上古複輔音聲母的看法。陳老師主張上古音應該有單聲母和複聲母兩套聲母系統，並結合聲韻學、文字學、訓詁學和古文獻學中扎實的內部證據，力陳上古複聲母學說的合理性。渭毅提出，是否可以理解爲：這是陳老師對於章、黃先生的聲母學說的發展與創新？陳先生點頭稱是。午飯後，在陳門高足李添富老師的辦公室裏，渭毅發現牆的正中央懸掛一幅書寫著「師陳」兩字的題字，亦可逆序讀爲「陳師」，寓意豐富，很能夠體現陳門學術繼承與創新的精神和風格，遂請陳、李兩位老師在「師陳」巨幅題字下，渭毅侍坐，合影留念，伯元師欣然答應。渭毅至今記憶猶新。

二〇〇九年十月十三日，「吟誦與教育」論壇在首都師範大學國際文化大廈召開，伯元師出席了研討會。我得知消息後，迅速趕往酒店拜見了陳老師，並請伯元師和輔仁大學中國文學系孫永忠教授一起在附近的「東來順飯莊」共進晚餐，吃涮羊肉，暢飲「蒙古王酒」，席間聆聽陳老師吟唱古詩詞，氣氛熱烈。陳老師特意爲待刊的《音韻研究》創刊號賜稿兩篇。次日中午，渭毅又特邀伯元師、孫永忠教授、趙麗明教授和謝玄同學等在圓明園附近的「盛祥農家院」聚會，吃貴州烏江魚和苗家菜，暢飲青海「天佑德互助青稞酒」，席間伯元師神采奕奕，精神飽滿，愉快地回憶了二〇〇二年在清華大學講學的美好時光。

二〇一〇年十月二十二日至二十四日，在南陽師範學院聶振弢先生的竭力籌辦、主持和臺灣輔仁大學中國文學系李添富教授等的熱心支持、幫助下，南陽師範學院中國音韻學研究所舉辦了「陳伯元先生文字音韻訓詁學國際學術研討會」，慶祝伯元老師七十五壽辰和執教五十年。我有幸在會前編輯了《陳伯元先生文字音韻訓詁學國際學術研討會論文集》，並與南陽師院文學院丁全教授一起主持了主題發言大會，與會嘉賓、學者和南陽師院近兩千名師生參加了大會。我聆聽了伯元先生所作的大會主題報告《求學問道七十年》、《高山仰止景伊師》和《師大名師二十三人賦詩》，對於陳先生的生平事跡、師承、學問和爲人有了深刻、全面的瞭解，更加敬仰和欽佩陳老師的人品和學問。此次會議，渭毅原計劃發表長篇論文《學習陳伯元先生聲韻學論著的一些體會》，試圖闡發伯元先生的聲韻學發明與特色，後因會前陳門高足林慶勳教授、葉鍵得教授、金周生教授、戴俊芬教授等寄來評述伯元先生聲韻學的一系列論文大作，爲避免會議論文選題重複，渭毅遂改題目宣讀另一篇論文《論朱翺反切開合的特點》。

現在，應李添富老師邀稿，渭毅把兩年前那篇未宣讀發表的會議論文舊稿簡縮、整理出一小部分，深切緬懷陳伯元老師在聲韻學領域的豐功偉績。遺憾和傷感的是，渭毅再也聽不見伯元師的諄諄教誨了！

二

陳伯元先生是中國當代著名的語言文字學家、詩人和詞人，著述等身，研究領域廣泛，舉凡文字、音韻、訓詁、文學、詩詞創作等方面，都有廣博精深的研究，成就卓越，在國內外語言學界，尤其是在臺灣語言學界，享有很高的學術聲譽。陳先生執教五十餘年，弟子遍及臺灣省、香港和海外。聲韻學是陳先生用力最勤、成果最豐、成就最大的教學研究領域，而臺灣學者的聲韻學的教學和研究，又以陳先生的貢獻爲最大。[一]

一 參考王玉如整理的〈陳伯元教授著作目錄〉，見《陳伯元教授七秩華誕論文集》，頁五二三—五五〇。李添富教授整理的〈陳新雄教授指導完成博碩論文一覽表〉，見《陳伯元教授七秩華誕論文集》，頁五五一—五五六，二〇〇四年臺北洪葉文化事業公司出版。根據這兩份目錄，我們可以得出這個結論。

上個世紀八十年代以前，由於海峽兩岸學術交流阻隔，大陸同行很難讀到陳先生的論著，對於陳先生的音韻學成果知之較少。九十年代以來，隨著兩岸音韻學學術交流活動的開展和加強，大陸音韻學同行才開始對陳先生的音韻學成就有了一些較深的瞭解和研究。二〇一〇年十月二十二~二十四日，南陽師院中國音韻學研究所召開了陳新雄先生聲韻學、文字學和訓詁學學術專題研討會，這對於加強中國當代音韻學學術史的研究，編纂當代音韻學人物志，具有非常重要的意義。關於陳先生在聲韻學、文字學和訓詁學方面的學術貢獻、學術影響和學術意義，此次與會的專家學者已經做了深入的闡述和探討，發表相關的論文共計七篇，[二]都值得我個人認真的學習。

我第一次拜讀伯元師的音韻學著作是在一九九一年秋天，當時研讀了四部著作：《六十年來之聲韻學》（一九七三）、《等韻述要》（一九七四）、《中原音韻概要》（一九七六）和《聲類新編》（一九八二），此後近二十年又陸續拜讀和學習了陳先生的有代表性的論著，如《古音學發微》（一九七二）、《重校增訂音略證補》（一九七八）、《鍥不舍齋論學集》（一九八四）、《文字聲韻論叢》（一九九四）、《古音研究》（一九九九）、《聲韻學》（二〇〇五）等。陳著的博大精深，給我留下很深刻的印象。下面我結合讀書和教學的實踐，談一些粗淺的體會，分六个部分闡發伯元先生聲韻學的發明與特色，謹以此文敬獻給伯元師的英靈。

二　參見《陳伯元先生文字音韻訓詁學國際學術研討會論文集》，頁十六—一二五，南陽師院音韻學研究所二〇一〇年十月。

三

上古音複輔音聲母問題，是音韻學研究的熱門話題。上古漢語究竟有沒有複聲母？有哪些複聲母？至今聚訟紛紜。但是，可以肯定的是，對於這個問題的不同問答，其實反映著學者對於上古音聲母的認識水平和研究的深入程度，決定著不同的上古音觀念。伯元師研究複聲母問題，經歷了一個從無到有、從質疑到肯定的逐漸深化的認知過程。最初，他的博士學位論文《古音學發微》曾質疑上古複聲母的存在，並把複聲母視爲未知數，不計在聲母系統之內。晚年則明確指出：「吾人討論及單純聲母時，已無可避免涉及複聲母問題。」不僅認爲上古有單聲母系統，而且有複聲母系統。他的《古音學》、《聲韻學》對李方桂先生的《上古音研究》擬測的複聲母加以繼承、修正和發展，進一步構擬了帶h詞頭之複聲母四個，帶s詞頭之複聲母二十一個，帶一之複聲母十五個，並說明從上古到中古各類聲母的演變關係。這是伯元師上古音觀念和聲母研究成果的重大變化，是對李方桂先生以來上古聲母學說的繼承、創新和科學的總結，值得大書特書。

四

自黃季剛先生提出古群母之歸屬問題、曾運乾先生提出「喻三歸匣」學說以來，群母、匣母和喻三的上古歸屬關係，一直受到學者的關注，伯元師的研究也經歷了一個逐漸深化的過程。他的《古音學發微》已經考明群與匣古音應同出一源，決非溪紐之雙聲，但因限於論文體例及時間，未曾詳加闡發。他的《群母古讀考》、《古音學》、《聲韻學》詳密論證了群母古讀如匣母，群、匣、喻三母古讀都是[ɣ]，後代因演變條件不同，分化成三類聲母，如下表：

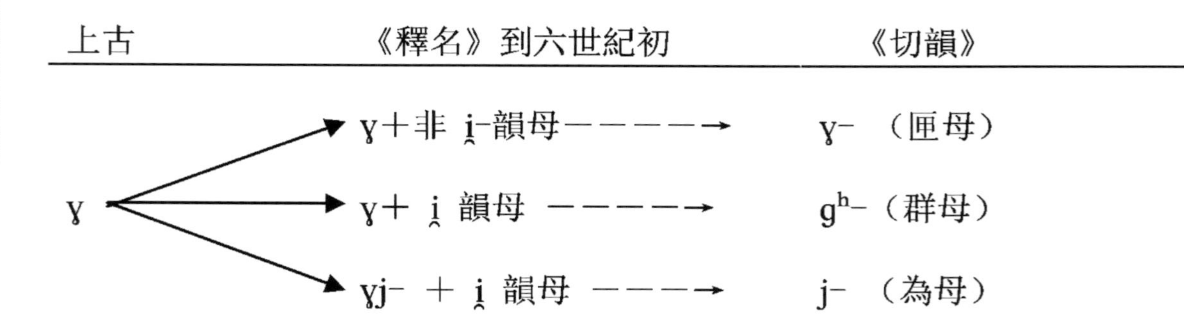

這個結論，不同于李方桂、周法高、蒲立本、包擬古、丁邦新等先生的看法，應該重視。

五

李方桂先生的《上古音研究》發表以來，伯元師撰寫了《李方桂先生的〈上古音研究〉的幾點質疑》，針對李先生把中古知系字介音擬作 rj、中古照三系字介音擬作 j 的做法，對其合理性加以質疑，敏銳的指出，李先生把出現在同一個三等韻母之前的知母擬作 tr、照三母擬作tj，難以説明上古端、知、照三的聲母同源關係。他主張知系字的上古介音擬作[r-][ri-]，照三系的上古聲母擬作[tj][t'j][d'j]，j-隸屬于聲母，端、知和照三是一組聲母音位、兩套音值，看作一組音位，便於解釋端、知、照三的諧聲關係、同源關係，而擬作兩套音值，能夠合理解決不同的聲韻結合關係和到中古的演變，是一個機智的解決辦法。

六

伯元師贊同上古重紐有音值的區別。李方桂先生的《上古音研究》在雅洪托夫研究的基礎是提出上古音二等韻介音爲r-，龔煌城先生的《從漢藏語的比較看重紐問題》主張上古音三等韻介音有rj-、j-兩類，重紐三等韻介音爲rj-，重紐四等韻介音爲j-。伯元師晚年完全採納了李、龔兩位先生的介音構擬，他的《聲韻學》用r-介音代替早年《古音學發微》所用之e介音，三等韻介音改擬rj-、j-兩類，他的上古音介音分開、合各四等，如下：一等開口o-，一等合口u-；二等開口r-，二等合口ru-；重紐開口三等rj-，重紐合口三等rju-；重紐開口四等j-，重紐合口四等ju-；四等開口i-，四等合口iu-。這樣就使得上古介音系統更加合理化，是對於上古音系統的重要發展。

七

伯元師的《古音學發微》博采古韻學家之長，在黃季剛先生古韻二八部基礎上，贊同黃先生晚年談、添、盍、帖分四部說，吸取王了一先生的脂、微分部，增加黃永鎮的覺部，創立古韻三二部說，他的《論談、添、盍、帖分四部說》（一九八九）重新論證了古韻三二部說的合理性，此說集古韻分部理論之大成，正如一九六九年伯元先生的博士學位考試委員會的評價「元元本本、殫見洽聞」，「述故創新，邁越前修」，「成一家言」。

八

陳澧《切韻考》首先提出反切系聯法，他發明的三個系聯條例被董同龢先生的《漢語音韻學》稱爲「基本條例」、「分析條例」和「補充條例」，一直爲後代《廣韻》研究者所沿用。陳氏系聯法有其局限性，因此，周祖謨先生曾撰《陳澧切韻考辨誤》，糾正其法之偏失。伯元師則針對陳氏補充條例的局限，撰《陳澧〈切韻考〉系聯〈廣韻〉切語上下字補充條例補例》（一九八七），創立「陳澧系聯切語上字補充條例補例」，如下：

「今考《廣韻》平上去入四聲相承之韻，不但韻相承，韻中字音亦多相承，相承之音，其切語上字聲必同類。如平聲十一模：『都，當孤切』、上聲十姥：『覩，當古切』、去聲十一暮：『妒，當故切』。『都、覩、妒』為相承之音，其切語上字聲皆同類，故於切語上字因兩兩互用而不能系聯者，可據此定之也。如平聲一東：『東，德紅切』、上聲一董：『董，多動切』、去聲一送：『湅，多貢切』、入聲一屋：『縠，丁木切』，『東、董、湅、縠』為相承之音，則切語上字『德、多、丁』聲必同類也。『丁，當經切』、『當，

都郎切』，是則『德、多』與『都、當』四字聲同類也。」[三]

伯元師又發明「陳澧系聯切語下字補充條例補例」，如下：

「今考《廣韻》四聲相承之韻，其每韻分類亦多相承，不但分類相承，每類字音亦必相承。今切語下字因兩兩互用而不系聯，若其相承之韻類相承之音切語下字韻同類，則此互用之切語下字韻亦必同類。如上平十虞韻『朱、俱、無、夫』四字，『朱章俱切、俱舉朱切、無武夫切、夫甫無切』，朱與俱、無與夫兩兩互用，遂不能四字系聯矣。今考朱、俱、無、夫相承之上聲為九麌韻『主之庾切、矩俱雨切、武文甫切、甫方矩切』，矩與甫、武切語下字韻同類，則平聲朱與無、夫切語下字韻亦同類。今於切語下字因兩兩互用而不系聯者，據此定也。」[四]

伯元師發明的陳氏補充條例補例，實現了陳氏反切系聯法的合理化和科學化，對於音韻學教學研究產生了很大影響，得到周祖謨先生的肯定和讚揚。

本文轉載自《國文天地》第二十八卷第四期

三　見陳新雄《文字聲韻論叢》，頁三〇六，臺灣東大圖書股份有限公司一九九四年。

四　見陳新雄《文字聲韻論叢》，頁三一八—三一九，臺灣東大圖書股份有限公司一九九四年。

兩岸韻路，大師足音

——追悼陳新雄教授

廈門大學中文系教授兼系主任 李无未

二〇一二年八月二十三日，中國音韻學暨黃典誠學術思想國際學術研討會、中國音韻學研究會第十七屆年會暨第十二屆國際學術研討會開幕式在廈門大學科學藝術中心舉行，我作爲會議籌辦人主持開幕式，坐在主席臺上。剛好輪到臺灣政治大學教授竺家寧教授在主席臺上致辭。在對會議進行一番祝賀之後，他帶著十分沉重的語氣報告，中國聲韻學會、中國訓詁學會創始人，著名國學大師陳新雄教授在美國逝世了。

我毫無心理準備，聽到這個消息十分震驚。驚愕之後，便是極度悲痛。我強抑制住淚水，勉強主持後邊的發言程式。會議茶歇之際，我一個人躲到一個角落，獨自傷痛。眼前回憶起向陳先生請教的點滴。

由於海峽兩岸的人爲阻隔，直到二十世紀九〇年代初，兩岸音韻學人才開始交往。一九九一年的香港會議、一九九二年的威海會議，都是由陳先生親自帶隊，極力促成兩岸音韻學人的理解和溝通。那個時候，彼此間思維方式、學術理論與方法、學術論文敍述方式、研究問題的角度、資訊的掌握程度都存在著很大的差別。但有幾點是共同的，就是都操「國語」、「普通話」，都在研究炎黃遺留下的「小學」遺產，都在傳承著中華文化。

在威海會議上，我第一次見到了陳新雄先生。他的威嚴、他的學識、他的睿智，給我留下了十分深刻的印象。我與他交談有限，但他的直率，卻讓我感到非常吃驚。我記得很清楚，他說，你們對臺灣情況不瞭解，希望你們有機會到臺灣看看。話語中，對兩岸音韻學的未來充滿著無限希望。在這次會議上，我也感受到了陳新雄先生弟子們的風采，比如竺家寧教授、姚榮松教授、李添富教授、孔仲溫教授等。他們談吐文雅、知識淵博，果然與我們所想像的臺灣學者風度不同。

一九九三年十月，我接到了竺家寧教授的邀請函，希望我去臺灣進行學術交流。我的心中充滿了無限的期待，也發揮想像，認爲，此次臺灣之行一定是所獲甚多，感受到的應該是一個全然陌生的環境，並有機會和陳新雄先生討教。因爲，我已經閱讀過先生的一些音韻學著作，比如《古音學發微》、《等韻述要》等，我有許多疑難問題需要當面追問。可是，當我把邀請函交到吉林大學外事處一個姓周的處長的手裏時，卻聽到了這樣一個答復：「吉林大學沒有這個先例，不能辦！」簡單粗暴地加以拒絕了，這讓我感到很失望，那麼多的熱切盼望一下子變得煙消雲散，心裏冰涼涼的。

此後幾年，在三次音韻學會議上我與陳先生及其弟子的交往更多了。我們對陳先生就有了近距離的接觸。給我印象最深的，還是一九九八年八月初在長春舉辦的漢語音韻學會議。此次會議由甯繼福先生主持，我則予以協助。吉林省社會科學院雖然力圖全力安排，但還是感到人手缺乏。我則動員我的碩士生林革華參與，做些力所能及的會務工作。

記得有一次，我作嚮導帶領與會學者乘坐觀光車沿著長春新民大街遊覽，大家興致勃勃地品評僞滿總理府、八大部遺址。恰好我與北京大學唐作藩教授、臺灣師範大學陳新雄教授爲鄰。在與唐先生交談之余，我回轉身，向後排的陳新雄教授問了一個很唐突的問題，就是：「臺灣的師生關係如何？」陳新雄教授似乎對這個問題非常感興趣，回答道：「臺灣大學裏的師生關係很融洽，但界限清楚。還是師道尊嚴！」唐作藩先生則補充說道：「大陸經過文革，老師都被學生揪鬥，無尊嚴可言。似乎現在很平等，但也不正常啊！」雖然有唐先生的感慨，不過，陳新雄教授還是對大陸恢復正常的師生關係抱有信心。私下裏，我就此事向陳先生的弟子打聽，還是瞭解到陳新雄先生「師道尊嚴」的一面，對弟子無限關心和愛護，但對弟子的懶惰決不姑息。據說，有一次，清晨二點鐘還在打電話讓學生背誦《文選》中的某一篇作品，可見，對弟子學業督促之勤。

二〇〇〇年五月，李添富教授在臺灣輔仁大學舉辦聲韻學會會議。爲了能讓大陸學者有機會參與，陳先生親自與李添富教授商議人選，我這個年輕後輩也有幸忝列其中。由於眾所周的原因，我們的申請遲遲不能批復下來。陳先生與李添富教授非常著急，四處托人說情。據說，陳先生爲此事還親自寫信給大陸的某一位全國人大副委員長（也是古漢語同行），希望襄助。在眾多先生的斡旋下，我們一行六人歷經磨難，總算是順利地到達了臺北。我們沒有趕上當天下午的開幕式，第二天上午，匆忙投入到了大會發言中去。我記得是何大安先生主持會議，林平和先生是我的評議人。到了論文評議階段，我看到了陳新雄教授對音韻學術一絲不苟的另一面，他針對某一位大陸學者論文新奇觀點，提出自己的看法，嚴厲之中又不失溫柔，隨口舉出大量證據加以說明，理據充分，贏得在場的學者陣陣掌聲。

當天主人設晚宴款待。陳新雄先生略遲一點到達宴會廳，我們站起身迎接。只見陳新雄先生手提著一大包書，嘴裏連連說道：「抱歉，我家離這裏太遠。」我們接過陳新雄先生的贈書，看到，其中就有我在大陸很難見到的經典名著《古音研究》。感激之餘，我心下不安起來，那麼大部頭的書，沉甸甸的，讓一個六十五歲的老人遠道送來，太難爲他了。那一晚上，陳先生異常高興，破例多喝了一點兒白酒，打開話匣子，侃侃而談，涉及到了音韻學的許多方面，讓我們收益不淺，我們由此對臺灣音韻學界的許多情況有了進一步的瞭解。

那之後，我在很多重要的學術場合都能見到陳先生。陳先生的形象永遠都定格在一個鮮明的畫面上，就是，他被一大群弟子及再傳弟子簇擁著走來。他精神矍鑠，一臉微笑，威嚴而睿智。每次會議上，陳先生都作大會發言，呼籲兩岸攜手，共謀音韻學術大業。看得出來，他心中有一個宏偉藍圖，就是一定實現中國學者主導世界音韻學術大潮的夢想。恕我孤陋寡聞，在我國臺灣音韻學界的老一輩大學者中，我還沒有見到第二位如此執著和熱心於中國兩岸音韻學交流事業的人。這也是我們對陳先生最爲感激的，也是我們後輩音韻學人最爲受益的事情。

這幾年，我沒有再見到陳先生，只要有機會，我就向陳先生弟子們打聽他的情況，才知道他身體不好，在美國治病。我每次聽後都很著急，捏著一把汗，掛記不已。於是，默默爲他祈禱，盼望著他早日恢復健康，一展舊日馳騁疆場的大師雄風。再爲兩岸音韻事業呼號奔走，再讓同行音韻學者盪氣迴腸。

誰能想到，此次廈門會議，得到的消息卻是，先生已經驟返道山，攀登天路？陳先生何其如此急切駕鶴西歸？我們難以理解。哀痛之餘，不禁失聲痛哭。陳先生的離去，使我們兩岸音韻學者失去了一位真正大氣度的領袖人物。我們擔心，未來還會有誰會象陳先生那樣足跡遍及天下，開拓兩岸音韻融合之路？還會有誰繼續他的事業而成爲釋解兩岸音韻後輩學人疑惑的共同導師？

逝者已矣，來者是否可追？帶著無限疑問，悵惘不已，由此，我們更加懷念陳先生！我不由得再次面向東南方向，叩首祭拜！

廈門大學中文系　李无未

二○一二年八月三十日於長春長影世紀村寓所

深切懷念陳新雄老師

首都師範大學文學院　馮　蒸

臺灣師範大學國文學系名譽教授、著名音韻學家陳新雄先生不幸于二〇一二年七月三十一日在美國病逝，享壽七十八歲。驚聞噩耗，萬分悲痛。雖然先生不是我的業師，但在我的心目中，先生卻是我永遠崇敬的恩師。我把與先生的交往和聆受先生教誨的點點滴滴回憶如下，以表達我對先生的哀思和懷念。

我和陳先生相識始於大陸召開的音韻學會議。一九九一年十一月二十一至二十三日在湖北省武漢市華中理工大學學術交流中心召開了以音韻學研究爲主的「漢語言學國際學術研討會」。在這次會上，陳先生率領臺灣的幾位著名的音韻學家與會，現在回憶起來有孔仲溫先生，董忠司先生、李添富先生等。會議期間，我懷著忐忑的心情去拜訪陳先生，因爲我知道陳先生是音韻學界的泰斗，而我當時只是一個普通的大學講師。我惴惴不安地呈上我的一份著作目錄請陳先生指正，並當面稱陳先生爲陳老師，沒有想到先生很高興，和藹地對我說：「既然你今天稱我爲老師，那我就從現在起把你當做我的學生。」第二天晚上，陳先生把我叫到他住的房間，對我說，一九九二年五月將在臺灣高雄的中山大學召開一次音韻學國際學術研討會，擬邀請我參加，並指著坐在旁邊的孔仲溫先生說，具體事宜由孔先生和你聯繫。接著陳先生又告訴我，此次擬邀請大陸三位學人前往，分別代表不同的年齡層次，六十歲層次邀請的是大陸音韻學會秘書長陳振寰先生，五十歲層次邀請的是廣州中山大學的李新魁先生，四十歲層次擬邀請我（當時我是北京師範學院中文系講師），並且告訴我，這次會議的主題是「聲韻學之過去、現在與未來」，並當場約我寫一篇《中國大陸近四十年（一九五〇——一九九〇）漢語音韻研究述評》與會。我聽後心中十分激動，但更多的是忐忑不安，也不知道此次能否成行。這次見面後不久，我就收到了由臺灣高雄中山大學孔仲溫先生發來的會議邀請。經過漫長的等待和審批，終於成行，於一九九二年五月飛赴臺灣高雄。這是我首次出境訪問，激動的心情難以言表。飛機首先飛抵香港，在香港辦理了有關手續後，第二天從香港乘機飛抵高雄。到達高雄以後，孔仲溫教授早已派三位研究生到機場接我，直接送我到賓館，孔教授在賓館迎候我。在高雄，我做了兩次學術演講，一次就在高雄的國立中山大學，由孔仲溫教授主持；一次是在高雄師範大學，由著名音韻學家林慶勳教授主持。由於陳振寰先生、李新魁先生和我們三人的出行時間不一，均未能趕上原定於一九九二年五月十五至十七日在臺灣中山大學召開的「第二屆國際暨第十屆全國聲韻學學術研討會」，但與會論文均被收入會議論文集。我的這篇論文後來收入拙著《漢語音韻學論文集》（首都師範大學出版社，一九九七）。

我在高雄期間受到了孔仲溫等音韻學家的熱情款待，參觀了有關學校的圖書館，遊覽了西子湖，至今難以忘懷。在高雄的學術活動結束後，林慶勳教授和孔仲溫教授等送我登上赴臺北的火車，經過幾個小時的車程，我於當天下午三點半左右到達臺北，在火車站迎接我的是臺灣師範大學著名音韻學家姚榮松教授。姚教授告訴我，晚六點陳先生將在臺北某大酒店設宴招待我（酒店的具體名稱我忘記了），應我的要求，下午三點半到十點之間姚榮松教授陪同我參觀了臺灣師範大學圖書館和特藏室的音韻學圖書，特別是趙蔭棠藏書，這是我夢寐以求的一件大事，詳見拙文《趙蔭棠音韻學藏書臺北目睹記》（發表於《漢字文化》一九九六年第四期，並收入拙著《漢語音韻學論文集》，首都師範大學出版社，一九九七）。六點鐘，姚教授陪我去赴宴，見到了許多聞名已久、迄未謀面的著名音韻學家，如：林炯陽教授、何大安教授、朱榮智教授、簡宗梧教授、李添富教授、金周生教授等。宴會上，陳先生談笑風生，絲毫沒有大師的架子，令人如沐春風，我的陌生感馬上消失了，直到九點多鐘姚教授才送我回到賓館。席間，陳先生告訴我，已對我的臺北之行做了周密安排，安排我到臺灣師範大學和東吳大學各做一場演講，並參觀中央研究院歷史語言研究所。後來，我在何大安教授的熱情接待下參觀了中研院史語所。能夠到史語所參觀訪問，是我夢寐以求的願望。史語所的語言組，不但是趙元任、李方桂等音韻學大師親手創建，而且是我極爲傾慕的著名音韻學家董同龢、周法高、丁邦新、龔煌城、何大安等先生工作過的地方。在參觀史語所的過程中，我得到了多年來渴求的《中央研究院歷史語言研究所集刊》，受到了當時史語所所長管東貴教授的熱情款待，獲贈了諸多史語所出版物。此後，何大安教授、楊秀芳教授夫婦又安排了一次宴請，使我見到了傾慕已久的著名音韻學家龍宇純教授、杜其榮教授夫婦，還有台大與史語所的一些專家學者。在臺北期間，我曾經到臺灣師範大學陳新雄先生的辦公室看望陳先生，他除了向我引見臺灣師範大學國文學系的幾位領導、教授外，還惠贈了他的若干大著，使我極爲感動！在一次演講會後，陳先生的熱情鼓勵和褒獎使我想起自己求學成長過程中的諸多坎坷和此時受到的崇高禮遇，不由得熱淚盈眶！先生握著我的手，安慰我說，一切都會好的，希望你以後常來臺灣訪問。我回到北京後不久，先生就寄贈了他的詞作墨寶，詞作是：「相逢滋味，執手看時盈熱淚。兄弟何憂，論學言談總自由。所聞所見，莫令冰消如雪霰。從此雲開，兩岸交流歲往來。壬申仲夏迎馮蒸於臺北，調寄《減字木蘭花》，用東坡《玉觴無味》韻書奉馮蒸先生兩政。伯元陳新雄。」該墨寶我裝裱後一直懸掛在我的書房內朝夕觀摩相伴。一九九二年的赴台訪問，是大陸音韻學者第一次訪問臺灣，也是四十多年來大陸社會科學界第一次訪問臺灣。不但是我的個人榮譽，也可以說是海峽兩岸音韻學界在臺灣的首次直接交流，此後兩岸音韻學者交流日漸頻繁，但此次由陳先生一手促成的大陸學人臺灣之行的開創性意義將永垂史冊，令我永遠難忘。

在這次訪問期間，我還有一個重要的收穫，就是目睹了我嚮往已久的趙蔭棠藏書，關於這段經歷，我在《趙蔭棠音韻學藏書臺北目睹記》一文中有如下一段話，引在這裏：

一九九二年五月下旬到六月上旬，我應臺灣高雄中山大學中國文學研究所和臺灣聲韻學會的邀請，有幸到臺灣進行短期的學術交流。在高雄師範大學訪問時，蒙該校的著名音韻學家林慶勳教授告訴我，趙蔭棠先生的這批音韻學書並未失散，而是完整地保存在臺北的臺灣師範大學圖書館的特藏室。希望我到臺北時能夠抽時間親自看一下，並希我在閱後寫一份觀後記。我聽到這個消息之後簡直驚呆了，多年縈回夢繞、孜孜以求的趙蔭棠藏書居然保存在臺北！多年的懸念和宿願居然能在隔了近三十年後在臺灣見到！這難道是在作夢嗎？

到達臺北之後，我就懷著急切的心情盼望能夠早日見到這批書。很快，在著名音韻學家姚榮松教授的幫助下，終於順利地在臺灣師大圖書館特藏室目睹到了睽違已久的趙氏的這批音韻學特藏書。當我手捧到這些音韻學書時，真是百感交集。可惜因爲當時訪台的日程安排得很滿，看這批書的時間只是臨時安排在一天的下午，只有不到兩個小時的時間，觀覽十分匆促，未能一本一本細閱。訪台歸來後，因課務繁忙，諸事猥集，一直無暇及此。今略得暇，現把當時觀看這批韻學書的經過和有關情況報告如下，疏誤在所不免，統候方家指正。

現在回想起來，如果沒有陳先生給我這樣一個訪台機會，我不會有如此多的意外收穫。飲水思源，先生之恩，沒齒難忘。

一九九九年五月十四至十六日，在臺灣大學召開了「第六屆國際暨第十七屆全國聲韻學學術研討會」。當時的會長是時任中研院史語所語言組主任的何大安教授，會議在台大校總區圖書館國際會議廳舉行。大陸此次赴台的學人除了我之外還有麥耘、耿振生、王碩荃、向光忠、黎新第等，我們都受到了熱情的款待。本次會議的主題是「從科際整合看聲韻學的教學與研究」，我提交會議的論文題目是《論中國戲曲音韻學的學科體系》，獲得了與會者的好評。會議期間，陳先生熱情地接見了我們幾位大陸學者，並贈送我們他的幾部大著。我把我和潘悟雲先生合譯的美國著名漢學家包擬古先生（NicholasC.Bodman）著的《原始漢語與漢藏語》（中華書局，一九九五）一書呈獻給陳先生，請先生指正。陳先生翻看後對我說：「你們外文好的學人要多把外國研究漢語音韻的成果翻譯過來，介紹給中國學人，這對漢語音韻學的發展非常有益。」學生謹受命。

二〇〇二年，陳先生應趙麗明教授之邀來北京，在清華大學講學一個學期，開設《音韻學研究》與《東坡詩詞研究》兩門課，我由於課程衝突，未能前往親自聆聽。一天，突然接到陳先生的電話，約我第二天陪同他去拜訪大陸著名音韻學家邵榮芬先生和楊耐思先生。當天，我陪陳老師先到邵先生家，邵先生夫婦熱情招待了陳老師，我在旁侍坐。聊了大概半小時，並且照了相，談話時發現陳先生咳嗽不止，邵先生和我都有一絲不安，力勸陳先生少喝酒，他含笑答應。告辭邵先生後，我又陪同陳先生去拜訪楊耐思先生，呆了大概有十幾分鐘的樣子。告辭楊先生之後，陳先生直接打車回到他在清華大學的專家招待所。這是我和陳先生的第四次見面。

二〇〇二年十二月二十九日是大陸著名音韻學家邵榮芬先生的八十壽辰。我受中國社會科學院語言研究所副所長董琨先生的委託，負責編輯《音史新論：慶祝邵榮芬先生八十壽辰學術論文集》。邵先生讓我向陳先生發去邀請信，請陳先生惠賜大作。不久就接到了陳先生的鴻文《上古聲調析論》，並惠賜詩作墨寶，詩雲：「北斗星輝八十春，今爲南極益精神。早年披卷難停手，晚歲成書得道真。經典文章新意出，重輕清濁當言陳。滿園桃李齊稱壽，我亦高吟博一嚬。榮芬先生八秩嵩慶敬壽以詩壬午吉誕陳新雄書賀」。現在該書早已經在學苑出版社出版，陳先生的大作和墨寶均見於書中，令人倍感欣慰。

二〇〇六年夏季的某一天，我去拜訪著名古文字學家和歷史地理學家黃盛璋教授，黃先生深情地對我說，他的父親黃永鎮在一九三四年寫有《古韻學源流》一書（商務印書館出版），書中提出了上古音覺部（他稱爲肅部）獨立說，然而一九四九年以後大陸的音韻學書刊迄未見有人對該學說做出明確公正評價。但是，陳新雄先生著的《古音學發微》（一九七二）卻對黃永鎮有專節介紹，對黃永鎮的古音學貢獻做出了客觀公正的評價，令他非常感動。他對陳先生的音韻學成就極爲敬佩，對陳先生公正評價他的父親深表感激。後來，爲了表彰黃永鎮先生上古音研究的學術貢獻，我寫了兩篇論文，分別是：《從黃永鎮的古韻二十九部表看黃侃派學者對《廣韻》離析的貢獻》（《首都師範大學學報》二〇〇七年第三期），和《黃永鎮是上古音覺部獨立說的創始人》（《古漢語研究》二〇〇八年第一期），這些都是受到陳先生大著啓發的結果。

二〇〇八年十月，我應臺灣中央研究院中國文哲研究所林慶彰教授的邀請赴該所進行學術訪問，並在該所做了《近六十年來（一九四九至二〇〇八）大陸學者經學文獻音韻研究概述》的學術報告。此次赴台共有兩周時間，前一周我住在中研院學術活動中心，後一周住在臺灣大學鹿鳴雅舍。這期間，由姚榮松教授宴請陳先生和我，使我有機會拜會陳先生，晚餐從晚六點進行到晚九點，晤談甚歡，陳先生又賜給我他的大作，我又一次領略到大師對弟子的教誨和愛護之情。席間，陳先生仍然咳嗽不止，令我十分不安。

二〇〇九年十月至十二月，我受臺灣中央研究院語言學研究所所長孫天心教授的邀請，赴中研院語言學所協助我極爲傾慕的著名音韻學家龔煌城院士編撰他的《上古漢語音系研究》一書。此次在臺北停留了大約四十天，獲益良多。這期間本欲再次拜訪陳老師聆教，但由於歸期匆促，未能拜見老師，至今令我深感遺憾。

二〇一〇年十月二十二日至二十四日，在大陸南陽師範學院聶振弢先生的積極籌辦、主持和臺灣輔仁大學中國文學系李添富教授等的熱心支持、幫助下，南陽師範學院中國音韻學研究所舉辦了「陳伯元先生文字音韻訓詁學國際學術研討會」，慶祝伯元老師七十五壽辰和執教五十年。來參加的臺灣學人有：林慶勳、姚榮松、金周生、文幸福、康世統、汪中文、葉鍵得、謝碧賢、戴俊芬、何昆益諸先生。大陸學人有：鄭張尙芳、董琨、潘悟雲、麥耘、喬全生、趙麗明、張渭毅、施向東、王繼如、王爲民、黃仁瑄、王立、謝玄等先生，我也有幸應邀參加。伯元先生在會上做了題爲《求學問道七十年》、《高山仰止景伊師》、《師大名師二十三人賦詩》的主題報告。我自始至終參加了會議，聽後深受感動。我向大會提交了《論黃侃派傳統聲韻學體系中關於中古音的五個理論》的學術論文，並在大會上宣讀，向師友們請教。會議籌備組原擬會後出版論文集，但由於人事倥傯，迄未付梓。有的會議論文已在《南陽師範學院學報》上以專欄形式刊出，拙文由於較長，現已經在《漢字文化》二〇一二年第三、四兩期分上下篇刊出，表達了我對陳老師教誨的感念和自己的一點學習心得。

後來，陳老師離開臺灣赴美國治病，到美國後不久就給我發來郵件，內容是：「諸位：你們誰知丁邦新先生的 **E-mail** 帳號，煩請告知。因為我沒有將丁先生帳號帶來美國，現有事欲與連繫。新雄二〇一一年七月二十五日」。我當即將丁先生的郵箱發給陳老師。陳老師回信說：「馮蒸兄：謝謝告知邦新 **E-mail**。弟今春來美治病，已於 **JOHNSHOPKINS** 醫院作兩次栓塞手術以治肝癌，此病無法根治，惟有追蹤治療而已。弟今年已七十有六，自應安時處順，哀樂莫入，然後一切順其自然，生命修短，付之天意可也。專復順候暑祺弟新雄拜復二〇一一年七月二十五日」。接到此信後，我心情十分沉重，隨即回復先生表示慰問，並附件奉上了我在《漢字文化》二〇一〇年第四期發表的《回憶丁聲樹先生對我的教誨》一文。郵件發去不久，就收到了陳老師的回信，內容如下：「馮蒸教授吾兄惠鑒：已與丁邦新先生取得連繫，丁先生兩月前作了一次重大心臟手術。……讀吾兄附檔，得知嘗從丁聲樹先生問學，丁先生學問篤實淵博，極為欽佩，可惜兩岸交往期稍晚，未克親自向丁先生請益，至感遺憾。專復順候暑安弟陳新雄拜復二〇一一年七月二十六日」沒想到這竟是我與陳先生的最後一次通信。

二〇一二年八月一日，接到臺灣師範大學國文學系許雯怡女士的電郵，告訴我陳老師已經於二〇一二年七月三十一日在美國病逝。我聽到此消息後，熱淚盈眶，回想起陳老師多年對我的教誨，以及陳老師送給我的如下多種書刊：《古音學發微》（一九七二），《六十年來之聲韻學》（一九七三），《等韻述要》（一九七四），《重校增訂音略證補》（一九七八），《聲類新編》（一九八二），《鍥不舍齋論學集》（一九八四），《文字聲韻論叢》（一九九四），《古音研究》（一九九九），《聲韻學》（二〇〇五），心情久久不能平靜。現把和先生交往的點點滴滴記述如上，以表達我對老師的深切懷念。

（100089 首都師範大學文學院 fengzheng@solcnu.net）

陳新雄先生與我

日本龍谷大學教授　岩田憲幸

得知陳新雄先生的噩耗，不勝悲痛。

我沒有上過他的課，就這一點來看，我不能算作他的學生。但在我的心裡，他是我的老師，因爲是他親自邀請我參加台灣聲韻學學術研討會，讓我與台灣學者互學共勉，激勵我在學術上做深入細緻的研究工作。

我曾經參加了一九九一年在武漢華中理工大學舉辦的漢語言學國際學術研討會。這是我第一次出國參加國際學術會議，對與會學者都感到陌生，心情十分緊張。我發表拙文後，不料有兩位先生上前和我打招呼。他們是陳新雄先生和孔仲溫先生。陳新雄先生親切地對我說，歡迎我參加台灣的聲韻學學術研討會。我欣然接受了他的邀請，參加了第二年在高雄市國立中山大學舉辦的第二屆國際聲韻學學術研討會。在這次研討會上，我結交了更多的同行專家，同他們進行了更深入的學術交流，向他們學到了很多東西。這對我此後的研究工作起到了很大作用。後來在台灣、大陸和日本，又有幾次見到陳新雄先生。他總是那樣和藹可親，每次都嚴格要求我不斷提高研究水平。

陳先生雖然離我們而去了，但他的教誨將永遠激勵我在學術研究上勤奮鑽研。

我謹對陳新雄先生的逝世表示深切哀悼。

岩田憲幸　二〇一二年九月十五日

輯五　述學——聲韻、訓詁、文字的傳承

薪盡火傳——記陳伯元老師的聲韻學成就

國立中山大學中文系退休榮譽教授 林慶勳

一、入話

今年七月七日，我接到伯元老師最後一次的 E-mail 函，只有一段主旨：「邀請前往南陽師範學院開國學教育會議」。猶記一年前老師從美國發函囑咐我，多邀幾位同門到南陽盛大召開會議，那時我已經決定到長崎大學做「域外漢語——唐話」研究半年，因此回函跟老師說，屆時我會從日本出發前往共襄盛舉。

七月初接獲老師賜函後，即刻敬覆老師會如期與會，惟不知南陽方面聶老將會議日期訂在何時，於是在函中提問何時召開，因為我需要在國外趕辦一些手續，但久久未得老師回音。隔不久即刻接獲淑齡、鍵得、昆益、雯怡等人緊急告知，目前老師在美國將再做一次栓塞手術之後返國靜養。

就在蹉跎之間，八月一日突然接到淑齡、鍵得、雯怡等人緊急來函，告知老師已經於昨日在美仙逝。晴天一霹靂，讓我驚覺事態竟然如此嚴重，本來前日想致電詠琍老師（葉老師是我唸文化學院的大一國文老師，我不以師母稱呼）打氣照顧老師的辛勞，結果變成慰問悼念節哀順變。人生瞬息萬變，沒有人能絕對掌握事情變化。

在台北的師門同學們，訂於八月四日聚會商議老師後事，由於我無法回國參加，心裡感到十分愧疚。在與添富往返聯絡的過程中，得知添富將爲《國文天地》籌畫一個專欄，推出紀念老師行誼的特輯，當下我即刻答應撰寫老師聲韻學成就一項小題。由於暫時客居異地，沒有任何書籍參考，只有憑藉著二〇一〇年十月撰寫的一篇「絕學繼往聖——陳伯元先生之學術成就與貢獻」做爲本文撰述的底稿。該文是因參加當年在南陽師範學院召開的「陳伯元先生學術成就研討會」所提交的論文，記得接近兩萬字初稿完成後，傳送請伯元老師先過目，讓我訝異的是，兩天之後即得到回音，並告訴我哪些需要修正的錯誤，這也是最後一次獲得老師在學問上的指導，想來讓人不勝欷噓。

二、學術是天下公器，且將金針度與人

我連續旁聽過伯元老師兩年的聲韻學課，都是在台灣師大國文系夜間部，老師當時不過三十餘歲的壯年，何以在師大傳統的氛圍中講課能夠如此叫座、叫好，我自己歸納箇中原因，其實就是「認真」兩字的淋漓盡致發揮。老師講課每一句話解釋絕不含糊，有條理、有系統

闡述講授的內容，聽者只要能配合去做作業或複習，一定能夠將內容學習得透徹。此外絕不講題外話，甚至借題發揮月旦人物，與當時一些名師作風迥然不同。

上過伯元老師聲韻學課的學生，一定都有一個共同的印象，就是「作業」特別多。至少要謄抄《廣韻》全本三千八百七十五個韻紐（就是小韻）的反切，並查核該反切上字的四十一聲類所屬；練習系聯《廣韻》二〇六韻；在《韻鏡》前面幾張圖的歸字旁塡反切；塡寫「聲經韻緯求古音表」，以及歸納《詩經》韻腳的聲符古音歸類。當時我旁聽的夜間部學生，年紀都比日間部的學生來得大，而且白天可能有一份工作，晚上來校進修接受如此多的「作業」，竟然沒有聽到一點抱怨之聲，想來或許是伯元老師令出必行的作風，加上當時學習風氣較好，學生多數會配合教師的要求。話說回來如果沒有配合做作業，有可能期末考試時會答不出來。

表面上這只是課堂的作業而已，其實它有「且將金針度與人」的學習方法論。試想初學聲韻學的人，絕大多數在學習之前沒有任何該領域的知識，根本不知道聲韻學的內容是甚麼。因此謄抄全本《廣韻》的韻紐反切，正是讓抄寫者藉此機會接觸《廣韻》這本書，以及對該書的聲韻結構有個粗淺的認識。接著逐字塡寫反切上字聲類，以及逐韻系聯反切下字的作業，則是更進一步認識聲類、韻類甚至聲調的好方法。如此配合課程進度講授，學習者才不至於完全掌握不了那些高度抽象的音韻系統。

等韻圖如《韻鏡》一書，初學者最難理解的可能是「借位」的問題。伯元老師的教學方法很簡單也很科學，讓學生在歸字旁塡上該字的反切，從反切下字觀察就可以看出究竟有沒有借位。例如《韻鏡》第一圖平聲二等牀母有一個「崇」字，同圖平聲四等心母也有一個「嵩」字，這兩個字都被認定爲借位的假二等與假四等，讓學習者疑惑不解。不過填上反切之後，會發現「崇，鋤弓切」、「嵩，息弓切」，它們的反切下字都是「弓」，而弓字歸在見母是道道地地的三等韻，可見「崇、嵩」兩個歸字也是三等韻，只不過因爲聲母的關係被借位到二等與四等而已。這就是伯元老師用簡單的方法，指點借位的訣竅所在，對於等韻的借位認識，有相當大的學習效果。

「莫把金針度與人」的時代已經過去了，公開講學的精神就是傳授學習者一套好方法，讓人對聲韻學容易入門、方便掌握。伯元老師在台灣講授聲韻學應當算是第二代，使用看似繁瑣卻是最簡易的學習方法教學，無怪乎教學效果奇佳，每堂課都是把教室擠得滿滿，常有慕名站在教室外的旁聽者，實在不足爲奇，這些現象都是我當年親眼目睹，難怪一般人視爲艱深難懂的聲韻學，伯元老師卻能講得叫好又叫座。這種不藏私而對外公開的講學態度，才是真的把學術當作「天下公器」的最好詮釋。

三、平衡研究的基礎準備，編輯《聲類新編》

《切韻》系韻書，如北宋陳彭年等修纂的《廣韻》（一〇〇八）、丁度等修纂的《集韻》（一〇三九，或者只剩下敦煌殘卷的唐朝孫愐等人修訂的《唐韻》（有開元、天寶兩種本子，七二〇／七五一），它們都是承襲隋朝陸法言編寫《切韻》（六〇一）的體例而來。它們的組織編排，很顯然重視「韻」而輕忽「聲」，這與古人作詩押韻比較管「韻腳」而不太注意「雙聲」的實用性有相當大的關係。伯元老師有鑑於此種現象，他曾感嘆的說如果也能把詩句每個字音的聲母關係分析清楚，才算是平衡的研究，否則歷來學者只在韻母與聲調下功夫，對於看似無關緊要的聲母不聞不問，從研究方法來看總是一個缺陷。基於這樣的認知，伯元老師想從編輯一部由「聲類」組合的新韻書做研究的準備工作。不諱言的其中也受到一九四〇年代沈兼士編輯的《廣韻聲系》一書的啓發，於是開始著手編輯出版了《聲類新編》（臺灣學生書局，一九八二年三月）。

《聲類新編》是據中華書局四部備要本《廣韻》編輯而成，全書共有正文三〇四頁、檢字索引一七八頁。該書的體例以中古音四十一個聲母爲綱，將《廣韻》全書三千八百七十五個韻紐收字，改爲依聲類順序歸字，將同聲類的字歸於一處。同聲類中的收字，仍然依照《廣韻》二〇六韻四聲的排列次序，也就是以該韻紐字做領頭，同音字歸類於下，讓檢索者容易尋找。

一九八〇年我教學之餘有比較多的時間，當時奉伯元老師之命，與數位工讀生在和平東路原來學生書局的地下一樓進行編輯工作，時間約一年有餘。這項工作雖然是枯燥而機械式的進行，但卻讓我有機會接觸大整編的《廣韻》，將原來依照韻部排列的三萬多龐大收字，改列爲以聲母相繫的另外一種型態的「聲書」。該書具體顯示各聲母收音的差別，比如各類聲母超過兩百個韻紐收音的有「影二二五、曉二〇八、見二四三、溪二一九」四類，其中以見母的二四三個韻紐獨占鼇頭。

聲紐必須與各種不同的韻類結合，才能成為一個音節，過去都只注重韻母或韻類的觀察，究竟它們與聲類結合之後的情況如何，幾乎無人探討。伯元老師編輯此書，至少可以給有興趣進一步探索的人一具明燈做引導。可惜該書編輯後，或許曲高合寡，聲韻學界很少人繼續探索。

四、從新傳播種中，獲得學術新詮釋

一九六七年伯元老師在撰寫博士論文期間，已在台灣師大國文系教書，一面教學一面趕論文，蠟燭兩頭燒，相當辛苦。老師對講課前的準備相當用心，尤其像聲韻學課程，講授多年已經相當熟稔，仍然一點不馬虎。這使我回想起第一次我在大學講授聲韻學課程前，老師告誡我一句話：「剛開始教專門課程，隨時警惕自己，但求無過，不求有功。」以當時的教學環境而言，其中隱含的意義相當深遠。也如同老師常常告誡門下弟子的一句話一樣：「不要讓博士論文，成為你最後的一篇論文！」

1. 群與匣古音應同出一源

上過伯元老師聲韻學課的學生，進度到講上古音時，會被要求填寫「聲經韻緯求古音表」。其實這個由臺灣學生書局出版的作業表，是由林景伊先師口授大略，然後由伯元老師短時間重新製表完成的傑作，景伊先師看了之後嘖嘖稱奇，認為比原來黃季剛先生創制的原表格更完備。

季剛先生的古音系統，主張上古有十九個古聲紐（幫、滂、並、明；端、透、定、泥、來；精、清、從、心；見、溪、疑；影、曉、匣），也稱爲「正聲」，其餘二十二個屬於其後才出現的今變紐，也稱爲「變聲」。正聲與變聲的確立證明，已由錢大昕（古無輕脣音、舌音類隔之說不可信）、夏炘（齒音照系二等古音歸精系、三等古音歸端系）、章太炎（古音娘日歸泥說）前賢實證於前，此外也由曾運乾「喻三（即爲母）古歸匣、喻四（即喻母）古歸定」，錢玄同與戴君仁師徒二人「邪紐古歸定」證明於後，且都已成爲上古音聲母研究定論。其中只剩下「群母」是溪母的變聲可靠性相當值得注意。

伯元老師於一九六九年撰寫博士論文《古音學發微》時，曾經對於溪、群的清濁相變說法大爲置疑，經過考明群與匣古音應同出一源，絕非是溪紐的變聲。由後來撰述〈群母古讀考〉一文，即針對「群母」上古音讀做詳細探討，同時也補《古音學發微》的不足。從異文與音讀方面可以得到證據，足以支持群母與匣母同源的看法，舉原文兩個例子做說明：

（1）《尚書・微子》：「我其發出狂。」《史記・宋世家》引作：「我其發出往。」

（2）《水經・泗水注》：「灃水又東合黃水，時人謂之狂水，蓋狂黃聲相近，俗傳失實也。」

例（1）《廣韻》：「狂，巨王切；往，于兩切。」巨王切，群母字；于兩切，屬爲母字古音歸匣母。例（2）《廣韻》：「黃，戶光切。」戶光切，正是匣母字。（參見《鍥不舍齋論

學集》八三頁）

2. 補強陳澧系聯切語上、下字補充條例

陳澧（一八一〇—一八八二）是清末著名的學者，利用他自己發明的「系聯條例」來觀察《廣韻》的聲類與韻類。其中「基本條例」指的是，如何利用「同用、互用、遞用」的關係去系聯起來。「分析條例」則是以反切構成的基本規則，比較兩個看似相近的反切，其兩切語下字同類者，上字必不同類，借以分隔不同的聲類；上字同類者，下字必不同類，借以分析每韻之中區別爲二類、三類或四類。由此可見分析條例目的是求其分，與基本條例求其合絕然不同。至於「補充條例」之提出，純粹是爲補救「實同類而不能系聯」的現象而設。

《廣韻》全書有三千八百七十五反切，也是有相等數量的反切上、下字，經過陳澧系聯條例的系聯，聲類共有四十類，韻類也多達三一一類。如果不使用「補充條例」系聯，相信分類應當會更多，不過單從韻類來觀察，每韻最多只能有「開口洪音、開口細音、合口洪音、合口細音」四類而已。

陳澧「切語系聯條例」的使用，如果上字補充條例未見「互注切語」，則其法將窮；下字補充條例「雖不系聯，實同類耳」一語，邏輯上有問題。爲補救這些問題，伯元老師因此提出「陳澧系聯切語上、下字補充條例補例」的學說，主要的理論依據即是：「《廣韻》四聲相承之韻，其每韻分類亦多相承，不但分類相承，每類字音亦必相承。」（《文字聲韻論叢》，三〇六頁）例如切語上字「多，得何切」、「德，多則切」；「都，當孤切」、「當，都郎切」，由

於「兩兩互用」無法系聯。可以據四聲相承的關係找尋證據，例如「平聲一東、上聲一董、去聲一送、入聲一屋」其中同屬端母的相承四個字：

「東，德紅切」、「董，多動切」、「涷，多貢切」、「*穀，丁木切」（丁木切的被切字為罕用字，暫時以穀字替代）

可以看出切語上字「德、多、丁」屬於同類。「丁，當經切」、「當，都郎切」，則「德、多」與「都、當」四字聲同類。

同理切語下字上平十虞韻「朱，章俱切」、「俱，舉朱切」；「無，武夫切」、「夫，甫無切」，朱與俱、無與夫兩兩互用，遂不能四字系聯。利用四聲相承，其音類亦必相承的理論，上聲九麌韻與十虞韻「朱、俱、無、夫」四字相承音類的被切字分別如下：

「主，之庾切」、「矩，俱雨切」、「武，文甫切」、「甫，方矩切」

此四個字的韻類，矩與甫、武切語下字韻同類，則平聲朱與無、夫切語下字韻也應當同類。教學與研究同等重視，伯元老師對學術研究往往從教學經驗中發現問題，也就是爲了解決實際問題而深入思考，上面舉例正是最好的說明。

五、聲韻學著述完整，斐然成一家之言

伯元老師自從一九六九年完成博士論文《古音學發微》（後來由嘉新水泥公司基金會贊助出版）之後，身教、言教以身作則，勤寫論文發表自己學術見解。此外更重視聲韻學薪傳

的必要性，從下列豐贍的著述，隱約可以看出伯元老師在聲韻學教學的一種示範：《等韻述要》（一九七四出版，一九九一第五版）、《中原音韻概要》（一九七六出版，一九九〇第七版）、《音略證補》（一九七八出版，一九九三增訂版十六刷）、《聲類新編》（一九八二出版）、《古音研究》（一九九九出版）、《廣韻研究》（二〇〇四出版）、《聲韻學》（二〇〇五出版，二〇〇七修訂再版）。

伯元老師雖然離我們遠去，但老師始終在為「窮於為薪，火傳也」的教育理想而努力，終其一生「著述不輟，影響天下；孜孜矻矻，死而後已」的精神，將永遠傳遞在我們的心中。

（本文轉載自《國文天地》第二十八卷第四期）

陳新雄伯元先生及其訓詁學

中國文化大學中文系所教授兼「華岡出版部」發行人柯淑齡

一、前言

陳師新雄伯元先生原訂八月十八日搭機返國定居，受業諸生歡欣鼓舞，正準備熱烈迎接之際，八月一日接近中午，同門李添富教授電告伯元師已於上午八點四十五分棄世。隨即同門諸君或打電話；或傳簡訊；或以E-mail，傳達此一噩耗。頓時間，門牆失所瞻依，眾生驚慌失措，同聲痛哭恩師。驚魂未定，思及伯元師律己廉正，學者風範；治學嚴謹，著作等身；桃李滿園，蕙蘭盈室。同門商議分題撰文，表彰伯元師之學術成就，以誌恩師教澤並表哀思。先由林慶勳教授撰述伯元師之「聲韻學」；柯淑齡教授撰述「訓詁學」；曾榮汾教授撰述「文字學」；李添富教授撰述「詩經學」。另外，姚榮松教授概述伯元師創立各學會之貢獻；張渭毅教授撰述伯元師對大陸學術界之影響；司仲敖教授、葉鍵得教授、金周生教授等撰文紀念，作為開端，未來將陸續有更多文章發表。

二、高山仰止伯元師

本師陳新雄伯元先生，江西贛縣人，生於民國二十四年二月六日，民國一零一年八月一日逝世，享壽七十有八。林尹景伊先生稱其「資質聰穎，又能好學」（景伊師《古音學發微・序》）、「沉穩篤實」（伯元師《訓詁學・自序》）。當伯元師就讀建國中學時期，閱報載羅家倫先生〈簡體字之提倡甚爲必要〉一文，初爲信服，繼而又讀潘重規石禪先生〈論羅家倫所提倡之簡體字〉，文中對羅氏之看法加以駁斥，遂求助於其國文老師李福祥先生爲之解析，又知石禪先生學有所成，乃民初國學大師黃季剛先生之高弟，自是心嚮往之，大學以報考石禪先生擔任系主任之師大國文系爲第一志願（伯元師《訓詁學・自序》）。次年，其宿願得償。民國四十五年，景伊先生應師大聘，示諸生以「讀書必先識字，識字必先明音」之理，並且稱聲韻學必定於年輕時即須奠定基礎，才能充分運用以治學。曾購《廣韻》一冊贈予伯元師，題字勉勵其善讀之。伯元師受到鼓勵，循規蹈矩，遵照景伊師之指示，將《廣韻》反切上下字加以歸類，並作形聲字諧聲偏旁分析。伯元師嘗云當時「初明義例，興味盎然」，然卻也時遇艱難而志稍怠，全賴景伊師爲之剖析解疑，方能終始其事。（伯元師常津津樂道其求學歷程，並且見諸其所論著之自序中。）民國四十七年夏，中國文化大學創辦人張其昀先生於教育部長任內，有感於「文章不備善，不足以陶鑄羣方；國家有纂輯，必求超邁千古」，準備刊行《中華文彙》，其中《兩漢三國文彙》由景伊先生擔任主編，遂召其高弟伯元先生至家中協助編輯，先將所搜集兩千篇各體文從古籍抄錄下，令伯元師每篇先誦讀五遍，再標點、分段，完成後，每篇再誦讀五遍。伯元師云：「經過一年的訓練，對於離經辨志的工作，總算有了心得，而於文言文的寫作，更加深了基礎。」（伯元師〈積學以儲寶，酌理以富才〉）由於伯元師居景伊師家中，得以日親謦欬，時聞要旨，治學之道由《廣韻》而上窮《說文》、《爾雅》，深入聲韻、訓詁之堂奧。對《詩》韻、諧聲、讀若、音訓等，窮究其根源，考察其流變。（伯元師《訓詁學•自序》）民國四十七年，伯元先生大四，景伊師爲解說季剛先生之〈聲經韻緯求古音表〉。伯元師日以繼夜，設計一套《廣韻聲韻類歸類習作表》，並將《廣韻》韻紐切語填入其中，古本韻、今變韻一目了然。景伊師見之，大悅，曰：「你學已成，我有信心介紹你到大學教聲韻學了。」遂推薦其至東吳大學擔任中文系講師，講授「聲韻學」，時伯元師年方二十有四。（伯元師〈積學以儲寶，酌理以富才〉）三年後，再授「訓詁學」，凡數十年。（伯元師《訓古學》自序）

民國五十七年，伯元師應中國文化大學之聘，於中文系開設「文字學」、「聲韻學」課程，淑齡從伯元師學，亦步亦趨，拳拳服膺，後至師大再聽伯元師講授「訓詁學」。伯元師諄諄告誡：文字、聲韻、訓詁三者緊密相綰，必須融會貫通，才能厚植治學根基。淑齡念茲在茲，努力從事，在伯元師指導下，民國六十年完成《說文上聲字根研究》，榮獲文學碩士學位。六十一年，中國文化大學禮聘伯元師爲中文系主任，六十三年石禪師返國，擔任中國文化大學中文研究所碩士班主任。時景伊師爲中國文化大學中文研究所博士班主任。因緣聚會，章黃絕學之種子在華岡播下，當時中文系同學及研究生多人從此下定決心，以研究語言文字學爲畢生之職志。淑齡即由景伊師、石禪師與伯元師共同指導，完成《黃季剛先生之生平及其學術》論文，榮獲國家文學博士學位，在中國文化大學中文系講授「聲韻學」、「文字學」、「訓詁學」、「古音學」迄今，長達三十餘年，中間曾開設「專書選讀—左傳」課程。憶及在一次「聲韻學學術研討會」上，伯元師擔任主席，開場介紹特約討論人，云：「柯淑齡教授是我的學生，我教她『文字』、『聲韻』、『訓詁』。今天柯教授在中國文化大學中文系擔任講授的『文字學』、『聲韻學』、『訓詁學』課程，在中文研究所講授的『古音研究』課程，都是與我一直開設的科目一樣。我非常高興。另外，我在香港浸會書院講學時，開過《左傳》的課。柯教授也曾講授《左傳》，我更高興。」會後，諸生報告他們親眼目睹「太老師欣慰的神情，以及老師您引以爲榮的喜悅。」當時賢棣王世中博士、賴金旺博士亦在座，今二生查證，時在民國九十三年五月十五日，乃「中華民國聲韻學會」與「台北市立師範學院」（今台北市立教育大學）所共同舉辦「第二十二屆全國聲韻學研討會」上午場次。恩師音容宛在，撫今思昔，不勝欷歔。

伯元師任教上庠逾五十年，除爲國立台灣師範大學專任教授外，曾任中國文化大學中文系主任，淡江、政治、中山、高師、輔仁、東吳諸大學兼任教授。民國六十五年應美國喬治城（Georgetown）大學禮聘，擔任客座教授。七十一年九月又接受香港浸會學院敦聘爲高級講師、首席講師，並兼任香港珠海學院、新亞研究所教授、中文大學中國文化研究所訪問學人等。所指導之學位論文超過百篇，包括博士論文三十餘篇，碩士論文七十餘篇。民國九十五年，國立台灣師範大學慶祝建校六十年，尊崇伯元師曰「師大大師」，敦請伯元師於是年四月二十七日「師大・大師」講座中發表演說。

三、陳伯元先生之訓詁學

陳師伯元治學精勤，博學能文，著作等身，創獲豐碩。擅長聲韻學、訓詁學、文字學、詩經學、東坡詩、東坡詞等，尤以聲韻學、訓詁學、文字學最享盛名，於中文系講授「訓詁學」課程數十年。大學開設「訓詁學」，始於民初黃季剛先生任教於北京大學，其將所授課程內容撰成〈訓詁述略〉，嘗云：「真正之訓詁學即以語言解釋語言，初無時地之限域，且論其方式，明其義例，以求語言文字之系統與根源是也。」（《制言》第七期），其姪黃焯耀先先生撰《訓詁叢說》，引用其說；其高弟林尹景伊先生亦承其意，云：「訓詁學者，非僅解釋語言，且溝通文字而求明義理者也。」（《訓詁學講授大綱》），伯元師採用景伊師之言，云：「凡是研究前人的注疏、古時的解釋，加以分析、歸納，以明白其源流，辨析其要旨，瞭解其術語，進而說明其方法，演繹其系統，提取其理論，闡釋其條理，使人能根據文字之形體與聲音，進而確切明瞭、解釋古代詞義的學問，就是我們所講的訓詁學。」（伯元師《訓詁學》上冊，頁六）

伯元師一本師說，參以前賢之論著，更益以自己研究之創見、教學之心得等，撰成《訓詁學》上下二冊，交由台灣學生書局印行。全書計十二章，爲研究訓詁學者所不能或缺之專著，舉凡訓詁之意義、訓詁與文字之關係、訓詁與聲韻之關係、訓詁之方式、訓詁之次序、訓詁之條例，無不一一闡明。有關「訓詁方式」之先後次第，學者多有不同看法，伯元師依黃季剛先生〈訓詁述略〉及〈訓詁構成之方式〉，以「互訓」、「義界」、「推因」爲序，嘗言初受學於景伊師，景伊師亦以此次序相授。（伯元師〈訓詁方式中義界與推因之先後次第說〉）伯元師曰：「余以爲三者之次第，首應出『互訓』，蓋若有同義之詞，可用來訓釋，自以用之爲宜。蓋以今通古，以易解難，以常見釋罕見，以已知推未知，乃訓詁之通例也。若無同義之詞，則以語句說明其事物之意義，則『義界』之方式自應居其次也。既無同義之詞可以互訓，又難以一句話或數句話把詞義的界線闡述清楚，故只好根據詞的聲音線索，探索詞義的由來。因此，我認爲『推因』的方式應在最後，前面兩種方式都無法解說時，方不得已而用第三種『推因』的方式。質之世之達人，未審以爲然否？」（伯元師《訓詁學》上冊，頁二〇八）伯元師於訓詁學，元元本本承襲師說，非但能說其然，又能說其所以然，故所論述均能令諸生信服。訓詁學史上，所謂「反訓」最爲難憭，學者或贊成；或反對，所見不一。伯元師將古籍上所有「意義相反爲訓」之例，依前人之說，歸納爲：（一）義本相因，引申之始相反者。（二）由於假借，以致義訓相反。（三）由於義之相對相反，多從聲以變。（四）語言變遷，因而正反相異。分四類闡明「反訓」之起因。最後總結云：「現在要理解『反訓』，最好的方法就是一個字的常用詞義，用了一個相反的常用詞義去解釋，就稱它爲『反訓』。」並舉《論語》：「余有亂臣十人」中，「亂」的常用詞義爲「混亂」、「不治」的意思，而今用「治」這個相反的詞義去解釋，即稱之曰「反訓」（伯元師《訓詁學》上冊，頁一九五—一九六）。

關於「訓詁之次序」，亦依季剛先生〈訓詁述略〉，而說明詞義解釋之步驟，第一爲「求證據」；第二爲「求本字」；第三爲「求語根」。「訓詁之條例」一章，依「聲訓條例」、「義訓條例」、「形訓條例」分節說明，義例詳實。「訓詁之術語」爲訓詁古籍，瞭解經義所必須。伯元師分「解釋之術語」、「注音兼釋義之術語」、「說明詞例之術語」、「用以校勘之術語」，計三十二條，逐一說明其型式，分述其用途，並辨明其同異。上冊七章，除能得研究訓詁之精要外，更能藉以尋得治聲韻與文字之津梁。

爲有助於研讀古籍，伯元師《訓詁學》下冊以清代訓詁大家王念孫父子、俞樾及民國學者劉師培、楊樹達、姚維銳等前賢之研究，說明古籍之體例。再引經籍原文註解，附以書影，使古註之真相大明。繼而鑑於古籍無句讀，必須自行斷句，即《禮記‧學記》所謂「離經」者也，伯元師依楊樹達《古書句讀釋例》中十五例，分別舉例說明，並有伯元師一己對句讀之分析。再有，就《爾雅》、《小爾雅》、《方言》、《說文》、《釋名》、《廣雅》、《玉篇》、《廣韻》、《集韻》、《類篇》等十部訓詁基本要籍，介紹其作者，說明其內容體例，兼及各相關著作等，極爲詳盡，確實有用。其中彌足珍貴者爲論《爾雅》一節，完全來自潘重規石禪先生所未曾發表之《爾雅學》，伯元師云：「本篇論《爾雅》之文，全出自於本師潘重規石禪先生，余在台灣師範大學從瑞安先師林先生景伊受訓詁學，先師以石禪師《爾雅學》爲講義，分發受業諸生，故余亦得一份，珍之寶之，逾四十年，今編入於《訓詁學》中，則受之於師者，固當還之於師也。此文所謂師說也者，乃指蘄春黃侃季剛先生之說也。」（伯元師《訓詁學》下冊，頁三二九）由此可見，伯元師之學本諸師說，上承季剛先生，係一脈相傳也。最要介紹者乃「工具書的用法」，舉凡檢查字義、文章辭藻、事物掌故、十三經經文之書名篇名、古今人名、古今地名、歷代名人生卒、某人是否正史有傳、年月日、事物起源、書籍內容、學術論文、篇章、政典之屬、歷代官制、方言詞匯語音與行業語等重要工具書，均詳述其用法。學子能善爲運用，則得治學之金針，必收事半功倍之效。猶記淑齡甫得碩士學位，留母校擔任講師，並奉創辦人張其昀先生之命，兼任《創新周刊》總編輯，戰戰兢兢，全力以赴，屢懇求伯元師賜稿，以光篇幅。蒙師慨允，特爲中國文化學院（時中國文化大學尚未改制）學生撰文，伯元師以爲「作爲一個中國文化學院的學生，肩負著復興中國文化的重任，對中國文化有關的問題，縱然不能完全了解，但最低限度應該知道遇到什麼樣的問題，有些什麼參考書可以查考，怎麼樣查法？」並以此段文字著於篇首，撰〈如何利用工具書〉十篇，從第三十期開始，連載於《創新周刊》，介紹文史哲工具書，舉實例說明使用方法。讀者爭相收集、閱讀，受惠良多。各界佳評如潮，張創辦人稱許爲「詳實淵博」。今見伯元師《訓詁學》第十二章內容，大部分即刊載於《創新周刊》者也。該書參考書目亦將《創新周刊》列於其中。（伯元師《訓詁學》下冊，頁八四四～八四五）行文至此，緬懷恩師，無限哀思。

四、章黃語言文字學發皇人

伯元師嘗論述有清一代經學之正統，曰：「通經致用，乃清代經學正統派之所倡，而亦以顧氏爲之首也，顧氏嘗言：『讀九經自考文始，考文自知音始。』婺源江永，好學深思，繼顧氏而後，於音韻訓詁多所發皇。其弟子休寧戴震，治學方法最有條理，發明原則，精銳分析，遂開皖派一代學風。震教於京師，興化任大椿、仁和盧文弨、曲阜孔廣森皆從問業，各有建樹。弟子最知名者，金壇段玉裁、高郵王念孫。玉裁爲《六書音均表》，《說文》因之以明；念孫疏《廣雅》，以經傳諸子，轉相證明，諸古書文義詁詘者皆得理解。念孫授子引之，爲《經傳釋詞》，明古代詞氣，其小學訓詁之精，自魏以來未嘗有也。德清俞樾、瑞安孫詒讓，皆承念孫之學，有所發明。番禺陳澧亦精考據，近於戴學。餘杭章炳麟，受業俞樾之門，尤能發揚貫通而集其大成；與弟子蘄春黃侃同爲民初言學術者所宗。」又云：「本師婺源潘重規石禪、瑞安先師林尹景伊，又皆受業於蘄春黃君，而發揚其學術於台灣者也。」（伯元師《訓詁學・自序》）伯元師師從民國三先生：林尹景伊先生、潘重規石禪先生、高明仲華先生，師承近接章太炎、黃季剛，遠追顧炎武、江永、戴震、段玉裁、王念孫、俞樾，一脈相傳，對章黃絕學承先啓後，多有創獲。《荀子・勸學》曰：「鍥而不舍，金石可鏤。」伯元師一生治學，服膺斯言，爲書齋命名曰：「鍥不舍齋」。著述豐碩，除專著外，彙集單篇論文散見於各學術期刊及各大學學報者，名曰《鍥不舍齋論學集》。鍥而不舍，弘揚師學，學術界稱譽伯元師爲「章黃語言文字學發皇人」，洵哉斯言。

（本文轉載自《國文天地》第二十八卷第四期）

陳伯元教授研治文字學的觀念與成就

臺北市教育大學中國文學系兼任教授 **曾榮汾**

一、前言

恩師陳新雄（伯元）教授是今日國內研究小學，成就斐然的學者，無論文字、聲韻、訓詁，多所高論，而且專著宏發，影響深遠。筆者早年負笈華岡，「文字學」及「聲韻學」皆蒙恩師多所垂教，往後博士論文《干祿字書研究》也是伯元師指導的。當年老師諄諄教導的身影，至今猶歷歷眼前。就業以後，三十多年來，因爲參與編輯辭典及整理標準字體的關係，在工作上一直有機會親炙老師。大前年，更蒙老師看重，邀我與他一起合寫一本「文字學」，戰戰兢兢中，絞盡思慮，勉力以赴，深恐拙作兩章，不但不能爲師爭光，反而會讓老師的著作減色，但是書成之後，老師只說：「勞你費心了，只要能發揚師門學說，未能盡善之處，下次再改。」師言仍猶在耳，往後竟已無機會師生再合作了。

筆者大二時，上老師「文字學」的課，第一學期，老師先講概論，再講《說文．敘》，論及「六書」時，要求參考《說文解字詁林》的資料，作業則要求塡列「《說文》五百四十部首表」及分析六書分類。在探討《說文》體例時，特別強調《說文》條例及段注條例的重要。如此一年之後，配合《說文解字注》全書的點讀，大概可以學到以《說文》爲重心的相關文字學學理，以此爲基礎，上可結合古文字，下可推演隸楷變易，並且儲備了研治「聲韻學」及「訓詁學」的基本知識。在上課過程中，老師經常引述章太炎先生、黃季剛先生及林景伊師的學說，在老師的專著中也是如此，所以今日回頭總整老師於文字學的成就，承繼章、黃暨景伊師的學脈，宗於《說文》，結合聲韻及訓詁，應該就是伯元老師治文字學的最大特色了。下文就依此特色，根據《文字學》一書（五南出版社，二〇一〇年九月），來略述伯元老師治文字學的觀念與成就。

二、宗於《說文》的文字學觀念

伯元師治文字學，宗於《說文》一書，應該是受到黃季剛先生《說文略說》及景伊師的影響。黃先生的《說文略說》一文，包含論文字初起時代、文字製造先後、六書起原及次第、變易與孳乳二例、俗書滋多之故、六書條例爲中國一切字所同循、字體之分類、字書編制遞變、《說文》依據、自漢至宋爲說文學者等幾個論點，無一不是繞著《說文》一書來闡發。伯元師在《文字學．序》裡也提到景伊師的看法：

> 先生以為研究文字，必以《說文》為宗，今之授文字課程者，每棄《說文》而不顧，專究甲金文字，未見通學，不知字例之條，鄙《說文》而善野言，以其所知為祕妙，自誇究洞聖人之微恉。翫其所悉，蔽所希聞，迷誤不諭，豈不悖哉！先師則反是，言必遵師說，而不穿鑿。故講述《說文》，先明六書之條例，許君撰述之微恉，及後人研究之心得，靡不詳述。（〈自序〉頁七，按此為《文字學》一書頁碼，下同。）

所以伯元師在今日古文字學研究如此發達的年代，編寫《文字學》，仍以《說文》一書爲其綱領，前四章：一曰「《說文》敘論」，二曰「《說文解字》本書之條例」，三曰「段玉裁注說文之條例」，四曰「黃季剛先生研治文字之條例」，所有問題也都是繞著《說文》來講。乍看之下，會覺得伯元師承古而不知今，玩古而不通，但是如果看他所規畫的第五章「字樣學概說」及第六章「古文字學概要」，就會發現，伯元師是要說明學習文字學，得先立基於《說文》，然後往下能通現代文字，往前能識古代文字，如果不是如此，容易陷入妄說。太炎先生爲黃先生遺著作序時說：「若夫文字之學也，以十口相授，非依據前聞不可得；清儒妄爲彝器釋文，自用其私，以與字書相競，其謬與馬頭長、人持十無異。」伯元師應該也是這個意思。如此看來，研治文字學，先利用《說文》奠定基礎，自有它的道理。

治文字既然要先宗於《說文》，那麼要從何著手？伯元師認爲「字史」、「條例」是爲門徑。他在《文字學．第一章》裡，所提到的文字起源、意義、構造、《說文》以前字書、字體變遷等節，正是文字歷史由創造到演變，由散亂到整理的各個方面。創造與演變，說的是文字的本質與特性；散亂與整理，說的是文字的運用與需求。本質、特性、運用、需求，不就是文字理念的全部？所以這一章看起來平常，卻是伯元師參考了眾家說法之後，化繁爲簡，所歸結的學習要點。至於第二、三、四章，所論的都是「條例」，伯元師在這三章，所要說明的是許慎、段玉裁及黃季剛先生的文字理念與研究方法。這三家，或許不能代表文字學的全部，但作爲研究架構，是夠份量的。

研治文字必宗《說文》，但是歷來學者對《說文》一書，難免有所疑議，季剛先生曾說：

《說文》之為書，蓋無一字、無一解不有所依據，即令與它書違悖，亦必有其故。其說解不見它書者，由它書既不盡用本字，則本義亦無由楬明也。近世人或目《說文》為專載小篆，而古文、大篆未為完備；或稱《說文》說解穿鑿勦說之失；皆不識《說文》之真義者也。（頁九九）

季剛先生所指，當即如孫詒讓《名原・序》及顧炎武《日知錄》所說的。爲了說明疑議並加駁正，伯元師於《文字學・第一章・餘論及總結》中，引述孫、顧二家之文，也將季剛先生及孫星衍駁辨之說一起陳列，並加以闡述。在引完孫詒讓及季剛先生的見解後，伯元師說：

按許氏之《說文》，向為學者推崇，然亦見質疑者，孫氏之說可謂代表。孫氏既疑《說文》收字所據，並述及以古文字資料證之《說文》，多見參差，此即為《說文》一書，於今日最受疑議者。蓋以甲金文證之《說文》，因見參差，論者遂以茲非議許氏。客觀而論，甲金文之形與今楷差距實遠，今世所以能推究古文字者，《說文》正為津梁。文字流變，代見差異，《說文》篆形，既能上承古脈，下為楷源，又如何言為無據。季剛先生之辨駁，誠允也。（頁一〇二）

另外在引述顧炎武及孫星衍的見解後，伯元師也進一步說明：

孫（星衍）氏之辨，可謂擲地有聲，然抑或有人仍以顧氏之說，非無道理，蓋《說文》說解之疑，豈若顧氏所舉諸例而已？然許氏唯一人，說解唯一時，博采通人，信而有徵，當僅囿於當時之環境；析形解義，亦僅限於能見之篆。形既非遠古，義又有所囿，後人如何能以古往今來苛求之？古文經學家，視經為史，言求有據，信以許氏之經學背景，必當如此。否則，縱索求無稽，亦可隨意發抒，何來從闕之說？《說文》既為駁正俗鄙而撰，則必有如經史之講究，撰作之際，當求形音義皆有據矣。此即為《說文》之價值。有此一書，上可沿波討源，溯古文之端緒；下可振葉尋根，得隸楷流變之淵藪。故曰探究中國文字，無論古今，皆當以《說文》為發軔，為津梁，捨此則莫由也。（頁一〇四）

在《文字學．第四章》，伯元師也引用了陸宗達先生的一段話來說明季剛先生的觀點，陸先生結語說：「歷代文字訓詁學家言必稱《說文》，不是偶然的。季剛先生讓我從《說文》入門，更是他治學幾十年的經驗之談。」（頁二二六）伯元師就此，更有所闡發：

許氏《說文》一書承續先秦文獻而來，就性質而言，實為集先秦至東漢語言大成之單詞詞典；就體例而言，則又為此時期語言形音義解說之總輯。今日欲窺古代漢語，固有甲金文等資料，然論語言體系之全面觀察，捨此莫由。季剛先生深明於此，故藉《說文》，探初文、究字根、講變易、析形聲、論六書、明條例、談時宜。設若無許氏之書，則古今之津梁絕，古文與楷書之關係亦難覓其緒，人持十為斗，虫者屈中之說，必層出不窮矣。（頁二二六）

這應就是伯元師的《說文》觀，所以他論文字宗於《說文》，絕不是承古而不知今，玩古而不通的。要讀伯元師的《文字學》，應當由此觀點入手。

三、闡揚師門無聲字及轉注的說法

伯元師在論「六書」問題的時候，對於「無聲字多音」及「轉注正解」，說得特別清楚，因爲這兩個學說，都是章黃學派重要的見解。

伯元師於《文字學．第四章》論析黃季剛研治文字之條例，有「一字多音之例」：

古人於象形、指事字多隨意指稱，不以聲音為限，故往往一字可讀多音。《說文》形聲字有聲子與聲母音理殊隔者，皆可以一字多音解說之。（頁一七四）

伯元師以爲「無聲字多音說之依據正爲一字多音之說」。「無聲字多音」多用於解說形聲字的學理。《說文．敘》說：「形聲者，以事爲名，取譬相成，江河是也。」所以理論上，形聲字的聲母與聲子，於聲韻上必有關係。景伊師〈形聲釋例〉中，將形聲字依此關係，分爲五類：1. 聲韻畢同，2. 聲同韻異，3. 韻同聲異，4. 聲韻畢異，5. 四聲之異。形聲字所以會有「聲韻畢異」的現象，正是因爲「無聲字多音」。爲說明這個問題，伯元師撰有〈無聲字多音說〉一文特加闡明，於《文字學》一書中亦見引述。伯元師分從「何謂無聲字」、「無聲字何以多音」、「無聲字既有多音，何故又漸失多音」、「無聲字多音有何作用」等四點，說明「無聲字」於文字學理之重要。分析無聲字何以多音時，伯元師舉列四點原因如下：

> 1. 文字之初起，本緣分理之可相別異，以圖寫形貌，各地之人，據其形象以為文字，因其主觀意象之殊異，雖形象相同，取意盡可有別。例如「丨」字。
> 2. 造字之時，原非一字，音義原異，只以形體之相近，後人不察，乃合為一體，因而形同而音義殊矣。例如「皀」字。
> 3. 古者文字少而民務寡，是以多象形假借。例如「屮」字。
> 4. 形聲之字所从之聲，每多省聲，而所省之聲，其形偶與他字相涉，於是字音亦隨所涉而異。例如「⿰犭頁」字。（頁六一）

在說明無聲字多音有何作用時，伯元師也列舉四點：1. 可助語根之推求，2. 可以析音義之流派，3. 可以釋聲母聲子聲韻絕遠之疑，4. 可以明前師異讀、韻書多音之故（頁六三）。可見「無聲字」不單只是形聲字的問題，也是漢語史上重要的學術理論。

文字「六書」，最難解釋的莫過於「轉注」。《說文·敘》說：「轉注者，建類一首，同意相受，考老是也。」或許因爲許慎解說過於簡單，導致後人對「轉注」，或以義轉，或以形轉，或以音轉來解釋。其中「音轉說」可以章太炎先生的說法爲代表，也是伯元師所推崇的。太炎先生撰有〈轉注假借說〉一文，說明「建類一首」之「類」爲「聲類」，「首」爲「語基」，意指具有聲韻關係，又謂「轉注」與造字有關聯，卻非構造文字之法。這種說法不太容易懂，伯元師因撰〈章太炎先生轉注假借一文之體會〉加以伸發，其中有一段舉方言爲例，深入淺出地將「音轉」道理說得頗爲透徹：

> 首先應拋開字形，而從語言著想，以探究其起因。故章君云：「蓋字者，孳乳而寖多，字之未造，語言先之矣。以文字代語言，各循其聲，方語有殊，名義一也。其音或雙聲相轉，或疊韻相迆，則為更制一字，此所謂轉注也。」蓋有聲音而後有語言，有語言而後有文字，此天下不易之理也。當人以文字代語言，各循其本地之聲音以造字，由於方言不同，造出不同之文字。例如廣州話「無」讀為[mou]，廣東人根據廣州方言造字，造出「冇」字，北京人不識「冇」字，如欲溝通，惟有立轉注一項，使文字互相關聯。冇、無也；無、冇也。不正如考、老也；老、考也同一類型乎！（頁七〇）

經此解說，太炎先生的「轉注」見解應可明白。今日學界對於「六書」的問題，仍然存有許多不同的見解，章黃學派兼顧形音義的看法自有其理，這應該就是伯元師所以要費心推闡的用心。

四、強調文字條例的研究方法

伯元師上文字學，下學期一學期幾乎都在講《說文》的條例，而且他的《文字學》前四章，條例部分就佔了三章，所以如果說伯元師治理文字的方法有何特色，除了對「字史」的了解，應就是對「條例」的重視了。

所謂的「條例」，就是理念與方法的歸納，這三章包括了《說文》本書的條例，段玉裁注《說文》的條例，還有季剛先生的治文字條例。《說文》是部字書，本書條例就是去分析歸納該書的編纂理念與方法，換句話說，這些條例包含了許慎的文字理念與編輯方法。段玉裁注《說文》，是在進行《說文》的訓詁，裡頭包含了版本校勘、異說正訛、釋義疏證、體例分析等工夫，所以段注條例的歸納，就必然包含段玉裁的文字學理念與研究方法。黃季剛先生對《說文》一書下過極深的分析工夫，觀其圈點的《說文》，從密密麻麻的眉批中，可以了解黃先生運用音義線索，在作《說文》收字的整合功夫，所以《說文》一書在黃先生眼中，是有不同層次的。如果能了解黃先的治文字條例，等於是掌握黃先生治文字較完整的理念與方法。伯元師舉此三家，分析條例，表面上似乎述而不作，但闡發學術方法的用心，是可以細加體會的。

在這三章的前兩章，伯元師各有一段結語。第二章「《說文》例」的結語說：

綜觀本章所述，概為《說文》一書之編纂體例。《說文》既為字書，許氏編纂之際必設

> 體例，今雖無由得其原例，然由本章歸納所得，當亦可得其大要。《說文》為現存於世，最早及最全之字書，由體例成就觀之，更能知其非凡也。（頁一三七）

第三章「段注條例」的結語說：

> 綜觀本章所述，概為段氏《說文》注例，段氏為《說文》注家成就斐然者，其細繹《說文》，由古韻、版本始，終於注書、解字之意趣，既可謂為《說文》注例，視為段氏訓詁理念之體系亦可也。（頁一六四）

如果細究這兩段話，應可以發現伯元師的設例用心。《說文》既爲字書，要對此書有較全面的看法，就要對許慎當時如何設定編輯目標，如何彙聚編輯資料，如何設計編輯體例，如何進行解說等去了解，許慎既然未留下這些資訊，唯一的方法，不就是從書中條例去作整理，所得到的結果必然不只是文字之形，而且攸關音義，攸關許慎對文字整體問題的處理觀念與方法。段玉裁的《說文解字注》是研究《說文》不可或缺的文獻，但是段注的成就不只在文字，更在完整的訓詁觀念，注中既要還原《說文》原貌，又要洞察許氏用心；既要旁參古今文獻，又要駁斥異說。整理段注條例，既是對前人成就的了解，也是治《說文》應有的態度指引，更何況若藉此發揮，段氏文字學、訓詁學盡在其中了。這樣看來，伯元師這兩章的「述而不作」，實在大有學問。

第四章的「黃季剛先生研治文字之條例」，是伯元師用來發揚師說精義，所以特見用心。其中第一節是利用黃焯整理的《文字聲韻訓詁筆記》，理出季剛先生治文字之例，第二節是疏釋景伊師所歸納的季剛先生治《說文》條例，第三節則是綜述季剛先生治文字學的方法。季剛先生傳世的著作不多，論文字最重要的應是《說文略說》，但是季剛先生的許多說法，散存在《文字聲韻訓詁筆記》中，所以伯元師特就此書整理，一則爲彰顯先生應有成就，二則可爲疏釋景伊師說法之據。

伯元師整理季剛先生「治文字之例」有九例，「治《說文》之例」有四例。疏釋景伊師所整理的二十二例，則分從「論述語根之說」、「論述《說文》音讀之說」、「論述形聲字之說」、「論述形聲假借之說」、「論述無聲字多音之說」、「論述《說文》之依據」等六項加按闡述。伯元師於疏釋景伊師條例一節的前言說：

> 師說諄諄，言猶在耳，今余老邁，謹趁此機會，稍作疏釋，盼能添益師說於一二。（頁一八二）

今日讀來，除令人感佩之外，更覺欷歔。

伯元師總結季剛先生治文字之法有十：（頁二二一）

> 一、研治文字必據《說文》。
> 二、研治文字必究六書。
> 三、研治文字必兼形音義。
> 四、研治文字必溯語根。
> 五、研治文字必析初文。

六、研治文字必重形聲。

七、研治文字必知演變。

八、研治文字必慮時宜。

九、研治文字必參字書。

十、研治文字必識部首。

這十點正是是伯元師承繼師說所得到的結論。「據《說文》」、「究六書」是基礎，「兼顧形音義」是觀念，「溯語根」、「析初文」、「重形聲」是方法，「知演變」、「慮時宜」是知新，「參字書」、「識部首」是整合，如果以此爲架構，推演引伸，則完整的文字學觀念必然可得。

五、結語

如果綜觀伯元老師在小學方面的學術成就，在「聲韻學」著墨最多，「文字學」的論著似乎較少，而且晚年撰寫《文字學》一書時，精神體力已差，所以初看全書，似乎會覺得資料不多，見解又傳統，讓人有種不符時代潮流，並非「文字學」新著的觀感，但是如果細心去觀察，就會發現它的特點。有許多文字學舊說出處難明，諸家引用多見沿襲，伯元師在參用的時候，必考出處，必究原文，必注清楚，一如他平日治學的嚴謹，並沒有因爲體弱而模糊帶過。在整體規畫上，納入了「字樣學」與「古文字學」，這當是「字樣學」被融入「文字學」專著的第一部。伯元師早年參與教育部標準字體的研訂，深知研究文字的目的，即在追求正確的書寫，加上多次參與字書編輯的經驗，知道「字樣」正是字書編輯的主體，是聚合形音義的書寫標準，所以文字學不能捨「字樣」而不論。在「古文字學」的部分，他重視這塊園地已有的成就，是他承繼章黃暨景伊師之說而更邁進一步。所以說，伯元師完整「文字學」理念包含了「說文學」、「字樣學」和「古文字學」，只可惜，後兩部分他未能親撰，筆者勉力的配合，未知是否符合他原有的構想。

多年前，文字學會在輔大舉辦正俗字的專題研討會，找了許學仁教授講古文字的字樣，筆者負責談俗字問題，出乎意料的是，伯元師特地搭計程車前來參與，他說因為《文字學》撰寫所需，所以前來聽講。可見老師要不是身體狀況不佳，這兩章必定親為，則完整的「文字學」理念必更能彰顯。令人遺憾的是，今天只能就前四章窺其堂奧，但已可見大海靜濤，其深千尋，看似平淡的內容，卻是承繼章黃學說精義，誠為治理「文字學」的基石。

（本文轉載自《國文天地》第二十八卷第四期）

兩岸古音學之集大成者——陳伯元先生的古音學

臺灣師範大學台灣語文學系兼任教授　姚榮松

壹、伯元先生是民國以降第一位以古音學論文獲得國家博士學位者

伯元先生是兩岸知名的古音學家，他的學術成就早在一九六九年從台灣師範大學國文研究所獲得國家文學博士學位時，即受台灣學界肯定。先生博士論文《古音學發微》（嘉新水泥文化基金會出版。研究論文第一八七種，一二八四頁，一九七二年元月）共分五章，近六十萬言，由瑞安林景伊（尹）、高郵高仲華（明）、紹興許詩英（世瑛）三先生所指導，考試委員有毛子水、戴君仁、陳槃、程發軔、屈萬里、何容諸教授暨三位指導教授凡九人，獲全票通過。林尹先生序此書指出：「陳生之作，述故創新，實已邁越前人，故全票通過。」

高仲華師則從學術傳承的淵源指出：

> 陳生新雄初從許教授詩瑛習聲韻，……許、董皆王君了一之弟子，於高本漢、趙元任、李方桂、羅莘田諸君，素所服膺，是能用西方語音學之知識以治中國之聲韻者也。嗣從林教授景伊習廣韻、習古音。……迨余歸自香江，復從余遊。……要之，自有古音學以來，其包羅之豐富，條理之縝密，考證之詳確，似尚未有過於此書者。

伯元先生因此書而列名第七位國家文學博士。先生之古音學誠如仲華師所言，是從現代語音學入手，詩英師當年在大學本科所授聲韻學教本即董同龢先生之《中國語音史》，該書後來改編增補爲《漢語音韻學》，初版時（一九六五）有趙元任先生序，推崇備至，趙先生說：

> 董先生一向非常謙恭，寫信總簽名「再傳弟子」，因為在清華時候，他上過王了一的課，王了一又跟我寫過《兩粵音說》的論文。俗語說：青出於藍，所以從這兩代的藍青的中國音韻學就結晶於董同龢的《漢語音韻學》了。……

先生較一般人不同者，即在習聲韻學之前已蒙瑞安林景伊師之賞識，先贈以《廣韻》，並「退而循師指示，披尋《廣韻》，逐韻逐字，析其聲韻，勒其部居」（《古音學發微．自序》）伯元師並指出：

> 由於詩瑛師之啟導，乃由董同龢氏《中國語音史》進窺瑞典漢學家高本漢《中國音韻學研究》，及其他諸書，而亦津然樂此不疲。

按景伊先生爲蘄春黃季剛先生之入室弟子。民國二十五年任教國立北平師範大學時，即纂有《中國聲韻學通論》一書，前有錢玄同先生序，錢序也提及景伊師之家學淵源及其與季剛同門。

> 景伊為吾友次公君之子，公鐸君之姪。兩君皆受業于其舅氏瑞安大儒陳介石先生，得其真傳，景伊既承家學，又師事亡友同門生蘄春黃季剛君，亦嘗親聞先師餘杭章公之緒論。民國十有九年，景伊為北京大學研究所國學門研究生，余在本科講述中國聲韻沿革，景伊曾來聽講。黃君邃於小學，聲韻尤其所專長，《廣韻》一書，最所精究，日必數檢，韋編三絕，故於其中意蘊闡發無遺。……景伊天資淵懿，善讀善悟，既受師說，復能潛心繹理，心得甚多；頃在北平講述聲韻，纂成此編。

景伊師既有此優渥條件，又「親負季剛先生左右，凡十余載，最能得其心傳。」（見顧學頡爲師作序語）在台灣的季剛門人中，景伊師無疑是古音學之傳人，故以季剛先生之絕學（《廣韻》之經緯）全授與伯元先生，實際已爲章黃之學找到傳人，而伯元師以師道自任，除大學二年即已完成《廣韻切語上下字系聯》，大四時在先生指導下創立《廣韻聲韻歸部習作表》，因以證成黃季剛先生由廣韻求古韻部之途徑。伯元師並於一九六九年八月據季剛先生《音略》一文撰成《音略證補》一書「記載師說，旁考諸家，擷其菁華，而求易解」（見自序）。此原爲景伊師祝壽論文，同時亦爲伯元先生從事聲韻教學之重要講義（屢有增補，故迄一九九三年已爲增定版十六刷）伯元師畢生著作以聲韻爲主軸，旁及文字訓詁，並因教授《聲韻學》、《訓詁學》、《廣韻研究》、《古音研究》而各有專著，放眼海峽兩岸，實屬第一人。因此，先生成就在音韻學之全體大用，而不專以古音學一端見長。

貳、伯元先生在古音學上的卓越貢獻

伯元先生自述其從林尹教授習聲韻學二十七年，而自身從事聲韻學教學亦已逾四十年，台灣各大學講授聲韻學之學者，泰半出自其門下。伯元師自大學即受景伊師賞識，並授以廣韻之精要，大學畢業即任教聲韻學於東吳大學，一九六二—一九六九年攻讀博士學位，以《古音學發微》爲題，費時七年完成博士論文，洋洋六十萬言，這是第一本體大思精的古音學通論，在當時已屬空前，迄今亦無其匹，先生擅長聲韻、訓詁及文字之學，四十餘年著作多達二十幾種，其中以聲韻學爲主，多達十二種，即《古音學發微》、《音略證補》、《六十年來之聲韻學》、《等韻述要》、《新編中原音韻概要》、《鍥不舍齋論學集》、《聲類新編》、《文字聲韻論叢》、《古音研究》、《廣韻研究》、《聲韻學（上）（下）》，及最新出版的《陳新雄語言學論學集》（北京中華書局），其學術成果具在于斯。

忝爲伯元先生門人，先生每有著作，必親筆簽名贈諸生，今蒙先生指定講述其古音學，以下將就個人承學所得，剖析先生在古音學上之卓見。

一、首創古韻三十二部之說

《古音學發微》一書綜覽有清三百年來之古音研究，全文五章，首章緒論、第二章古韻部說，起自顧炎武，止於黃侃，分十二節歷述顧炎武、江永、段玉裁、戴震、孔廣森、王念孫、江有誥、嚴可均、張惠言、劉逢祿、章炳麟、黃侃的古韻說。第三章古聲母分六節，歷述錢大昕、錢坫、夏燮、陳澧、章炳麟、黃侃的古聲說，第四章古聲調說分七節，起自陳第、終于王國維，凡十二家七派說法。第五章結論，總結古韻爲三十二部，上古單純聲母爲二十二母，其古聲調說之結論則折衷於王了一與黃季剛之間。

古韻三十二部是在黃季剛古韻二十八部的基礎上，加上其晚年發表「談添帖盍分四部說」（見《黃侃論學雜著》）合爲三十部，再加上姚文田的匊部（錢玄同改爲覺部）及王力所分之微部，合爲三十二部。

古韻三十二部是伯元先生綜合前賢分部的最後結果，四十年前的定論，二〇〇五年先生才定稿的《聲韻學》一書仍肯定這個結論。伯元師說：

> 今定古韻何以確信為三十二部？蓋蘄春黃君初於《廣韻》中求得古韻二十八部，而與顧、江、戴、段以來言古韻分部諸家冥合而奄有眾長，後又益為三十部，愈加精密，實言古韻分部者之最大創見。今即以黃侃古韻三十部為基礎，而益以姚文田氏所分之匊部，即錢玄同、王力所稱之覺部，王力所分之微部，總計為三十二部，此即自古韻分部以來所得之最後結果。[一]

一　聲韻學（下），九一〇—九一一頁。

雖然余迺永（一九九六）在其《上古音系研究》中據白一平（一九九〇）的說法，主張將宵、藥二部再析爲豪、沃與宵、卓四部，但卻經不起伯元師重紐的兩類之諧聲界線及詩經韻腳有無分用之跡兩項檢驗證明「余氏蕭宵、沃卓之分並無任何事實上之佐證。」「尤其沃卓之分，在重紐區別理論上，亦無跡象可尋，余氏卓部獨立，純粹爲了與宵部配套而已」。[二] 宵藥二部余氏之分爲四部既不可從，則迄今能分別的仍然只有三十二部。

二、以審音為基礎，依創見與啟發之程度，總結了古韻分部之主流與旁支

在《古音學發微》出版以前，我們沒有一部古音學的專史，雖然王了一先生（一九五〇）第一本教材的《漢語音韻學》（初名《中國音韻學》）以及張世祿的《漢語音韻學史》是兩本介紹古音學的材料比較有系統的著作，但是並沒一部能概括有清三百年古韻學的主流與旁支的學術史。《古音學發微》則具備了發凡起例、分別流派、比較各家音類、構擬音值、折衷各家、提出新說等優點的一本全方位著作。在此書問世之前，要通覽古音學一定要有四川嚴氏刊刻的全套「音韻學叢書」，才能通顧、江、戴、孔、王、江等古韻分部學說，至於近代章、黃、錢玄同、曾運乾、王力、羅常培、周祖謨等人的分部，則尚須泛覽章氏叢書、黃侃論學雜著、錢玄同全集、曾氏音韻學講義及了一先生全集中的音韻學類專書（如清代古音學、詩

二 古音研究（一九九九），頁三〇九—三一〇。

經韻譜等）窮年累月不能通貫三百年的古音史，有了《發微》一書，不但可以當博碩士課程教材，不論是一學年四學分或一學期三學分的「古音專題研究」，對於古韻分部之源流以及歷來有關古音觀念史的開展，一卷在手，均可豁然開通。

伯元師（一九九三）〈清代古韻學之主流與旁支〉一文，總結了撰寫《古音學發微》的體驗，他說：

> 從顧炎武到江有誥，作者共七人[三]，我們稱他為清代古音學的主流。凡屬於主流派的古音學家，他們具備了兩項共同特點：（一）在古韻分部上或研究方法上有創見。（二）對後起的研究者有啟發作用。[四]

這段話提出主流學派的問題意識與方法論的一貫與相互啓迪，這正是當代學術研究的特色。例如該文提出下列這些事證：

1. 如顧炎武……其據唐韻以求古韻之分合，即予江永極大的啓示。（江永的真、元分部即受到顧氏的啓發）
2. 又如江永《四聲切韻表》注重平入的分配，而入聲獨立分出，則於陰聲、陽聲與入聲的相配方面，就特別顯著。下面這張表最能看出江氏平入分配對段玉裁古韻分部的啓

三　顧炎武、江永、段玉裁、戴震、孔廣森、王念孫、江有誥。

四　〈清代古韻學之主流與旁支〉，頁二六，第一屆國際清代學術研討會論文集，國立中山大學，一九九三年十一月，高雄。

發來。

陽聲	入聲	陰聲
第四部真諄	第二部質術	第二部支脂之徵
第九部耕清	第五部昔錫	
第十部蒸登	第六部職德	

3. 段玉裁在〈六書音韻表〉裏把江永的尤部分成幽、侯兩部，這就引發了孔廣森東、冬分部的思維。

4. 段玉裁的真、諄分部，特別是他的真部分配了質、櫛、屑三個入聲韻，對王念孫的至部獨立，就有決定性的影響。[五]

5. 戴震在〈答段若膺論韻書〉裏，對陰、陽、入三聲的看法，就啓發了孔廣森「陰陽對轉」說的概念。孔氏提倡「陰陽對轉」的說法，其後的章氏《成均圖》講對轉、旁轉的道理，自然與孔氏有密切的關係。

6. 戴氏發現段氏在陽聲韻方面分成十三部諄文殷魂痕，十四部元寒桓刪山仙兩部，而陰

五　王念孫在《答李方伯論古韻學書》中認為去入同用而不與平上同用的「去聲之至、霽二部，及入聲質、櫛、黠、屑、薛五部」並非脂部或真部的入聲，段氏〈音均表〉以術、月二部為脂部之入聲，則諄、尤無入矣，而又以質為真之入，是自亂其例也。

聲韻方面，只有十五部脂微齊皆灰一部，這樣分配得不整齊，結構不完整，分配不妥當。戴氏進一步推論除非把質櫛屑相配的陰聲韻脂開三、皆開三、齊開合四諸韻單獨成立一部，否則段玉裁的第十二部真臻先，就缺少了相配的陰聲字。王力在〈上古韻母系統研究〉一文受到戴氏的啓發，而有脂微分部的創見。

7. 孔廣森把合部獨立，是考古派古韻學家第一個把入聲完全獨立成部的人，因此王念孫與江有誥把緝部與盍（葉）部獨立，都可說是受到了孔廣森的影響。

8. 王念孫的至部與十四部的祭部都是只有平入而無去上的韻，章太炎後來分出隊部，最大理由就是「平上與去入塹截兩分」。黃侃的入聲韻部裏包含了《廣韻》陰聲各韻的大部分去聲字，未嘗不是受了他的啓發。

9. 江有誥的廿一部次第，以之建首，終之以緝，緝復通之，終而復始；這樣的一種排列與構想，實爲章炳麟的《成均圖》所自出。

10. 「江氏於入聲尤多精析之言，例如他認爲入聲錫韻當分爲三。其一爲齊通支之入；其一爲蕭之入；其一爲尤及宵通尤之入。王力說齊支通之入即古錫部字。……蕭之入，即古韻藥部字，……尤及宵通尤之入，及古覺部字。」（黃季剛先生古韻三十部，本是陰陽入三分的局面，但是幽部（黃氏稱爲蕭部）入聲因爲找不到適當的古本韻，所以沒有分出，仍讓他附在陰聲蕭部裡面，破壞了陰陽入三分的原則，而且也是自亂其例。）陳新雄（伯元）的古韻三十二部，把覺部分出，就是看到四等的錫韻也有覺部字，所以毅然把覺部獨立，這也是受到江氏對入聲分析的啓示。

根據以上有如十個「環節」相叩，伯元師指出「主流派的研究成果，莫不對後來的研究者具有莫大的啓示」。古韻分部的研究有如長途接力賽，只有能認識前一棒的跑道，掌握問題意識，才能進入主流派，才能提出新的創見或方法，因此對後起者，也就是接棒者的「啓發作用」就是接棒的那一點，沒有接穩或接準，就可能跑不到交棒之點。伯元師算準自顧炎武到江有誥，只有七棒，後繼者章、黃、王力都可能進入主流。相對於主流派，有清三百年的古韻學者還有一批人：毛奇齡、李因篤、邵長蘅、錢大昕、牟應震、宋保、丁履恆、姚文田、嚴可均、胡秉虔、張畊、張惠言、龍啓瑞、朱駿聲、陳立、劉逢祿、苗夔、夏炘、夏燮、龐大堃、黃以周，一共廿一家。

在《古音學發微》第二章古韻部說，共有十二節，前七章分別顧、江、段、戴、孔、王、江等七人，第八至十二節分別是嚴可均、張惠言、劉逢祿、章炳麟、黃侃五人的古韻說。如此可見迄清末民初的古韻的主流派可以算十二人。其他所有旁支，分別在顧氏、戴氏、王氏、江有誥、嚴可均、張惠言、黃侃諸家古韻說之後，以附同時代的古韻學家，或主流派學說的後繼者兩種方式；如：

1. 顧炎武同時之古韻學家：（1）方日升（2）柴紹炳（3）毛先舒（4）毛奇齡（5）李因篤（6）邵長蘅
2. 段氏學說之後繼者（江沅）

3. 戴氏學說之後繼者（張畊、牟應震）附論：錢大昕
4. 王念孫，附論：洪亮吉、宋保、丁履恆
5. 江有誥，附論：夏炘、夏燮
6. 嚴可均，（1）後繼者：胡秉虔、劉師培
（2）附論：姚文田（及姚氏之後繼者：龐大堃）
7. 張惠言，（1）同調者：莊還祖、龍啓瑞、陳立、黃以周
（2）附論：朱駿聲、戚孝標、傅壽彤、安吉、安念祖、苗夔、張行安
8. 章炳麟，同調者：林義光
9. 黃侃，附論：錢玄同

這種主流與旁支兼容並蓄的敘述，正是一部語言學史的寫法，由此可見《古音學發微》一書實際就是一本古音學史的專著。

三、在黃季剛古音學的基礎上，擷取民國以來前賢的精華，融貫為自己古音學一家之言，並以捍衛師說為己任。

就古韻分部言，伯元師的結論是三十二部，以黃季剛先生早年的古韻二十八部爲基礎，證成其古本韻廿八部，可以紐韻互證而成立，兼採季剛先生晚年學說〈談添盍帖分四部說〉，合爲三十部，再加上黃永鎭所補的肅部，並吸收王了一脂微分部之成果，創爲三十二部之說，

以爲不可增減。再進行上古音值之擬構。

《古音學發微》第五章結論第一節之四，「古韻三十二部音讀之假定」，伯元師參酌高本漢以來各家擬音，先解決五個前提問題：（1）開合問題；（2）洪細問題；（3）弇侈問題；（4）方言問題；（5）韻尾問題，均經確定，並依三十二部之陰入陽三分而對轉成類，凡得十二類，八個主要元音，即：

第一類	歌月元	a-at-an
第二類	脂質真	æ-æt-æn
第三類	微沒諄	ɛ-ɛt-ɛn
第四類	支錫耕	ɐ-ɐt-ɐŋ
第五類	魚鐸陽	ɑ-ɑk-ɑŋ
第六類	侯屋東	ɔ-ɔk-ɔŋ
第七類	宵藥×	ɑu-ɑuk
第八類	幽覺冬	o-ok-oŋ
第九類	之職蒸	ə-ək-əŋ
第十類	×緝侵	əp-əm
第十一類	×帖添	ɐp-ɐm
第十二類	×盍談	ɑp-ɑm

這是一九六九年《古音學發微》構擬的八個元音系統（a、æ、ɛ、ɐ、ə、ɑ、ɔ、o）及複元音ɑu（宵），而王力在《漢語史稿》中只用五個元音：ə、o、ɑ、e、a，李方桂先生在《上

古音研究》嚴格的假設「上古同一韻部的字一定只有一種主要元音」，其目標即在於「有一個簡單的元音系統可以解釋押韻現象」李氏僅用四個元音（i、u、ə、a），另外有三類複合元音爲：iə、ia、ua。伯元師比較諸家擬音，最後認爲「元音系統最單純與簡單者，莫過於周法高氏〈論上古音〉一文所定三元音系統。周氏三元音爲a、ə、e，同時取消李氏複合元音部份，在系統上，分配得也相當合理。所以簡化上古音韻部的元音系統，已經漸有共識。[六]」

一九八九年先生發表〈論談添盍怗分四部說〉一文於《中央研究院第二屆國際漢學會議論文集》，從音韻結構比較李方桂四元音系統與周法高三元音系統的元音與韻尾搭配表，指出「實在有將添怗兩部談盍分開的必要。像李方桂i類元音的韻部就缺少很多，顯得非常不整齊，周法高先生把東侯屋也劃歸圓唇的舌根音韻尾，他的系統相配起來就整齊多了。但是添怗部沒有從談盍分出來，在[e]元音行-p、-m韻尾下就留下了兩個空檔。事實上添怗部的字，也是較談盍部的字更接近於真質脂、耕錫支六部的，周法高先生系統上的空檔出現在[e]元音行是有道理的，如果像黃季剛先生一樣，把添怗與談盍分開，這兩個空檔就填起來了。古韻部的音韻系統結構也就更完整了。所以從音韻結構看，黃先生分開是對了，如此，黃先生的古韻分布最後結果當爲三十部，爲自有古韻分部以來分部最多的一人。

在這篇文章中，伯元師首先用自己三元音的方式爲季剛先生的三十部擬音，轉換成三十

六 《古音研究》頁三八〇。

二部的讀法，對於各部的主要元音與韻尾，曾作如下的擬測[七]：

韻尾／元音	-0	-k	-ŋ	-u	-uk	-uŋ	-i	-t	-n	-p	-m
ə	ə 之	ək 職	əŋ 蒸	əu 幽	əuk 覺	əuŋ 冬	əi 微	ət 沒	ən 諄	əp 緝	əm 侵
ɐ	ɐ 支	ɐk 錫	ɐŋ 耕	ɐu 宵	ɐuk 藥	ɐuŋ 0	ɐi 脂	ɐt 質	ɐn 真	ɐp 怗	ɐm 添
a	a 魚	ak 鐸	aŋ 陽	au 侯	auk 屋	auŋ 東	ai 歌	at 月	an 元	ap 盍	am 談

為了方便說明伯元師三個元音系統與周法高先生系統的差異，我們也把周先生的三元音系統列表於下，以便對照：

七《訓詁學》（上）頁一三九，又見《古音研究》頁二五八〇。

韻尾／元音	-ɣ	-k	-ŋ	-wɣ	-wk	-wŋ	-ø	-r	-t	-n	-p	-m
a	aɣ 魚	ak 鐸	aŋ 陽	awɣ 宵	awk 藥	awŋ ○	a 歌	ar 祭	at 月	an 元	ap 葉	am 談
ə	əɣ 之	ək 職	əŋ 蒸	əwɣ 幽	əwk 覺	əwŋ 冬	ə ○	ər 微	ət 物	ən 文	əp 緝	əm 侵
e	eɣ 支	ek 錫	eŋ 青	ewɣ 侯	ewk 屋	ewŋ 東	e ○	er 脂	et 質	en 真	ep ○	em ○

對照兩表，兩家三元音的系統優劣立見，周法高先生的上表，除了共同缺宵藥的陽聲（awŋ）的空檔外，又多出開尾的歌（a）沒有相配的ə、e兩空檔，而ep、em兩空檔也因怗（ap）添（ap）沒有分出而空出，因此全部三十六個格子中，扣除五空檔，實際僅三十一部（多了一個祭部），而伯元先生在三十三個格子中，僅有awŋ（宵藥的陽聲）一個空格，歌部與脂微同收-i尾，也就消除了因祭部的排擠而多出的ə、e兩空檔，填實ep（怗）、em（添）二部，自然比周氏的系統整齊多了。伯元師對於元音的主張，也曾指出：

關於這兩部的元音，我比較傾向於董同龢《上古音韻表稿》以談的元音為a，添怗的元音為ɐ，同時根據我研究《詩經》韻的通轉現象，當時也認為有四個元音，所以依據董同龢說，將添怗二部定為e元音的韻部，後來接受李方桂、王力、周法高諸家之

> 說，將東屋、冬覺、藥諸部定為有圓唇的舌根韻尾，寫法上則採用王力、張琨的說法，寫作uŋ、uk，相配的陰聲侯、幽、宵則認為-u有韻尾。現在更參考王力的說法，把歌部定為-i韻尾，則可節省一個音，成為三元音系統，與周法高比較接近[八]。

由此可見，伯元師在建立自己的三元音系統是以「談添怗盍」四部爲基礎，元音韻尾則折衷於董同龢、王了一、李方桂、周法高、張琨等諸家才建立的，正是一種集大成而又兼顧自己系統性，優於周氏的三元音系統（因空檔只剩一個）。

關於伯元師除了繼承傳統古音學的優點，處處以詩韻及諧聲能兼顧爲證據，這點從《古音學發微》到《古音研究》始終如一，一九九〇年先生認爲《發微》出版已二十餘年，爲顧及教學之實際，乃重撰《古音研究》，迄一九九八年出版，凡閱八年，先生每字均由自己操作倉頡輸入法，洋洋新著，凡七九七頁，字數已突破七十萬字。在第二章古韻研究上，較《發微》增加三節，即第一節鄭庠之古韻研究，第九節王力之古韻研究，第十一節姚文田之古韻研究。同時刪去原來視爲主流的嚴可均、張惠言兩家，僅保留劉逢祿之古韻研究。這樣的調整，更見古韻研究的源遠流長，而主流、旁枝之分辨，更具有說服力。

伯元師的古音學基本上應歸到戴震以來的審音派的殿軍，其後雖有人試圖分出三十二部以上的韻部（如白一平、余迺永等人），但並無法獲得詩韻及諧聲系統的支持，伯元師並不接

八 《古音研究》頁二五七—二五八。

受這種無根之說。但是畢生最大的信念是服膺季剛先生就《廣韻》以求古本韻的立論基礎，其代表作爲〈蘄春黃季剛先生古音學說是否循環論證辨〉一文，此文初載於一九八九年《孔孟學報》第五十八期，然實發軔於一九六九年的《古音學發微》（一九七二初版）初稿，原見於《發微》第二章第十二節黃侃之古韻說，第三目「黃君古本韻二十八部駁難辨」，該文並收於《鍥不舍齋論學集》，一九八九年全文發表後，則收入陳著《文字聲韻論叢》（一九九四，東大圖書，頁一七九—二二三）。這篇文章主要在於正本清源，把黃季剛如何總結前賢古韻部及古聲紐研究之結論，並獨到地根據紐韻互證的觀察從《廣韻》、等韻、古音三者交錯中，考得古音二十八部及其正變。

題目爲駁難辨，即針對前賢非議黃季剛古音學說的辯解，綜合諸家之言，蓋有四家十難。四家者，林語堂（一—二）、王了一（三—七）、魏建功（八—九）、董同龢（十）。林語堂在其〈古音中已遺失的聲母〉一文中非難黃侃的古音十九紐說與古本韻說是一種循環式論證。此其一，另一項非難是「黃氏所引三十二韻中，不見黏齶聲母並不足奇，也算不了什麼證據，因爲黏齶的聲母，自不能見於非黏齶的韻母，絕不能因爲聲母之有無而斷定韻母之是否古本韻，更不能乞貸這個古本韻來證明次韻母中的聲母之爲古本紐，此其二。

先生認爲此問題前提爲「廣韻一書有無包含古音成分」，既然陸氏切韻序有「因論南北是非，古今通塞。」是其書兼含古音成分已不容疑，且以林氏於〈珂羅倔倫攷定切韻韻母隋讀表〉一文亦認爲「切韻之書，半含存古性質，切韻作者八人，南北方音不同，其所擬韻目，非「一地一時某種方言中所悉分之韻母，乃當時眾方音中所可分辨的韻母統系。」「又方音成分，同時多是保存古音（如支脂、東冬之分），所以長孫納言稱「酌古論今，無以加也。」

按前提既以確立，因此無論用何種方法均能求得古音，紐韻互證法表面的乞貸論便不適合，因前提確定，而黃先生考求古音之方法，乃據前人攷求古韻分部所得之結果。其二十八部之立，更引黃氏《音略》說明「此二十八部之立，皆本昔人，曾未以肊見加入。」至於非、敷、奉、微、知、徹、澄、娘、日九紐之變聲，又經前人考察……，黃先生進察《廣韻》一百韻中，凡無變聲、變聲非、敷、奉、微、知、徹、澄、娘九紐之韻或韻類，同時亦必無喻、爲、群、照……十三紐，則喻爲等十三紐亦必與非敷等九紐同一性質。可知，非敷等九紐，既爲變聲，則喻爲等十三紐，亦屬變聲無疑。……尤有進者，黃先生所斷爲變聲之喻爲十三紐，經後人證明皆確爲變聲。……此除證明黃先生之有真知灼見外，又何「乞貸」之可言。

至於第二問，伯元師先依羅常培之三種標準說明黏齶與非黏齶之別，並檢視古本韻中齊、先、蕭、青、添、屑、錫、怗等韻全屬四等，當屬黏齶韻母，然皆不見黏齶之聲母，「又如何不足奇？」又引林先生譯〈高氏論切韻之音〉之跋語主張上列先、添諸韻開口韻皆爲 je-音，則此諸韻均屬黏齶之韻母更無疑，然則林先生所謂『黏齶的聲母，自必不能見於非黏齶之韻母』之言，並無任何理論上必然之依據。此類問題正屬林氏所注意及的「聲母與韻母之連帶關係」，黃氏音略亦稱此現象爲「此二物相挾而變。」未料卻被林先生責爲「乞貸」。

王了一批評黃先生爲說共有四點：

1. 所指「古本紐」，亦不能無例外（辨三）
2. 不贊成黃氏用後起的反切法去做推測古音的工具。（辨四）
3. 黃氏只在每一個古韻部中，揀出一個一等或四等的韻，認爲古本韻，這對於古音系統仍不能證明，反倒弄出不妥來。（辨五）
4. 所謂「古本紐」（如幫）與「變紐」（如非）在古代音值是否相同呢？如不相同，則「非」不能歸併於「幫」，亦即不能減三十六紐爲十九紐。（辨六）
5. 又如泰韻既無變紐，爲什麼不認爲古本韻呢？（辨七）

以上五個質疑，伯元師均以其對古音的嫻熟思辨，做出不卑不亢的辯論，完全是一流學者風範，就以第五項有關泰韻爲何不認爲古本韻。先生曰：「黃先生以爲古惟平入二聲，泰韻於廣韻爲去聲，去聲上古既無，則其爲變韻何疑！」又據王了一晚年定論：「黃氏認爲上古的聲調只有平入兩類，因此他的入聲韻部實際上包括《廣韻》裡大部份的去聲字。這一點上他比戴氏高明。」則前疑已徹底廓清矣。

至於魏建功也疑「韻部紐類交比法」是諧聲系統沒落後的東西，恐不能拿來推論更早的音系，董同龢先生認爲黃氏把入聲從陰聲各部中獨立成「部」，就古諧聲而論是不能成立的。這些說法均有其片面性或主觀臆斷，伯元先生之據理辯駁，言之成理，充分展現其學術造詣之深厚與對季剛先生的方法論及學說體會，均屬當代學者之第一人。

參、伯元先生在當代國學界也是世界級的通儒

伯元先生著作等身，其成就最大者在漢語音韻學，其他著作包括訓詁學、漢語文字學及東坡詩學，包括創作的伯元倚聲，和蘇樂府及詩詞吟唱之示範結集，先生中歲亦練書法，凡手鈔東坡詩，分韻集句，早歲又為證成季剛先生的廣韻研究法而有聲經韻緯求古音等表格之設計。其後又責成弟子曾榮汾教授就廣韻聲韻類練習設計為電腦習作檔案，凡此皆見其教學之創新及熱愛指導後學的儒師風範。

先生二十九年前即發起成立中華民國聲韻學學會，擔任理事長、常務監事，其後又擔任中國文字學會相同職務兩任，中國訓詁學學會，中國經學研究會，凡所從事，皆為活絡會務之巨擘，其所指導各校博碩士已達一百一十人，並講學美國、香港及北京清華等名校，亦造就桃李無數。個人作為先生早歲及門弟子，沾握既久，受益最深，瞻仰彌高，當以伯元先生之學述為己任，發揚師說，重振清代三百年古音研究的風華，作為二十一世紀新國學之起點。

（本文曾發表於《陳伯元先生文字聲韻訓詁學國際學術研討會》

二〇一〇年十月廿日南陽師範學院）

陳伯元先生《中原音韻》研究之成就與貢獻

輔仁大學中國文學系教授 金周生

一、前言

周德清（西元一二七七－一三六五）《中原音韻》，是一本受傳統《切韻》系韻書影響，卻又能著眼於當時戲曲音韻，打破舊有音類框架的重要曲韻韻書。伯元師對《中原音韻》之研究，主要見於《中原音韻概要》一書。[一]

一 二〇〇一年伯元師對舊作《中原音韻概要》加以重整與局部修訂，出版《新編中原音韻概要》，私以爲前書在近代學術史具有創發之功與啓迪後學之效，後者則是「踵事增華」「切磋彌精」之作，當今初學，自當閱讀《新編中原音韻概要》，而本文重在介紹伯元師對《中原音韻》研究之成就與貢獻，故仍以《中原音韻概要》爲敘述重點，《新編中原音韻概要》僅在文末作一補述。

一九七六年，業師陳伯元先生《中原音韻概要》出版，[二]對《中原音韻》的產生背景、作者與韻書內容，都做出綜合性說明與討論。因爲《中原音韻》對大學所開設的「聲韻學」「國音學」「曲選」等課程，有著不同程度的聯繫，但又非課程講述的重點，所以此書對一般學生來說比較陌生。本文謹述其寫作緣起、具體內容、研究成果與貢獻，向各位學者做一報告。

二、伯元先生《中原音韻概要》內容簡述

《中原音韻概要》若不計算書後所附陳乃乾影抄鐵琴銅劍樓景元本《中原音韻》，全書僅是一本不及二萬字的作品。關於本書的寫作緣起與過程，〈自序〉中有清楚的說明：

> 半年前的某一天，我跟張孝裕、李善馨兩位先生閒談，孝裕兄說到他教國語語音學，極需要有一部對《中原音韻》專門介紹的書，而且要把民國以來各加研究的成績都能夠擇菁取華的包括進去，作為他教學上的參考。善馨兄在旁聽了，接著就說如果有這樣的一部書，他願意把它付印出來，提供給學術界。因為我們平日教課都太忙了，雖知道《中原音韻》是一部在中國語言學史上很值得研究的書，可是要把它簡要的作一概括的敘述，也是要費很多的時間的，既然有此需要，所以我就不自量力的承諾下來了，願意作此嘗試。話說過了，也就算了。可是以後每次遇到孝裕、善馨兩位先生的

二 台灣學海出版社出版。正文五十四頁，附錄《中原音韻》一四八頁。

時候，他們都要問我有沒有動手編寫，在他們兩位的催促之下，只好硬著頭皮去搜集材料，經過半年的搜集，有關研究《中原音韻》的資料差不多都過目了。於是才一篇篇的分析比較，最後綜合各家研究的成績，把它編成這個小冊子，對《中原音韻》的產生背景，作者介紹都約略的涉獵到了，至於《中原音韻》的內容，因為前賢研究的多，所以就用了比較大的篇幅來介紹。自己一得之愚，也偶然加入其中。這本書不敢說有甚麼見解，只不過採用前賢的成就，把它編成一本簡略的介紹而已。……民國六十五年八月廿八日陳新雄序於台北市和平東路鍥不舍齋。

應友之約、教學之需、綜合成說、闡發己見，是《中原音韻概要》的寫作緣起與方式。《中原音韻概要》主文部分，包含「《中原音韻》的產生背景」「《中原音韻》的作者簡介」「《中原音韻》的內容分析」三項，下面分別做一簡述。

（一）《中原音韻》的產生背景：文中首先對《中原音韻》的音系基礎與特點做出認定，文中說：

> 《中原音韻》是十四世紀（元代）時期為北曲押韻而作的一部韻書。它的最大的特點就是完全擺脫了傳統韻書的束縛，純粹根據實際的語言系統而編成的韻書。

接著回溯中國語言史韻書的產生、流變與特點，做出重點說明：包括三至六世紀「音韻蠭出」的盛況，及七世紀以後《切韻》《唐韻》《廣韻》《集韻》《禮部韻略》《五音集韻》……

等「傳統韻書」的性質，並提出這些韻書「不合實際的語言」的佐證與看法。[三]書中認爲《韻書》結構產生變革，是有實際語言與文學創作爲基礎的，文中說：

> 文學的作品是要講求韻律的鏗鏘，聲音的要求是和諧悅耳，這樣才能感動人的心靈，宣洩人的情緒，當然這種聲音是要以實際語言作基礎的。為了合符這一條件，所以對傳統的韻書就產生了重大改革，可以拿十三世紀的《古今韻會舉要》跟《蒙古字韻》作為代表。這一次的改革才算是根據當時的實際語音來改進的，但在一定程度上仍受到了傳統韻書的影響，仍有部分不夠徹底。真正徹底的改革，就是在這種風氣影響下的《中原音韻》。

《中原音韻》分韻歸調是歸納戲曲用韻而來，所以是具有實際語言支撐的。至於這種實際語音系統是以何地爲標準？自然是周德清所說的「中原之音」，而「中原之音」爲何地之音？伯元師對於《中原音韻》屬元代「大都音」說法感到懷疑，認爲《中原音韻》應爲「中原還是河南一帶的北方官話區域」。[四]《中原音韻》既然有元曲與實際語音爲其製作標準，是否如董同龢先生《漢語音韻學》

三 提出《切韻・序》：「因論南北是非，古今通塞，欲更捃選精切，除削疏緩」一段文字，認爲「本來就不是記錄實際與音系統的韻書」。引用李涪《刊誤》批評《切韻》，認爲「確切地指出《切韻》與當時實際語音不合，明顯地揭露了當時實際語音演變的一些重要的現象。」

四 見《中原音韻概要》第九頁註八。

所說「《中原音韻》就是早期官話的實錄」？先生在本章最後也提出個人不同的看法，文中說：

事實上元曲的用韻，不合《中原音韻》的地方還是不少，這原因大概是元曲作家並非同一個地方的人，難免不雜揉自己方言的成分，即同一地區的作家用韻也未必能完全一致。作者只想把《中原音韻》定作當時戲曲用韻的規範，實際上細微的出入仍是免不了的，可是基本上它的語音系統仍是根據十三、十四世紀北方官話的語音系統。

這是對《中原音韻》音系定位所做出的總結。

（二）《中原音韻》的作者簡介：有關《中原音韻》作者周德清，歷史上的記載十分有限，書中是以《中原音韻》虞集〈序〉、賈仲明《錄鬼簿續編》、《高安縣志》及王伯良《曲律》中對周德清的描述爲準，加以串講，最後說：

周德清，字挺齋，元代江西高安暇堂人，作有《中原音韻》，同時也精於音律，善作曲子。

從學術史上看，這是以當時文獻所能做出對周德清一生最精簡的描述。[五]

（三）《中原音韻》的內容分析：這一部份是本書的主要骨幹，雖不分章節，但層次井然。以下就依照文章先後次序，代爲提出綱目與敘述內容。

[五] 劉能先、劉裕黑〈有關周德清幾個史實的研究〉一文，因爲參考到新發現的《暇堂周氏宗譜》，對周德清的生卒年及先祖子嗣都有詳細的描述，文見一九九一年出版《中原音韻新論》一書。

1. 綜述《中原音韻》內容

（1）韻譜內容介紹。除對韻書體制作客觀描述外，也對「入派三聲」的處理方式與性質做出說明。[六]

（2）「正語作詞起例」內容介紹。

2. 考述《中原音韻》聲韻母系統

（1）聲母方面

a、以三十六字母系統與《中原音韻》同音、異音對比，得出「非敷」不分、舌上音「知徹」與正齒音「照穿」混同、全濁上聲讀成去聲、全濁聲母清化等音變現象。

b、確認《中原音韻》有二十一聲母，一一爲其擬音，並做出與三十六字母之對應關係。

c、分項說明《中原音韻》聲母與現今「國語」聲值的差異，包含v-音、ŋ-音、舌面音與捲舌音等。

（2）韻母方面

a、以《中原音韻》十九韻類爲準，擬測每類中所包含之韻值。

b、分列每一韻值所配之聲母及其字例。

c、比較《中原音韻》韻值與「國語」韻母之異同。

六 先生認爲：「他到底是南方人，總不免受自己方言的影響，又難免受傳統韻書的羈絆，所以雖併而仍留有痕跡。」

d、檢討各家擬音之特點與問題。

e、對一字多音特殊型態的討論。

f、從古今音變角度出發，列表比較《廣韻》、平水韻、《切韻指南》十六攝、《中原音韻》與「國語」韻母之對應關係。

三、伯元先生撰寫《中原音韻概要》之方法

伯元先生《中原音韻概要》雖是應友人之請，在極短時間內寫出的一本概論性參考讀物，但在撰寫方法上具有特色，下面分條做一簡述。

（一）參考資料豐富

七十年代初期，台灣尚處「戒嚴時期」，大陸「文化運動」也未結束，台灣學術界與大陸並無任何往來，新舊研究資料也取得不易，而本書參考資料與《中原音韻》直接相關者卻十分豐富，計有：

1. 海寧陳乃乾影印鐵琴銅劍樓本《中原音韻》
2. 東洋文庫本石山福治《考定中原音韻》
3. 趙蔭棠《中原音韻研究》，《國學季刊》第三卷第三號
4. 羅常培《中原音韻聲類考》，《史語所集刊》第二本
5. 陸志韋《釋中原音韻》，《燕京學報》第三十一期

6. 董同龢《漢語音韻學》，台灣廣文書局
7. 陸志韋《古音說略》，台灣學生書局
8. 王力《漢語史稿》，科學出版社
9. 王力《漢語音韻》，台灣弘道書局
10. 王力《中國語言學史》，台灣泰順書局
11. 楊耐思《周德清的中原音韻》，《中國語言學史話》之七，一九五七年
12. 李新魁《關於中原音韻音系的基礎和入派三聲的性質》，《中國語文》一九六三年

其中不乏有許多五十年代以後大陸研究《中原音韻》的新資料，可見先生不苟之著述態度與博觀取正的治學方法。

（二）研究層面完整

研究一種漢語音系，最重要的是能描寫出它的聲韻調類型，甚至是精確的音值。本書除對十九韻類，一一擬測其內部包含之韻值外，[七]對聲類與聲值有也做出考訂與擬測，[八]至於聲調「入派三聲」的性質與分派規律，也有詳細的說明。

七 其中「支思」「桓歡」「廉纖」三部各含一種韻值，「東鍾」「魚模」「先天」「車遮」「尤侯」「侵尋」「監鹹」七部各含二種韻值，「江陽」「齊微」「皆來」「寒山」「蕭豪」「歌戈」「家麻」七部各含三種韻值，「真文」「庚青」二部各含四種韻值，總計有四十六種韻母。

八 書中包含「零聲母」，總計有二十一聲母，見第二三－二五頁。

（三）從宏觀角度爲《中原音韻》定位

《中原音韻》的編排與傳統《切韻》系韻書不同，音系性質也超出舊時詩賦的規律，是與民間戲曲音韻相互配合的；本書針對這種特殊現象，除對韻書本身音系作敘述外，更以時代較早的《切韻》音系、三十六字母、平水韻、「十六攝」等音類資料相互比勘，藉以說明某些可推測出的音變規律。本書另一撰寫方法，是與現今北方語音系統作比對，藉以找到現今「國語」音系的前身與音變規律，並於其中舉出個別例外現象，比較與現今國語不同之處，這種以《中原音韻》音系爲基礎，上下求索關係的寫作方式，是具有宏觀氣度的。

（四）甄別異說，構擬音值

對古代音韻的探索，通常用「構擬」「擬測」「擬音」等用詞，代表提出是一種「推測」，而非定論的性質。本書參酌各家擬音，對一些構擬分歧的現象，不偏某家，都予以甄別，比較異說而提出看法。如聲母部分，認爲韻書中還保有部分舌根鼻音，捲舌音、舌面音尚未產生，仍然有唇齒濁擦音；韻母部分，「魚模」韻內不含-y音，「皆來」韻主要元音是a，韻內不讀ɑ；「桓歡」韻主要元音作ɔ；「蕭豪」韻有-ieu類型音節等，都提出所以如此訂定之理由。

（五）注重音變規律，爲現代「國音」找出音源

本書最初撰寫緣起，本有爲「國語語音」找出音源的目的，故在以《中原音韻》爲本位的前提下，不忘其與現代「國音」做出歷史解說，如對「聲調」的說解：

> 《中原音韻》的四個調類，系統與傳統韻書的「平、上、去、入」不同，而與現代北方官話比較起來，則大致相合。平聲陰相當陰平，平聲陽相當陽平，上聲相當上聲，去聲相當去聲。[九]

這對學「國音學」者，是最清楚明白的論述。

四、伯元先生對《中原音韻》研究做出之貢獻

（一）台灣學界對《中原音韻》做出全面探討而有專書的第一人

台灣的大學中文系，「聲韻學」多列爲必修科目，早年《中原音韻》一書流傳不廣，因此近代北方官話部分的講授，多簡單帶過。師範體系學校，「國音學」是必修課，著重現代國音知識的傳授，以便日後推展教學工作；《中原音韻》雖是現代國音的源頭，限於教學目標與時數，歷史性的內容，也未太受重視。一九六一年台灣廣文書局出版汪經昌《中原音韻講疏》，由於時代因素，探討範圍十分有限，伯元師《中原音韻概要》應該是第一部台灣學界對《中原音韻》做出全面探討的專書，其創始意義是十分重大的。

（二）評騭成說具有理據

研究古籍，能否「辨章學術、考鏡源流」，是判斷其成敗的重要指標；能否「貫串古今、

九 見《中原音韻概要》第一六頁（註一）。

融通中外」，也是現代學者學術論著深廣度的判準。《中原音韻概要》對研究對象的性質有明確說解，在音韻學史的位置有深刻討論，對該書的古今傳承有詳細介紹，對中外學者的意見也有重點徵引；尤其是在作某種音類的介紹時，對採取或放棄某種成說上，都有重點的引述與理智的評騭說解，使本書各項分析判斷具有說服力。

(三) 書中擬音卓有創見

從上個世紀開始，漢語音韻學者才從古音音類的研究，走向精確音位與音值的討論與擬測。本書即對元代《中原音韻》每一音節做出音值的構擬，[十]其中對「真文」「車遮」「先天」「庚青」四韻中，董同龢先生所擬的撮口介音-y-，都改成-iu-；以及「桓歡」韻的-on改作-ɔn，這在楊福綿〈近三十年台灣省和海外《中原音韻》研究述評〉一文，[十一]皆有所稱引。

(四) 引發後學研究興趣

先生夙慧英發，既出自名師正學，對學術又極具熱誠，早年任教多所大學，對學生要求殷切，早以「嚴師」名傳。「師嚴然後道尊，道尊然後民知敬學」，凡所授業與從學者也有繼志述事之心。先生《中原音韻概要》書出，近代音之研究風氣也開始發展。較早時，姚榮松先生即受啟發，曾告知對《中原音韻》之性質與入派三聲問題深感興趣，後在《陳伯元先生

十　今見一九七九年本書二版有刪去韻書音節分隔之○，而逕自填以音標，且音標有錯寫者，先生曾告知是當時在美國講學，未經同意，書店自行改編者，此舉實不可取。

十一　見《中原音韻新論》第二五八頁。北京大學出版社，一九九一年。

六秩壽慶論文集》中也見其發表〈《中原音韻》入聲問題再探〉一文。筆者讀研究所時，修讀鄭因百先生「詩詞曲專題討論」課，先生曾編著《北曲新譜》，上課多涉及元曲與《中原音韻》相關問題；後又從伯元師作碩論，整理《廣韻》多音字，開始關注二書收音之異同，於日後也曾發表多篇與《中原音韻》相關小文，當時曾受《中原音韻概要》一書之影響與啓發，不言可知。

（五）串連出對漢語音韻學完整的研究鏈

漢語音韻學早期著重對古音的研究，往往僅分「古音學」和「今音學」兩部分，「古音」的研究範圍是上古音，也就是周秦音，「今音」的研究範圍是中古音，也就是隋唐音；通常對近代音與現代音的描述，往往有所忽略。《中原音韻》位居中古音與現代音轉換的關鍵，若缺乏對《中原音韻》的瞭解，既無法解釋今音「入派三聲」「濁音清化」「舌尖元音」等的歷史音變現象，也無從確知北音與《切韻》音系的巨大差異。本書的寫作，著重音系，也關注音變，所以實是一本擔起串連漢語音韻學研究鏈的著作。

五、餘論

二〇〇一年五月，伯元師出版《新編中原音韻概要》，是在《中原音韻概要》的基礎上，重新整理編排增定而成。整編緣起，具見〈新編中原音韻概要序〉，在此不多引述；以下僅從「形式」與「內容」二方面的差異，作一簡單歸納。

（一）形式方面

《中原音韻概要》是以傳統直式打字排印，標點符號採取舊式簡易句讀，遇國際音標、外文名詞及複雜音變對應時，則從權橫書，註解則隨文附於每小段之後。《新編中原音韻概要》則一切遵循現有論文書寫規範，橫書、補實標點、隨頁註釋，極便今人閱讀。

（二）內容方面

《新編中原音韻概要》較《中原音韻概要》內容更為豐富，可從「正文」與「附錄」二方面比較。

正文部分，主要是新增資料與音理論述，參考書增列陸志韋《近代漢語音韻論集》（一九八八）、楊耐思《中原音韻音系》（一九八一）、薛鳳生《中原音韻音位系統》（一九九〇）《北京音系解析》（一九八六）與朱曉農《北宋中原韻轍考》（一九八九），這些都是台灣以外地區研究《中原音韻》權威性的著作。

由於參考了新資料，在「中原音韻的產生背景」一章中，增加引述楊耐思與薛鳳生對《中原音韻》音系基礎的不同意見，並提出闡釋，文中仍然保持先前看法，認為《中原音韻》「基本上它的語音系統仍是根據十三、十四世紀北方官話的語音系統」。[十二]

在韻母音值擬測上，「蕭豪」韻的不同主要元音，或以為不便於解釋同部押韻，但書中

十二　見《新編中原音韻概要》第十一頁。

也增列薛鳳生的近似意見，認爲原本的擬音是可以成立的。

在附錄部分，《新編中原音韻概要》增加了韻譜收字的部首索引，每字都注明所屬韻部的名稱與頁碼，除檢字方便外，《廣韻》非多音字在《中原音韻》二收，有「東鍾」與「庚青」、「魚模」與「尤侯」、「蕭豪」與「歌戈」的互見，在索引中一目了然，對研究者發現問題、蒐集資料，甚有幫助。

《新編中原音韻概要》在原《中原音韻概要》二十五年後重新編定，私以爲其意義並不侷限於研究成果的展現，重點在先生好學不倦、吸收新知、辨章學術、堅守立場的一段學術精神，始終不移，這正是立言不朽的好典範。

六、結語

《中原音韻概要》爲先生青盛年時的一本作品，雖是應友人教學需求，又在半年內就完成付梓的小書，但秉持一貫的治學態度與方法，引證豐富、廓清源流、條分縷析、娓娓論述，實已成一立言之作。

在簡述伯元先生《中原音韻》研究之成就與貢獻之後，也不妨抄兩段「外人」對先生的《中原音韻》研究與學術成就及影響的看法，作爲本文的結束。首先是喬治城大學著名語言學教授楊福綿神父，在〈近三十年台灣省和海外《中原音韻》研究述評〉一文中說：

> 台灣可以說沒有專門研究《中原音韻》的學者，附帶作些有關研究工作的音韻學家，

則有董同龢（一九一一-一九六三）、陳新雄、丁邦新等。……陳新雄現任台灣師範大學教授，著有《中原音韻概要》（一九七六）。此書綜合各家的研究成果，有時也表明自己的意見。全書共分三章。第一章《中原音韻》的產生背景，論述《中原音韻》是元代為北曲押韻而作的一部韻書，其最大特點就是完全擺脫了傳統韻書的束縛，純粹根據實際的語言系統編成。十三、四世紀的北曲用韻，大致代表當時的中原、中州等北方官話的語音系統。第二章《中原音韻》的作者簡介。第三章《中原音韻》的內容分析。陳氏所擬的《中原音韻》的聲母和韻母，和董同龢的系統大致相同，所不同的是，他把董氏帶撮口介音y 的韻母都改成了iu：

真文：yən →iuən　車遮：ye →iue

先天：yen →iuen　庚青：yəŋ →iuəŋ

理由是：「董同龢假定為-yən。我們討論魚模韻時既不認為它的細音是-y-，則很可以假定-y-介音在那時候還沒有發展成功，所以今從楊耐思作-iuən，這樣系統比較一致」（三九頁）。

此外，陳氏把桓歡韻擬作ɔn。他認為董氏擬的on 中的o 元音的舌位過高，因為從《中原音韻》的ɔn 變為北方官話的an 或uan 比較自然些。此書後附參考書目及陳乃乾氏影抄鐵琴銅劍樓景元本《中原音韻》及《正語作詞起例》，對於初學者是一本很好的入

門書。[十三]

唐作藩、耿振生二位在〈二十世紀的漢語音韻學〉一文中，也曾描述台灣音韻學的發展，提到伯元師的地位與成就。文中說：

> 在這近三十年時間裡，[十四]國內學術上也處於跟海外隔絕的狀態，對外界的音韻學研究基本上是不瞭解、不介紹，甚至盲目批判。海外學者的音韻學研究仍在持續而且有重要進展，台灣的音韻學也從微弱到強盛而發展起來了。
>
> 一九六六-一九七七年間，台灣的音韻學進入了結果、收穫時期，新一代學者開始嶄露頭角，……有了本地培養的博士如陳新雄、應裕康等；他們在七十年代成為影響較大的學者。發表的音韻學文章不僅數量多起來了，而且以專題研究性的居多數。……近年海外的音韻學研究也有可觀成績，特別是台灣地區的音韻學界，在經過前二十多年的孕育之後，出現了異常蓬勃活躍之勢。一九八二年台灣成立了聲韻學會，每年舉辦一次會議。培養的音韻專業博士已有二十多人。陳新雄、竺家寧等是當前的學術帶頭人，該地區的專著和論文的數量比前二十八年高出好幾倍。[十五]

從旁觀者的角度看，伯元先生的《中原音韻》研究，有其普及知識與創發立說之價值，

十三　見《中原音韻新論》第二五七—二五八頁。北京大學出版社，一九九一年。

十四　大約指西元一九五〇—一九七七年間。

十五　節錄《二十世紀的中國語言學》一書第二五、二六、二九頁。

伯元先生在台灣的音韻學學術地位，承繼、綜合、創發、傳承之功，人所共知，筆者忝居末學弟子，僅述所知伯元師在《中原音韻》研究之成就與貢獻，請學者不吝指教。

（本文曾發表於《陳伯元先生文字聲韻訓詁學國際學術研討會》二〇一〇年十月廿二日南陽師範學院）

陳伯元教授提倡聲韻學及推動兩岸語言文字學術交流的貢獻

臺灣師範大學臺灣語文學系退休教授 **姚榮松**

一、掉在建中花圃的一粒國學種子

每一個世代，都有一些聰明人，做了某個抉擇，因而影響整個時代的某種社會層面，比方說在民國三十八年（一九四九），有許多出色的學者，隨國民政府播遷臺灣，這些人接收或者寄寓當時臺灣的高等學府，比方說傅斯年、臺靜農、戴君仁、鄭騫、毛子水、董同龢、沈剛伯、方東美等成爲臺灣大學文學院的標竿，在新成立的臺灣省立師範學院，也有梁實秋、傅心畬、潘重規、沙學浚、程發軔、牟宗三、許世瑛、高明、林尹這些知名學者。在那個風雨飄搖的世代，整個國學界、文學院是個需要澆灌的苗圃，種花的人有了，種子在哪裡呢？

原來大學花園的種苗，來自高中的分組篩選和移植。

國學的大本營就在中國文學系，誰讀中文系呢？當然是被中國文學或者歷史文化吸引的熱血青年，或者充滿幻想或根植文學夢土的文藝青年。我的恩師陳新雄，自小跟著父母從江西來臺，小時候曾住過花蓮壽豐鄉，由於家學淵源，少年時就背了《幼學瓊林》、《古文觀止》、《千家詩》等，民國四十四年，他已是臺北市最好的高中——省立建國中學高三生，不像他的同班同學丁肇中（諾貝爾物理獎得主），一頭栽在多數人選擇的數理組，他卻天天看報，關心報紙上討論簡體字的問題，論戰的作者，一位是鼎鼎大名的羅家倫（時任考試院副院長），另一位是沒有聽說過的潘重規先生（時任臺灣師範學院國文系主任），由於潘先生挑戰權威，令伯元師心生好奇，欲窺堂奧，因此就立下宏願，報考師院國文學系，這當然就是第一志願，而且考了系狀元，因此有機會從當時許多知名學者如潘重規、林尹、高明、許世瑛、汪經昌、魯實先等學習。如果沒有報紙那兩篇文章，伯元師或許是另一個丁肇中，但一頭栽進國文系花園的結果是對的，他是當今臺灣中文界一位大師級的人物，他對國學尤其傳統語言文字學的貢獻，並不亞於他的同學丁肇中在科學上的成就，我們的大學需要陳伯元教授，並不下於一位中央研究院的院士。

二、萬丈高樓平地起，聲韻學開啓了浩如淵海的國學寶庫

伯元先生小學時代從舊式的吟誦古文與詩詞中，學到讀書的訣竅，同時也由於大學進入

師院國文系，接受具有師徒制傳統的林尹教授的讚賞與安排，獲得較多的資源與口授，例如較一般人先接觸《廣韻》的反切，使他超越同儕，要熟悉《廣韻》各韻內容，必須進一步做許多功課，由於林尹先生是一代名師黃侃的入室弟子，景伊先生需要得意門生來共同傳習舊學並將章黃學說發揚光大。一向仰慕潘重規教授的伯元先生，卻深受林先生影響，在大學四年中，你有機會每年上同一位老師所開的不同課程，伯元師正是這樣被景伊老師拉拔著，林先生教大一的國文、大二的詩選、大三的學庸、大四的訓詁學與中國哲學史，而這五門都是必修課，如果中文系只有一班，那就無所選擇，我在民國五十四年也同樣以系狀元考入師大國文系，當時國文系已招收三班，必修課至少兩位老師，通常甲、乙班一位先生，丙班另一位先生，有時是甲班一位，乙丙班同一位，後來國文系擴增至四班（包括僑生及外籍生），因此國文系成爲天下第一大系，這不同於在經濟轉型期的商學院，私校往往招收一百多人的大班。到後來，國文系專業教師多了，四班聲韻學就有四位老師，有老牌的，也有年輕一點的，四位老師每年換不同班，「好壞照輪」，有些學生爲了跳班，還傷透腦筋。所以伯元師算非常幸運，他說：「我與林先生投緣是從大一開始的，林先生教大一國文，教完一課，就要學生能夠背誦。我因爲能背書又會吟誦，很得先生的讚賞，記得在大二上詩選時，先生的友朋來相聚時，每每令我吟誦杜甫的〈秋興〉八首以及曹子建的〈贈白馬王彪〉，甚至於古詩十九首等等。先生看我能背書，爲打好學問的基礎，所以開始教我熟悉《廣韻》的兩百六韻的切語上下字，這一種工作，花的時間不多，但收效奇大，這是我一生學問的基礎，從此開始，乃走上研究聲韻學的道路，而無怨無悔。古人說：『莫把金針度與人』。我的老師林先生則常常把金針度與我，這一點，我也向他學習，把金針度與我的學生，所以在臺灣各大學教聲韻學的老師中，我的學生佔了一大半。」（師大五十年：我從事國學研究之緣起、經過與成效，二〇〇六年四月二十七日，師大大師榮譽講座）。由於接觸聲韻學早，悟力高又肯埋首作業，大四就能依林先生提示畫出黃季剛的〈聲經韻緯求古音表〉，並將二百六韻填入其中，甚得先生賞識，因此民國四十八年秋天，大學剛畢業，一邊在中學任教實習，一邊已擔任東吳大學中文系的聲韻學教師，才二十四歲。我們不得不佩服景伊師如何栽培造就一位專才。

說到專才，令我回想起師大國文所的教學目標是既要培養國學方面的研究「專才」，又要造就通經達變的「通儒」，怎麼可能？但是伯元師做到了，這又讓我們回到了當時的系主任潘石禪先生的耳提面命，伯元師提到「大學時代，潘先生上課就勸我們應該讀《資治通鑑》，因此，我師就向一位同鄉老前輩借讀所藏的《資治通鑑》，在大學四年當中，把《通鑑》讀完，對我學問的進益，也是難以估計的。」讀《通鑑》時遇事有感，就仿寫一篇通鑑式的議論，四年下來居然稿積盈冊，也奠定了文言文的寫作基礎。通才博大，專才精約，伯元師的聲韻學卻是修許世瑛先生的課，因爲已熟悉廣韻的切語上、下字，學起來就駕輕就熟，故得到先生的特別照顧，詩英師又是王力之弟子，便「無私地」把珍藏的王了一《中國聲韻學》借給伯元師，同時「更把高本漢以來的西方學者治中國聲韻學的成績與方法，不厭其詳的教導我們，使我們能在原有的章黃學術基礎上，接受西方學術的薰陶，乃不至於坐井觀天而夜郎自大。」（同上）。從這裡我們也可以看到以章黃小學的根基加上高本漢以來的西方學術，是一條聲韻學的大道，後來伯元師的博士論文《古音學發微》，就是由林景伊、高仲華和許詩英三位共同指導，綜合王了一先生總結的考古與審音兩派，伯元師的古韻遠承戴震、黃侃的審音派，主張陰、陽、入三分，共得三十二部，分其所可分，酌古沿今，可謂集大成者，也給有清三百年的古韻分部，畫下了句點。這種總結工作，並非只是整理舊說，同時必須開創新說，例如早年撰《古音學發微》時，構擬自己的上古音系爲八個元音，而王力在《漢語史稿》中只用五個元音，李方桂先生《上古音研究》僅用四個元音，另有三個複元音。伯元師比較諸家擬音，最後認爲「元音系統最單純與簡單者，莫過於周法高氏〈論上古音〉一文所訂的三元音系統。」因此一九八九年先生發表〈論談添盍怗兮四部說〉一文於《中央研究院第二屆國際漢學會議論文集》，從音韻結構比較李、周兩家元音與韻尾搭配表，認爲李氏 i 類元音的韻部就顯得非常不整齊，周氏在[e]元音行 -p、-m 韻尾下留下兩個空檔，把添怗自談盍分開，這兩個空檔就填起來了。因此黃侃古韻部實際是三十部，伯元師改以自己的三元音的方式，重新擬音，結論見於晚期新著《古音研究》（五南出版公司，一九九九年，頁二五七～二五八、頁三八〇），他並且把這個新的韻尾與元音搭配表，放入新撰的《訓詁學》上冊（學生書局，一九九四年，頁一三九），作爲三十二部的讀法。

總結伯元師的古音學成就，就是在黃季剛古音學的基礎上，擷取民國以來古音學的精華，融貫爲自己的一家之言。不過清儒古音研究是爲通經服務的，近世構擬古音是要進行漢藏語的比較研究，目標和手段均有不同，因此上古音的構擬，也越來越多元。伯元師著重的是傳統的解經目的，因此並不刻意追求新的構擬。

三、聲韻學會的成立，改變了聲韻教學的生態，推動了傳統聲韻研究的現代化並且泯除了門戶之見

伯元師從二十四歲（一九五九）開始教聲韻學，數十年如一日。事實上，先生在民國五十六年（一九六七）撰寫博士論文期間，才開始擔任師大國文系四年級的「訓詁學」，並於夜間部講授「聲韻學」，一九六九年獲得國家文學博士後，任國文系副教授，次年（一九七〇）轉聘國文所講授「廣韻研究」與「古音研究」，同時應聘輔大中文所講授「說文研究」，文化中文所主講「廣韻研究」，一九七一年（三十六歲）起又在輔大中文系講授「聲韻學」等課程，一九七二－一九七四年先後在文化、政大及淡江夜間部講授「聲韻學」等，也爲政大中文所開「古音研究」、輔大中文所開「古韻源流」等，先生在當時已成爲聲韻學名師，他的教學認真，要求作業嚴格，由於能深入淺出，並分析學生學習聲韻的好處，因此，在這些學校上過聲韻學的，都慢慢上軌道，有些人就覺得聲韻學是有條理的學問，而樂於撰寫論文，可以說，由於先生在這麼多學校兼課，讓聲韻研究，無形中變得熱門，可以說改變了中文系研究聲韻的生態，從一九七〇－二〇〇〇年，他在各校指導的碩士論文，已有六十八篇，其中五分之

四爲聲韻學論文，每年平均指導二—三篇。博士論文三十篇，加上近年所指導若干篇，博碩士論文近百十篇。二〇〇一年四月十三日伯元師接受吳聖雄的訪談（載《聲韻學通訊》第十期），就提及國內大學教聲韻學有一半以上是自己的學生，可說伯元師已改變了臺灣聲韻教學的生態，聲韻學會的成立，正是伯元先生一個有心的創獲。伯元師指出：「聲韻學是有條理、有系統而且有趣味的一門科目，我們創立聲韻學會，主要是希望與教聲韻學的同仁們研究，如何讓學生不覺得聲韻學可怕，所以創辦之初叫做『聲韻學教學研討會』，但後來大家覺得既然要成立一個會，不限於教學，其他有關聲韻學相關的問題，都可以納入，因此改名爲『中華民國聲韻學學會』。」接著指出聲韻學會成立以來，達到一個理想就是打破門戶之見。中國向來有所謂學派，例如章、黃學派是傳統的，比較守舊的，從高本漢以來，到趙元任、董同龢先生，他們用新的語言學方法來研究聲韻學，就成了一個新的學派。正好伯元師從自己師承林、高、許三位先生的融會過程中，已找到調和新舊的法門，就是充分討論與溝通，先生說：

> 我把兩派的東西都看了以後，覺得他們之間並不發生衝突，而且如果能夠融會在一起，對聲韻學的理解，更能夠相得益彰。所以我當時成立這個學會，就主張：我們只論是非，不管門戶。這一點，從今天來講，我們「中華民國聲韻學會」已經達到了，大家都沒有什麼門戶之見。當然能夠做到今天這樣的局面，我對丁邦新先生是相當感謝的。因為他能夠捐棄成見，與我攜手合作。

先生能夠登高一呼，把教聲韻學的同行集在一起，具有專業的整合，又因爲指導的學生多，如林炯陽、林慶勳、竺家寧等人，均已在大學任教，並擔任聲韻學課程，因此研討會即可得心應手。回憶起民國八十二—八十四年前三屆的會議，都是一次比一次規模擴大，第三屆由東吳大學中文所主辦，在民七十三年（一九八四）十二月二十二日舉行，丁邦新、楊秀芳二位先生初次與會，丁先生並擔任論文講評人，從這次會議開始，有了比較正式的形式，會後丁先生也入會爲會員。雖然正式的學會要到一九八八年才正式立案。民國七十八年四月在靜宜女子文理學院的第七屆會議才是學會成立後的第一次研討會，如果把前六屆當作本會的籌備期，那麼本會正式籌備了七年，才宣告立案，放眼當時學術社團的發起和成立，都在一兩年內，可見伯元師推動學術社團的計畫之周密，真是「空前絕後」的典範，由於聲韻學會成功的經驗，民國八十二年（一九九三）二月二十七日中國訓詁學學會發起人會議第一次籌備會議，也在伯元師擔任發起人代表順利進行，並且擔任了二屆理事長，其推動學術社團，有目標有策略，使得國內的聲韻、文字、訓詁三個社團整個動了起來，文字學會是一個老社團，重新登記後，也準照聲韻學會的模式，每年開一次研討會，由於先生的高瞻遠矚，隨後他也曾擔任文字學會及經學學會的理事長，帶動學術的發展。這是臺灣傳統語言學研究的煥發期，任何人都會歸因於聲韻學會所帶動的連鎖效應。幕後的推手，正是陳伯元先生。

爲了泯除門戶之見，聲韻學會的第三—四屆理事長林炯陽任滿，第五屆理事長由中央研究院的何大安先生當選，筆者也由何理事長指定爲秘書長，共擔任兩屆後，到第七屆理事長改選，本人亦承理事們的厚愛，接任其後共四年兩屆理事長，二〇〇二年四月十二—十三日由成大中文系和本會合辦「第二十屆全國聲韻學學術研討會」，我們經過將近半年的籌畫，出版了《中華民國聲韻學學會廿週年紀念特刊》（頁二八〇），同時由本會創會理事長演講「中華民國聲韻學會二十年」，對二十年來本會的活動進行全面回顧，並有當代學人專訪及訪本會理監事談經驗的傳承，並舉行本會歷次會議文獻及出版品（聲韻論叢一至十一輯，聲韻通訊一至十一期）的展覽。同時頒贈本會第六位榮譽會員丁邦新先生。這項榮譽到二〇一二年第三十屆，共頒贈了十二人，而第五位陳伯元先生是二〇〇一年頒贈，二〇〇二年頒給第六位丁邦新院士。二〇一二年五月剛好是學會成立三十週年，爲擴大慶祝本會的成果，本年度頒贈了五位榮譽會員，包括日本的平山久雄先生，法國的沙加爾先生，美國的羅杰瑞先生及兩位中研院院士李壬癸先生及鄭錦全先生，羅先生及陳先生不幸于近兩月連傳噩耗。本會若沒有這些學術界的先進長期支持及參與，就不會有今日的繁花盛景，而最需感恩的是創會的發起人陳伯元教授無私無悔的長期奉獻，撫今追昔，不勝感慨欷歔。

四、香江講學，啓動兩岸學術交流的契機

民國六十五年九月，伯元師應聘爲美國喬治城大學中日文系客座教授一年，這是他第一次出國任教。民國七十一年（一九八二），先生四十七歲，四月二十四日召開國內第一次聲韻學教學研討會，在臺師大國文研究所舉行，由伯元師先作專題演講，講題是〈從蘇東坡小學

造詣看他詩學上的表現〉，大家反應熱烈，並就聲韻教學作了一些交流，這就是中華民國聲韻學會的源起契機，是伯元師在學術史上的一塊豐碑。我的博士論文〈上古漢語同源詞研究〉也在伯元師與林景伊師共同指導下完成。由於教育部的口試只能有一位指導教授出席，十一月份口試時因先生在香港任教，便由林景伊先生出席。

同年九月，應香港浸會學院中文系高級講師（英國制）之聘，主講文字學、聲韻學、左傳、尚書等課程。由於香港的特殊環境，伯元師廣交學界及香港知名詩人詞家，時相切磋與唱和，因此詩作甚多，後集結爲《香江煙雨集》。先生自四十歲起，開始圈點王文誥編《蘇文忠公詩編註集成》，完成蘇東坡與陸放翁兩家詩之七律、七絕的分韻類鈔。四十一歲又完成元遺山與黃山谷兩家詩的分韻類鈔。以分韻詩抄作爲讀詩的工夫，這樣的工作持續數年，包括李白、杜甫、李商隱、杜牧、王維等詩作均鈔過了。這是林老師指導他的門徑。次年（一九八三）六月，景伊師病逝，先生經紀其喪，備極勞瘁，有輓詩二十七首。

從此，先生唱和倚聲，往往與港臺文友相激盪，另一方面，先生也揭起了兩岸學術交流的大纛。香港是初期交流的大本營，先生已得地利之便，就應邀參加香港大學舉辦的「章黃學術研討會」，於會上宣讀論文〈蘄春黃季剛先生古音學說是否爲循環論證〉，國內學者應邀出席者多位，如周一田師、龔鵬程及本人等，在會上認識了王寧先生，這是兩岸三地第一次的章黃學會議。次年（一九九〇）六月十一—十二日，在香港浸會學院中文系與左松超主任共同主辦「中國聲韻學國際學術研討會」，兩岸學者歡聚一堂，增進交流，溝通瞭解，也是海峽兩岸學人第一次學術交流，意義至爲重大。七月先生初訪大陸，蒞廣州中山大學，與音韻學家李新魁教授相談甚歡，同年九月伯元師在師大國文所講授「東坡詩專題研究與討論」，同時當選連任聲韻學會理事長。

一九九一年十一月，先生首次率團赴大陸武漢市華中理工大學參加「漢語言學國際研討會」，並與知名漢藏語學者嚴學宭教授相晤，會後也暢遊黃州赤壁，登黃鶴樓、岳陽樓等。

一九九二年八月，先生應北京社科院語言所劉堅所長之邀，座談「兩岸語言學研究之發展」，臺灣學者尚有董忠司、李添富、本人及香港黃坤堯，日本瀨戶口律子教授等。同年八月，赴山東威海市參加「中國音韻學會第七次年會暨國際學術研討會」，國內出席的有林炯陽、竺家寧、姚榮松、孔仲溫、李添富等人，這是由林炯陽理事長率團與中國音韻學會做爲全方位的兩會交流，兩岸音韻研究交流日益密切。

一九九三年三月，先生當選中國文字學會常務理事，五月赴武漢參加「中國海峽兩岸黃侃學術研討會」，發表〈黃季剛先生及其古音學〉一文，並赴蘄春謁季剛先生墓，參加黃侃紀念館破土典禮，初識季剛先生哲嗣黃念寧、黃念華二君。由於先生爲黃門弟子林尹、高明、潘重規三先生的嫡傳，兩岸章黃學的研討，先生均爲主要學術代表，近二十年來，章黃學術的研究成果不斷被擴大，先生實功不可沒。正因爲先生以聲韻文字訓詁名家，均能發揚章黃遺緒，以弘揚師道自任，既已獨當一面，允爲一代宗師，因此，身受兩岸學者尊崇。

然而也正因此，受到部份挾西學自重的學者所誤解，尤其大陸近二十年來，學術環境變化甚快，新舊學術雜陳，有些人仍不樂見傳統語言文字學復活，刻意曲解章黃學派的現代意義，因此引發二〇〇一年十二月八日梅祖麟院士在〈有中國特色的漢語歷史音韻學〉演講中，批評王了一的古音研究與同源詞研究以及對段王章黃學術的質疑，並點名批判同行，伯元先生也受盛名之累，因而引發包括北大王門及臺灣章黃學者之反擊，其中郭錫良及陳伯元二老反應最為激烈，咸撰文批駁，一時學界譁然。伯元師在臺師大召開「什麼是有特色的漢語歷史音韻學」研討會，大陸學者亦掀起一陣批評熱潮，伯元師撰〈梅祖麟《有中國特色的漢語歷史音韻學》講辭質疑〉（二〇〇〇年分別刊登於香港《語文建設通訊》及華中科技大學《語言研究》第十期）。旅美學者薛鳳生、大陸學者郭錫良、魯國堯、唐作藩、王寧、黃易青、孫玉文、耿振生、華學誠等都有專文，這些文章連同臺北研討會中曾榮汾、林慶勳、潘柏年、何昆益等四篇均收入商務二〇〇九年《音韻學方法討論集》之中，作了歷史的見證，也為漢語音韻學史留下珍貴之史料，伯元先生的師道精神，更獲得同門的讚佩。至其大是大非，也將留諸今後學術史家之公斷。

個人認為，大凡學術事件有許多內緣與外因，而學術的進展也非由絕對的語言科學論所支配，立足於西方學術生機論的主從邏輯，至少不能解釋中國語言研究的現狀與未來，有生之年，我們應該追蹤這個問題，直至水落石出，以告先生在天之靈。

（本文轉載自《國文天地》第二十八卷第四期）

伯元師的《詩經》學說

輔仁大學中國文學系教授 李添富

一、前 言

就《詩經》這一部大家都很熟悉的經典而言，想要有比別人更進一步的認識、創見與發明，說實在的，並不是一件容易的事。能夠全方位考量所有問題，並做科際整合形式研究，提出與一般學者不盡相同，而且顛撲不破的的見解，更是困難。伯元師的《詩經》學理論與說解，恰巧就具有備了這些特色。

在師大博士班就讀的時候，很幸運的跟到了老師以「中國文字綜合研究」爲名的「詩經研究」課程。不過也很「失望」於聽了一年，老師卻還沒能夠把〈周南〉講完。知道了我的疑慮之後，老師安慰我說：「明年我會講快一些，應該用不了十年，差不多你寫完論文，我大概也講完了。」然而，儘管老師不重複講解〈周南〉，這一年的速度好像也加快了一些，但是，我們的書本卻還只是翻到〈召南〉而已。

那一年，以〈詩序〉爲研究主題的王金淩老師應伯元師之邀，到課堂上來和我們分享他的研究成果，原來他只準備講兩小時，結果卻來了好幾個兩小時，最後他說：「我終於見識到傳說中所謂的由小學通經學，原來就是這個樣子的。」其實伯元師的《詩經》學，並沒有什麼特殊之處，只是他善用語言文字的基本工夫，作精審而細密的考察與分析，所以能夠匡謬正俗，發人所未發而已。

二、伯元師的詩經學說

伯元師在《詩經》研究方面的專著，並沒有很多，比較爲人熟知的大概有：

1. 高本漢之詩經韻讀及其擬音
2. 從詩經的合韻現象看諸家擬音的得失
3. 古音學與詩經
4. 詩經的憂患意識進一解
5. 論詩經中的楊柳意象
6. 毛詩韻譜、通韻譜、合韻譜
7. 詩序存廢議

其中〈高本漢之詩經韻讀及其擬音〉、〈從詩經的合韻現象看諸家擬音的得失〉、〈毛詩韻譜、通韻譜、合韻譜〉比較傾向屬於聲韻學研究的範疇；〈古音學與詩經〉則偏重於篇章結構與句讀問題，其他幾篇談的則是經義的問題。

伯元師總認爲《詩經》不是一部完全獨立的典籍，研讀《詩經》的時候，如果不能參照《尙書》、《左傳》的載記，只是純然依照經文作解的話，《詩經》便將淪爲與一般只知風花雪月、無病呻吟的民間歌本沒什麼不同。孔子所謂：「詩，可以興，可以觀，可以群，可以怨。」的說法，都將失去理據；〈經解〉的「溫柔敦厚」也將成爲空談；〈詩序〉的微言大義，更將成爲腐儒的穿鑿與附會。孔子拿《詩經》當作教化生民百姓的材料，不只沒有辦法達到他的經世濟民大志，甚至還將成爲笑話一樁呢。

譬如說，在〈論詩經中的楊柳意象〉一文中，伯元師不同意於鍾玲女士「這首詩用女性的口吻，婉拒他魯莽大膽的男友『仲子』。這位男友會魯莽到爬牆入來會他，把園中的樹都折斷，因此折斷園中樹的意象，暗示男子不顧一切干犯禮法的態度，而且，如果設想他真的闖進來，不僅只會傷害樹木，也會傷害到女子的名譽。因此庭院中柔脆的樹木，也多少象徵了女子的清白。」的說法。伯元師說，如果真的完全不考慮詩序的講法，純就字面而言，這首詩所呈現的應該是一個女子對於愛情的嚮往與憂慮被人察覺的內心掙扎。因爲里—牆—園、杞—桑—檀是距離越來越近的描述；父母—諸兄—（鄰）人則是關係越來越疏遠的表述。心儀的男子離家越來越近，關切的人關係卻越來越疏遠，兩相對照之下，當時的社會制度、兩性平等等狀況如何，很容易的便可以比對出來。而且，如果按照鍾文的說法，杞柳象徵少女，仲子不顧禮法，欲施強暴，女子竟然還說仲可懷也，那就表示這個少女喜歡強暴，恐怕也有未宜。因此，伯元師引用胡承珙《毛詩後箋》「傳於木必兼言其形性者，自以取興所在，故箋申之云：無折我樹杞，喻言無傷害我兄弟也。然則所謂桑與檀者，蓋皆以喻段可知，桑以喻段之得眾，所謂厚將得眾也；檀以喻段之恃彊，所謂多行不義也。」認爲詩中的杞、桑、檀不是象徵少女，而是隱喻大叔段、莊公的弟弟。從這些論述，我們可以很清楚的看到，伯元師不僅運用了訓詁考據的工夫，更是取之以與《左傳》相參照，使得這一首詩從本來被誣陷爲淫詩到女性清白的象徵，然後變成一首諷刺兄不兄、弟不弟；君不君、臣不臣；母不母、子不子的的教忠教孝詩歌。就古代儒者以《詩經》作爲教化材料的角度而言，伯元師的說解應該是較爲合理可信的。

另外，像〈豳風・鴟鴞〉，如果只從字面作解，當然屬於禽言詩，記述一隻已經盡了力的母雀鳥向猛禽求饒告恕的過程罷了，但如果只是如此，那麼孔子要透過這首詩教導學生的是什麼？恐怕又將是個永遠不能求得正解的課題。但是，如我們知道《尚書・金縢》有「周公居東二年，則罪人斯得。於後公乃爲詩以遺王，名之曰鴟鴞，王亦未敢誚公。」這麼一段故事的話，將〈鴟鴞〉這一篇與《尚書》配合著看，思考的角度與說解，就非得要有所不同不可了。甚且，由於我們能配合著《尚書》讀《詩》，緊接〈鴟鴞〉之後的〈東山〉、〈破斧〉、〈伐柯〉、〈九罭〉以及〈狼跋〉等詩篇的意旨，不但豁然明朗起來，《詩經》前後篇章意旨聯貫、以及三篇連奏的音樂性質，也都自然而然的呈現出來。至於《詩經》與其他典籍的關係，隨手翻檢一下四書，便可了然。

讀聖賢書，所學何事？一直都是讀書人謹記在心的重要課題。但如果只是從書上讀到、記取一些彰灼顯明的事例，想必是不夠的。如何隨時隨地發掘前人未能直截顯言的義理，如何從大家都耳熟能詳的事例或典故中，求得重要卻每爲人所忽略的道理，更非具有寬廣的眼界與敏銳的觀察能力不可。王師熙元在〈詩經的憂患意識〉一文中，除了要我們瞭解什麼叫作憂患意識、要我們體驗《詩經》時代的憂患意識，更要我們記取「生於憂患，死於安樂。」的教訓，常懷「孤臣孽子」的心志，在憂患中成長、奮鬥、自立與復興。伯元師除了盛讚之外，更提出如何體會詩中憂患意識。他認爲體會憂患意識的關鍵，就在於是否能夠掌握〈詩序〉的意旨了。

自從《朱子語類》提出「〈詩序〉實不足信，向見鄭漁仲有《詩辨妄》，力詆〈詩序〉，其間言語太甚，以爲皆是村野人所妄作，始亦疑之；後來仔細看一兩篇，因質之《史記》、《國語》，然後知詩序之果不足信。」以來，影響頗爲深遠。直至今日，大多學者仍然不信〈詩序〉，解詩不以序，只從詩篇文辭猜測，甚至但以己見爲說。伯元師從《漢書・王式傳》裡，王式以三百五篇爲諫書，教導昌邑王忠臣孝子之道，避免成爲危亡失道之君，最後雖然失敗，卻也因而減死罪的故事，體會到〈詩序〉的意義與重要。更從〈詩序〉的「上以風化下，下以風刺上，主文而譎諫，言之者無罪，聞之者足以戒。」將憂患意識分爲在下位的人提醒在上位的人自省，以及在上位的人教導在下位的人明白憂患之所在兩種；但不管它是哪一種，都是「主文而譎諫」，不是直截了當的明白指斥，而是必須經過一番思索之後，才能求得的。

因此，〈詩序〉的性質以及存廢的問題，便成爲《詩經》研究的重要課題。在當今這個崇尚以文學眼光尋繹白文探尋詩人本旨的時代裡，廢除〈詩序〉的聲浪，想當然爾是聲勢浩大而且不絕於耳的。伯元師的〈詩序存廢議〉便成爲具有力挽狂瀾的正本清源著作。伯元師除了呼應呂思勉先生「近人好執其所謂文學眼光尋繹白文，謂得詩人本意，此則又將與朱子之作《集傳》，王柏之作《詩疑》等。夫自今人言之，則據文學以言《詩》，固爲天經地義矣。然在朱子、王柏當日，據其所謂義理者以言《詩》，又何嘗非天經地義乎？」之外，更明確的指出讀《詩》不可固執一說，因爲所謂的「詩意」，究竟是指作者之意？采者之意？纂者之意？序者之意？抑或說者、用者之意？觀察角度不同、驗證方法不同、施用時代不同、主觀認定不同都將造成「詩意」不同。運用所謂現代文學直接觀察所得到的，充其量只不過是諸多不同說解中的一項而已。因此，伯元師以爲：「《詩》之作意，本不易求，則《毛詩序》所云詩爲某人所作，爲何事而作，其可信度如何，且先不論，吾人所宜注意者，則《毛詩序》之作者，何故如此說詩？於詩之訓解，有無道理？此種說法，有無價值？若有價值，而有道理，則讀詩之人，固不宜一味排斥毛序，故吾人於《毛詩序》，不必以作詩之事實真象而要求它，可以用道德上求善之眼光以衡量之。觀察其是否真有價值。」最後，更是引〈六月•序〉：「六月，宣王北伐也。鹿鳴廢，則和樂缺矣；四牡廢，則君臣缺矣；皇皇者華廢，則忠信缺矣；……魚麗廢，則法度缺矣；南陔廢，則孝友缺矣；白華廢，則廉恥缺矣；華黍廢，則蓄積缺矣；

由庚廢，則陰陽失其道理矣；南有嘉魚廢，則賢者不安，下不得其所矣；崇丘廢，則萬物不遂矣；南山有台廢，則國之基隊矣；由儀廢，則萬物失其道理矣；蓼蕭廢，則恩澤乖矣；湛露廢，則萬國離矣；彤弓廢，則諸夏衰矣；菁菁者莪廢，則無禮儀矣；小雅盡廢，則四夷交侵，中國危矣。」一語重心長的說：

> 只是《小雅》廢，即有如此大之危險，若三百篇盡廢，豈非得亡國滅種乎！今世之人，以文學眼光研究《詩經》見此種見解，固然會笑破肚皮，但在漢代經師，確是十分認真，毫不苟且。一言以蔽之，漢儒觀點，即「義理廢，則國亡矣。」今日人民追求現代化，以利為利，甚至見利忘義，若如此發展下去，將來我國，究竟是何等樣之國家，有無自己立國之風格，在今日重讀《詩經》，實在是值得全體國人仔細深思之問題。然則《詩序》之存廢，(是否)值得重新考量。最少，保存《詩序》以說詩，並無任何壞影響，廢除《詩序》以說詩，人各自為說，淫詩淫聲，充滿篇章，非特無好影響，卻可為荒淫社會找尋藉口，使得掃黃掃之不盡矣。

意旨深遠的肺腑之言，不只是伯元師對現代社會的鍼砭，更是一個熟讀《詩經》數十年的老學對不能精實研讀典籍，卻又好發謬論的年青學者所作忠實而又懇切的勸誡與指導。

在〈古音學與詩經〉中，伯元師認爲古音知識在研讀《詩經》的過程中，扮演著相當重要的角色，而這也是現代學者所不以爲然的。由於古書沒有標點，文學史上又將《詩經》歸類於四言詩，於是造成人們不分青紅皂白的反正就是四個字一句、四個字一句的讀，但卻常常出現多了一兩個字或少了一兩個字的現象。其實這就是不能明白於《詩經》雖以四言為主，實際上他的句子卻是從一個字到九個字的都有，不能通曉古音，不能正確辨識《詩經》的句讀，一路四個字一句的大帥點兵下去，當然是不行的。

不能精確無誤的辨斷字句，當然也就不可能求得正解；不能曉悟古今語音的變遷，不能對應品物因古今音讀變遷而來的謂稱，當然也是無法真正了解經義的。譬如〈秦風・終南〉的「有紀有堂」，懂得古音並知道上下文對照的人都知道那是「有杞有棠」的假借；〈毛傳〉卻說：「紀，基也；堂，畢道平如堂也。」不但使人看不懂，更不知道要怎麼繼續說下去。另外，不識古音，就不能確識《詩經》的韻例，更是無疑的，懂得古音，不只可以精確的掌握韻例，還有助於句讀的釐清呢。最後伯元師認為不識古音，不能體悟《詩經》的興體，更是他《詩經》學說極為重要的一環。

詩六義的說法，歷來學者主張不同，大抵以風、雅、頌為詩的性質，賦、比、興是詩的作法。伯元師讓南從風中獨立出來，認為南是鈴的假借，南、風、雅、頌指的是樂器、腔調或音律，換言之，南、風、雅、頌指的是詩歌的樂律或音樂性質。至於賦、比、興則比較接近於情感的表達方式。伯元師以為賦是情感的直接形象，比、興則是情感的間接形象。一樣都是情感間接形象的比、興之不同，則在於比的情感是經過理智的反省而來的；興的情感則是直接由外在的事物所觸發引起的。於是各種不同類型的情感、各種不同形式的產生方式再加上配以各種不同性質的音樂，就讓這三百零五首詩，產生變化多端的情感與色彩，造成沒有達詁的說解。每當談到這個問題，伯元師總是淡淡的說：只要能夠掌握脈絡，辨清音讀、了解序意並配合《左傳》、《尚書》等典籍，不管哪一首詩的意旨，都可以求之而得的。

三、尾聲

在我擔任《詩經》課程五、六年之後，伯元師突然問我會不會有已經考慮這麼多了，卻還不能盡如己意的講解一首看起來並不起眼的小詩，甚至有時還會有那麼一絲絲不紮實的感覺呢？我不假思索的說會，沒想到伯元師竟然說他也如此。不過他馬上接著說，這應該就是古人所謂學然後知不足，教然後知困的道理吧。我想，這應該更是伯元師善體人意的鼓勵與自謙的長者風範吧。

（本文轉載自《國文天地》第二十八卷第四期）

芳草天涯吟寫遍——陳新雄教授詩詞展讀

香港中文大學中國語言及文學系教授　黃坤堯

伯元師陳新雄教授固以語言之學聲韻訓詁名家，而詩名亦貫天下，雄據兩岸三地，領導華府吟壇。先生早慧，才識兼賅，性情鯁直，氣韻豪健，復以鍥而不捨之精神，矢志向學，興趣多方，書法端正，電腦輸入，無堅不摧，皆臻上乘，故成就特大，著述等身。民國以來，章黃學術兼治語言詞章，結合義理考據，各具擅場，最爲顯赫；而尊師重道，忠義樸厚，嚴辨正邪，承先啓後之精神，則尤爲世所稱道也。伯元夫子既得傳景伊林尹教授之學，情同父子，復以所學傳授天下之欲向學者，一脈相承，發揚光大，允稱一代宗師，裁成學子，不計其數，傳道授業，振弊起衰，亦有所成，甚至獨當一面矣！先生既集當代語言文字之大成，而詩詞之作淋漓盡美，抒情言志，尤爲出色。

伯元師幼讀蒙學諸書，琅琅上口，穩植根基。中學讀《千家詩》，早已辨識平仄格律，亦有所作。民國四十四（一九九五）年建中畢業時雖獲保送台中農學院，惟以志趣不合，毅然通過大專聯考，入讀師大，得以親炙名師，飫聞讜論，宗經徵聖，更悟微言，除翻檢《廣韻》、《說文》之外，復承師訓誦讀《昭明文選》、《十八家詩鈔》，調節心神，文質彬彬，漪歟盛矣！其後雖以古音學名家，而所得於文學之滋養亦厚，語文音義相協以行，尤沛然不可御也。伯元師展示特有之學詩歷程，入門甚正，刻苦耐勞，亦足為諸生示範，積學有得，不徒是逞才之作。

伯元師詩詞著作亦多，先後出版《香江煙雨集》（一九八五）、《伯元倚聲・和蘇樂府》（一九九九）、《伯元吟草》（二〇〇〇）、《伯元新樂府》（二〇一〇）四種。其後《香江煙雨集》分拆詩稿編入《伯元吟草》第六、七卷之中，蓋依編年排序也。而早期詞作則編於《伯元倚聲・和蘇樂府》卷四附錄，合為一帙，更為完備。先生撰詩，除少作不計外，始於民國六十四年（一九七五）四月〈恭悼總統蔣公〉一詩，四月二十二日即首刊於《大華晚報・瀛海同聲》詩頁，復收錄於《先總統蔣公哀思錄》中，而詩集亦以此首為肇端也。惟此詩前後兩首，用韻尤、先不同。原詩云：

> 廣布仁恩數十秋。祥輝長耀孰能侔。方期旌旆收京早，忽有元戎棄世憂。萬姓悽如亡考妣，一心誓欲翦讎仇。願將無盡傾河淚，滌淨妖氛復九州。（《伯元吟草》，頁一三六）

當年伯元師以一週時間寫成此詩，自認為生平第一佳詩，並持此求正於景伊教授，惟所得回應甚為冷淡，而林公僅云：「欲將詩作好，宜多讀蘇東坡詩。」（參〈伯元吟草自序〉，頁二〇）於是伯元師退而讀蘇詩律絕，手寫快覽，心領神會，啓發漸多。今載於詩集者殆屬改作，並換爲先韻，詩云：

廣布仁恩五十年。祥輝長耀史無前。方期旌旆麾京洛，忽震霆雷動地天。萬姓悲同亡考妣，齊心誓必復幽燕。願將今日如川淚，滌淨妖塵慰九泉。（《伯元吟草》，頁一一二）

前者表現直露，直抒所見所感，後者則多屬文字潤飾，意義差別不大，文字真切，讀者易於明白。惟由此亦足以見伯元師胸懷坦蕩，明示個人之爲學歷程，不假虛飾，真氣所在，一直貫徹終身，尤爲感動。同時繼作者〈恭悼旨雲師〉「篤學直堪追服杜，宗師真可紹朱程」、〈贈殿魁巴黎〉「花都擫笛聲名遠，石窟窮經歲月悠」、〈華崗侍宴景伊石禪仲華三師〉「道統當傳世，雙肩責任隆」、〈去秋師橘堂贈我有詩次原韻答之〉「最喜遠山眉黛綠，還慚修竹節空虛」、〈邀履安兄夜飲賦呈〉「直欲同歡同聚散，何須自苦自浮沈」、〈顏生崑陽贈我有詩次韻答之〉「海闊固能容眾水，氣豪猶欲擊塵氛」、〈贈文彬〉「莫因細故生塵網，攜手還須結伴遊」諸詩，所寄程發軔、李殿魁、林尹、潘重規、高明、張夢機、汪中、顏崑陽、張文彬等，或爲師大教授，或爲當代詩家，刻劃細緻，推心置腹，雖屬酬唱贈答之作，而起步亦高。其他〈贈詠琍〉「無邊煩惱盤心曲，午夜思量意自傷」、〈結婚十二週年感賦二首贈詠琍〉「愛情奇妙共誰知，愛到深時竟自癡」、〈剪報寄詠琍〉「長天明月千秋好，此夜分明影又單」等，則爲思妻之作。又〈蘄兒九歲生日詠琍忘懷蘄兒去信因題絕句一首〉云：「寄上癡兒一片心，娘親應識此情深。晴雲無定飛何處，惟有三更夢裏尋。」當時妻子赴美求學，詩中刻劃伉儷情深，癡兒尋夢，用語淺白，亦見動人。其他〈勉諸生〉「藻麗即須明韻律，懷舒應可納乾坤」、〈昨夜夢回贛州醒來感賦一律〉「五峰高聳崆峒出，二水中分章貢流」、〈四十述懷〉「絕學自當垂永世，傳薪應許有嗣音」、〈去歲十一月十三日余臥病住院醫誤診爲癌大驚一場壯志全消光陰荏苒倏忽經年感賦二律以紀之〉「荆妻萬里悠悠隔，稚子三人黯黯憐」等，以言志紀實爲主，題材廣泛，洋溢生活氣息，而伯元詩風平易動人，懷抱甚大，亦得以漸次確立矣！

民國六十七年（一九七八），伯元師嘗與師大同人及臺北吟壇共組停雲社，兼寫古體今體，起蔽振衰，發揚臺灣詩學。〈伯元吟草自序〉云：「停雲思舊，溯自戊午，雨盦主社，戎庵輔之，夢機總綰，余司監察，光陰荏苒，瞬滿廿載，而思舊聚會，創作無間。」又云：「停雲結社，月試一課，古近體詩，皆須練習。余未入社前，未寫古風，自入社後，月試一課，古風近體，兩不可缺，二十年來，未嘗間斷，其鍛鍊之功，功效至顯。」可見汪中、羅尙、張夢機、陳新雄四家乃停雲社之精神骨幹，領袖一代，可惜俱成過往矣！汪中教授〈伯元吟草序〉云：「吾友陳子伯元，江西人也。舊學堅實，有乾嘉遺老之風，講聲音訓詁之學於上庠，辨析精微，人皆辟易。中歲復轉而好文學，客寓香江，篤愛《東坡樂府》，逐調次韻，而一兩年間盡和三百諸闋，非等閒人所敢爲也。伯元與余交久，又皆好飲，酒酣耳熱，意氣開張，見有不平，輒爲髮指，下筆乙乙，鞭擘入裏。詩詠性情，伯元性情中人，余亦荒誕，伯元獨能容我。醉鄉爲寂寞無何有之鄉，踽踽獨行，心常樂之，伯元與我皆能徜徉於是。……是真不媿爲西江一脈。」寄情於詩酒之間，交接於荒誕之世，醉鄉寂寞之人，自亦惺惺相惜矣！

民國七十一年（一九八二），伯元師應香港浸會學院之聘，來港任教一年，會親訪友，因得以遍交香海詩人，唱和倍增，詩思勃發，編為《香江煙雨集》一書，由臺北學海出版。何敬群、汪中、張夢機諸先生撰序。何序以發揚江西詩風相許，「君詩即景生情，遊方之外；遺形寫意，筆墨淋漓。而香江山海樓臺，四時成歲之地，則正在煙雨迷離之中。」汪序稱「師友之誼，展卷慨然，而栖栖海角，又不勝神州陸沈之戚矣。」（《伯元吟草》，頁五四四－五四五）蓋當時臺灣公教人員不能前赴大陸，輾轉尋親，香江聚首。集中有〈與舍妹闊別三十年，近傳訊息，仍在世間，感賦二律以紀之〉云：

卅年生死兩茫茫。每念親情欲斷腸。海外來音傳遠訊，夜間求夢到高堂。鴒原急難思無盡，白日看雲意豈忘。陟彼屺岡悲不已，久勞瞻望淚浪浪。

兒時百態記猶新。手足情深分外親。弔影昔傷淪火宅，尋根今欲覓天倫。卅年悲苦艱難甚，萬里迂迴信息臻。何日重逢勞遠夢，臨風懷想淚橫陳。（《伯元吟草》，頁一七八）

兩岸隔絕，音問不通，迂迴得信，一往情深。張夢機序更以真詩許之，因云：「字字出於胸臆，絕無浮夸虛飾之弊，然則此非真詩而何？」（《伯元吟草》，頁五四九）

伯元師性情中人，胸懷磊落；但昏昏俗世，難以苟合，是非愈明，痛苦愈甚。其〈初謁涂丈公遂於香江蒙賜大著《浮海集》莊讀之餘賦呈長句〉詩云：「蒼松翠柏堅貞節，勃鬱盤根自不群。」（《伯元吟草》，頁二六二）題贈之作，亦所以抒志節也。

伯元師《香江煙雨集》深於人情，尤以師生之誼，全始全終，彌足感人。集中首唱即為

〈赴港講學上景伊師三首〉，其一云：

鵬翼摶扶南海去，追維訓誨實難忘。尋今能得逍遙樂，緣昔曾叨雨露光。白雪雖教春事晚，貞松益勵歲寒蒼。心香一瓣無窮意，永念師恩日月長。（《伯元吟草》題作〈擬應聘赴港執教上景伊師〉，頁二三六）

情辭懇切，不假修飾，一切成就，端賴師恩培育。伯元師以身示教，足為天下典式。〈恭壽景伊師七秩晉三〉有句云：「地隔臺灣勞北望，潮連香港暫南耽。葵心向日仍如昔，媿未堂前伴酒酣。」呼息一氣，神明相感，師生之情有甚於骨肉者，信然。林尹教授仙逝，伯元師有〈恭挽景伊師〉二十七首，蓋合從遊二十七年之數。「愁覘藥飲發悲哦。劇痛恩師受折磨。兩眼相看知有意，可憐無語淚如波。」（《伯元吟草》，頁二五四、二七八）以拙辭寫探病，蒼天無語，痛徹心脾。

伯元師《香江煙雨集》多寫香江麗景，如勒馬洲、萬佛寺、黃大仙廟、道風山、調景嶺、新娘潭、大嶼山、宋皇臺、太平山、長洲、蟠龍半島及遠至澳門等，均有紀遊之作。其〈香港黃大仙廟〉云：

相傳三教共祥煙。靈異真人降九天。巍廟區分儒道釋，信徒競拜佛神仙。求籤匍匐民相湧，博彩貪婪慾莫填。富貴浮雲如孔聖，門庭冷落固當然。（《伯元吟草》，頁二六三）

此詩善寫風土民情，前四句實景，純是眼前所見；頸聯求籤與博彩相連，顯出難以言喻之蒙昧與關心。末聯筆鋒又轉，諷刺孔子門庭冷落，與世不侔，同時亦有強烈自嘲意味。其他寫所住沙田第一城之暴雨亦見傳神。

伯元師詩中多寫香江學界人物，例如何敬群、汪經昌、陳耀南、涂公遂、蘇文擢、曾錦漳、羅思美、楊昆岡、何文華等，其中尤以跟韋金滿唱和及聯句最多，亦足見一時之樂。〈歲暮有懷曾主任幼川〉四首之三云：

> 一樽曾與子同攜。到府令郎笑語低。問我別來何最憶，君家風味臘腸雞。（《伯元吟草》，頁二八五）

以口語入詩，臘腸雞溢出飯香，充滿生活氣息，十分親切。此與早年得句「最是關心唯一事，與君持酒剝花生」（〈與夢機伉儷夜泛碧潭夢機有詩因循未答近多感觸遂次原韻〉，《伯元吟草》，頁一一四）同一機杼，充滿生趣。惟第二句「郎」字犯孤平欠妥，大抵一時興起，格律稍疏所致。伯元師嘗評「夢機此詩『陶』字失韻，經徵得同意可改二字以代之」，蓋指以「陶」叶「遙」、「潮」、「霄」之誤。（《伯元吟草》，頁一三二、頁一三三）固亦出於直言也。至於改正與否，實亦無傷大雅，前輩作品固未必可以言非，而後生所作則自以篤正務實爲要。

九〇年代以後，兩岸開放，往還方便，伯元師遍交海內外詩人，諷吟朗誦，佳作迭出，隨心所欲，境象恢宏。復以臺灣自由選舉，政權開放，傳媒消息，鉅細靡遺，兩黨競爭之局已成，選舉輪替之勢互見，而伯元師憫時傷亂，形諸吟詠，則尤爲逼切動人者也，故議政之作尤多，直抒胸臆，慷慨浩歌。華仲麐教授〈伯元吟草序〉舉出「春城桃李三杯釅，故國情懷一笑同」、「看來在劫如南宋，直諫之言久已空」、「元成世代推心腹，炎漢朝廷變莽新」（〈讀王莽傳〉）諸句，意謂寄慨遙深，則是難中求易之境。「作詩奮進到此，則意到筆隨，揮灑自如，所謂有必達之意，無難顯之情矣。」（〈伯元吟草自序〉，頁二七）案華教授嘗轉引梁啓超之說詩也，認爲詩之進境有五等級，初級易，以其不通格律，不識氣勢，率意爲之，故易也；二級既通韻律，必遵行之，固難；三級讀書功深，突破困難，自然輕易得之；四級至五級無難易，蓋已歷盡難艱，揮灑自如，情意所至，文亦隨之。故「拭目忍死以觀伯元之榮登五級」，而期望亦高矣！（《伯元吟草》，頁七）例如〈蘄春謁黃季剛先生墓放歌〉云：「乙亥當年君棄養，我生似爲傳芳標。今當黽勉勵初志，師說到處隨風飄。蘄春瑞安到古虔，音韻絕學傳揚當令不損一毫毛。」又〈六十初度〉末云：「栽蘭育蕙盈庭綠，述學論文積紙深。自度毋須愁覆瓿，生徒相繼有知音。」〈贈孔生仲溫〉云：「兒女所承爲骨血，生徒相繼乃精神。先賢學術誰堪續，後世青藍孰代新。」〈喜昭明榮獲文學博士詩以勉之〉云：「兒女所傳惟骨肉，生徒相繼乃精神。鏗然曳杖聲聲響，謀道從來不計身。」〈哭烱陽弟〉云：「本期蘇子傳歐志，卻繼章公哭季音。三顧醫坊情不盡，無言惟有淚淋淋。」（《伯元吟草》頁四二七、頁四二二、頁三二八、頁四五三、頁五一六），國學傳承，念茲在茲，出之以至情至性之語，死而無悔，蓋亦深具自信也。乙亥（一九三五）即黃侃之卒年，亦伯元師之生年，此何其巧合耶？三代相傳，非但謹守勿失，固亦開枝散葉矣，壯哉！

伯元師詞作起步略晚，作品亦少，民國七十一年僅見〈西江月〉、〈憶江南〉二闋。來港後與韋金滿相約塡詞，月課一闋，其見諸《香江煙雨集》者，亦僅得十一闋，另聯句二闋而已。民國七十七年（一九八八）二度來港，復應香港浸會學院之聘，膺任首席講師二年，講授聲韻及東坡詩詞，爲鼓勵諸生習作，因有遍和《東坡樂府》之議，並邀余同作，相互切磋砥礪。伯元師云：「吾未嘗刻意摹仿蘇詞也，東坡天才絕倫，曠代無匹，摹擬天才，徒顯拙劣，不幸而落效顰刻鵠之誚，吾不爲也。若夫聲應氣求，不自覺而偶然相似，容或有之，君不見蘇門賓客，所謂四學士者，皆東坡耳鬢廝磨之文侶也，其尤著名者，如秦少游、黃山谷諸子，然皆別開生面，自啓戶牖，在東坡所開拓之領域中，自成一家，而未嘗刻意學蘇也。不然，又安得有蘇黃比肩之美稱哉！」（參華仲麐〈伯元倚聲．和蘇樂府序〉，頁五）所謂和詞，其實僅屬借韻而已，絕非擬古之作，意在書寫今事，抒發今情，自鑄面貌，雖或有聲氣相通之處，則偶然深受影響，避無可避，順其自然，更不必刻意求避，此亦學習之體驗也。《伯元倚聲．和蘇樂府》一書歷時十年，至民國八十八年（一九九九）歲暮，始能完稿出版。早期多寫臺港兩地之生活及交遊。九十年代以後歷遊大陸各地，參加研討會，講學訪友，河山錦繡，更壯吟魂。東坡一生遊走於神州大地之中，南北飄泊，而伯元師遍訪東坡行跡，亦步亦趨，則尤爲斯集增色也。而坤堯隨侍左右，生平快意，所得亦多，《清懷詞稿．和蘇樂府》同年附驥尾出版，因緣巧合，實亦吾師所賜也。伯元師〈行香子〉「與善馨坤堯遊船灣潭用東坡一葉舟輕韻」云：

腳步飛輕。宿鳥群驚。登高望遠水波平。潭如古鏡，隄臥長汀。見船灣闊，新娘媚，八仙明。　重巒現瀑，怪石為屏。在香江也算嚴陵。拋開萬事，忘卻虛名。得友中歡，

心中樂，眼中青。（《伯元倚聲・和蘇樂府》，頁五六）

船灣乃香港第二大淡水湖，乃攔截海域而成人工湖，淹沒若干村落，貯備食水。附近八仙嶺、新娘潭等，山明水秀，洗脫凡塵，堪稱香港之後花園也。當日驅車往返，欣賞郊外景色，怡然自樂，各有會心。又〈南鄉子〉「與世旭松超坤堯夜飲金福樓用東坡晚景落瓊杯韻」云：

香海夜銜杯。卻是匆匆聚作堆。勝友三人同敘舊，重來。共酌金樽瀉白醅。酷暑上樓臺。歎道心煩汗滿腮。世事如今紛走馬，遲迴。懷抱何時得好開。（《伯元倚聲・和蘇樂府》，頁六二）

當日許世旭由韓國來港，首句即有匆匆埋堆組合之意，勝友同聚，議論縱橫，六四之後，消煩解暑，而意興亦高也。

民國八十六年（一九九七），伯元師承廬山第九屆語言學會之便，初返贛州陽埠，探親訪舊，首赴王母渡細妹家中，又訪省贛中、通天巖、鬱孤臺、八境臺等，姚榮松、林麗月、黃坤堯、王穗蘭陪侍左右，伯元師以詞紀行。〈蝶戀花〉「鬱孤臺用東坡雨霰疏疏經潑火韻」云：

臺號鬱孤歸劫火。幾度淪亡，今日臺前過。章貢合流巖石破。贛江千里無容涴。　辛曲蘇詞誰可挫。千載悠悠，渾若當年箇。上下樓臺還獨坐。浮空積翠重江鎖。（《伯元倚聲・和蘇樂府》，頁二九一）

伯元師出生於鬱孤臺下，六十年後重來舊地，不辭辛苦，上下樓臺，獨坐遠眺，浮空積翠，加以蘇辛舊蹟，章貢合流，二水分別源出於閩粵山區，浩浩奔流，乃匯爲贛江，浮船駕橋，風光壯麗，千古江山，文化情懷，思前想後，感慨必多，端在讀者之善會也。

伯元師和蘇完稿之後，復有和歐之議，其後刊爲《伯元新樂府》者，適亦十年之後矣！集中多屬退休後之作，林泉歲月，聚天倫於華府，鴻雁往還，復講論於師大，更以神州遨遊，名滿天下，七十而從心所欲不踰矩者，信然。〈漁家傲〉「駕車縱遊蒙哥馬利郡荒野用歐公三月清明天婉娩韻」云：

蒙郡寒郊清婉娩。驅車漫歎花開晚。乘興來遊離俗遠。情不倦。人生誰願終庭院。　芳草天涯吟寫遍。滿園駿馬形疏散。馳騁無端何可勸。徒眷戀。爭如我輩無牽絆。（《伯元新樂府》，頁七四）

驅車奔馳，離塵脫俗，解除牽絆，得大自在。此詞形神蕭散，不著痕跡，無心爲詞，乃有如是之妙，而伯元詞之進境愈不可方測矣！

近年伯元師詩詞寫作不斷，多於網上發表，或亦刊於《中華詩學月刊》、華府詩友社《嘗試集》等，群弟子亦多唱和之什，珠玉紛投，尤爲熱鬧。新作如〈中華民國一百年元旦〉「驅貪欲淬新硎劍，布政當求北斗冠」、〈鄭州南陽道中夜行〉、〈南陽觀風賦感〉、〈贈丁邦新有序〉「但願門前諸俊彥，此生相繼莫沈淪」、〈贈許嘉璐〉「師門絕業誰當續，許學嗣音孰敢辭」、〈聞臺北藏書爲白蟻所毀感賦〉「夢回羈旅饒幽意，莫再吟詩損肺肝」、〈辛卯除夕有懷天成師〉「五十載來時未促，一人身覺道難宣」、〈追憶停雲詩社亡友用元遺山感興韻四首〉、〈丙辰人日景伊先師適逢立春招飲，新雄大成夢機殿魁夢機賦詩師步其韻，屈指算來已三十七年於茲矣，先師早歸道山，大成夢機相繼隕落，與會諸人惟殿魁與余仍在世間，而余亦肝癌纏身，知在人間尚復幾日，深有所感，因依舊韻重賦四首以贈殿魁〉、〈七十七生日感懷〉「七七生辰餘一事，中華經藝要相傳」、〈輓錢明鏘詩俠〉等，離合悲歡，人事無常，雲霄徹響，坦露心聲。至於和《六一詞》之後，伯元師復有和《山谷詞》之作，鞠躬盡瘁，躬行不殆，亦幾將完稿矣。來日或可輯爲《伯元吟草・世紀新聲》一書，詩詞兼載，蓋亦先生志業之所繫，必有可觀者也。至於《古虔文集》（二〇〇〇）所載文章篇什亦多，限於篇幅，未能縷述一二，若有憾焉，讀者其鑒之乎！

（本文轉載自《國文天地》第二十八卷第四期）

輯六　永念師恩日月長

一士昂然揮健筆的浩然正氣

——從學術成就的另一面了解伯元師

國立政治大學中國文學系教授　竺家寧

伯元師是聲韻學家，也是國學大師，這一方面的傑出成就，大家了解地較多，討論的文章也不少，現在我們從另一個層面來看伯元師。

伯元師對國家民族具有深厚的感情，對社會也具有悲天憫人的關懷，這些往往表現在他先後發表的一些詩作當中。

伯元師在他的《香江煙雨集》當中，對於日本竄改侵華史實的問題，把心中的感慨之情，發諸於詩，寫下了「碧血丹心尚未泯，一士昂然揮健筆」[一]，運用知識分子的一支筆，傳達了

一《香江煙雨集》第二頁，學海出版社，民七十四年七月。

國人的心聲。又有一首，是遊覽了屈原塔，胸中有感，道出「豈惜國土裂，放逐復何悲。丈夫志氣烈，形容已憔悴。」[二]反映了伯元師的家國情懷，引古代楚國的屈原，抒發自己的懷抱。又有一首，云「議政心惟存法統，傳經志在振斯文」[三]從字裡行間，我們可以感覺到，伯元師治聲韻學，不僅僅是一門放在象牙塔裡的知識，更有一份知識份子的正義感。也使我們感覺到，伯元師除了作爲聲韻學大師之外，更是一位仁民愛物的智者。從他的詩中，我們可以體會到「國家民族」與「鄉土地域」原非對立的概念，政客們只知道據地稱雄，用鄉土感情愚弄善良的百姓，這是多麼悲哀的事呀！記得梁任公先生研究佛經，認爲佛法萬端，不過一個核心，那就是打破「我執」與「無明」，要我們去除心念中的「分別心」，這正是臺灣當前最需要的涵養。

在網路上，有伯元師〈連胡會談（連戰胡錦濤）〉一詩，說到：「尋根究柢溯炎黃。底事相爭尙倔強」、「萬里神州重造日，聲威應復漢同唐」[四]字裡行間表現了發自胸中的浩然正氣，有如暮鼓晨鐘，警醒世人，既開展了寬闊的歷史視野（溯炎黃），也開展了無限的空間視野（萬里神州），這樣的氣魄，在逐漸偏執狹隘的現代社會，更具有特殊的意義。

在另外一首詩當中，對於日本人的入侵釣魚台，發出了知識分子應有的怒吼，在「賣國

二 《香江煙雨集》第十頁，學海出版社，民七十四年七月。

三 《香江煙雨集》第十二頁，學海出版社，民七十四年七月。

四 http://www.classicalchinesepoetry.com/hf-chenhh1.htm

誰是賊，自封日奴才」當中，對於某些政客的行徑進行了口誅筆伐。又大聲疾呼「斷送釣魚臺」、「厚黑無恥遠勝汪精衛」，從字裡行間可以感受到知識分子的悲憤與無力感，這片胸懷值得我門整個社會的反思，伯元師的呼聲，使我們深深感到政客們竟然爲了個人自我的利益，出賣祖先遺留的土地，使我們的漁民，一離開台灣的海岸線，就會遭到日本警察的驅趕與逮捕，這的確是令人痛心的事。漁民爲了生計終日勞苦，從政者不思伸出援手，給予關懷與保護，反而爲了討好外人，謀求私人的政治利益，而犧牲這些勞苦的百姓，唉，真是於心何忍呀！

伯元師的另外一首詩〈東森新聞臺被當局強迫停播賦感〉「當年子產存鄉校，此日元戎仿暴秦」、「無能治國災盈目，伐惡還當大筆陳」，對於政客爲了推銷自己的意識形態，對媒體進行掌控，無法配合的，就遭到政客的嚴厲制裁。伯元師對此也提出了知識份子的正義呼聲，提起「大筆」英勇無懼地「伐惡」，道出了正義之士的共同想法。

伯元師又在〈小丑〉一詩中提到「僥倖登真無器度，咆哮匝月致橫災」、「徘徊鎭日謀私利，百姓生涯曷管哉」，對於政客的貪污誤國感到十分地悲憤，「海角七億」不但使台灣的名聲在國際上受到了玷污，也使台灣的經濟受到了沉重的打擊，這是台灣由盛轉衰的一個關鍵點，也使過去十大建設爲台灣帶來的繁榮富庶，毀於無形。「台灣錢，淹腳目」的時代不再，「亞洲四小龍」的光環早已褪色，這是多麼可悲的事，一人一家的榮華富貴，卻犧牲了兩千三百萬人的幸福。真是如古人所說的「興，百姓苦，亡，百姓苦。」伯元師對這樣的現象不能無動於衷，只好發自於詩文，藏諸名山，傳諸後世，爲時代作一個見證。伯元師在〈反貪倒扁歌〉一詩中又提及「九十五年九月九。百萬民眾齊怒吼」、「女婿貪得真無厭，賣官銀進千萬斗」、「老婆坐地亦分贓，禮劵珠寶全入袖」、「一家腸肥天下瘦」。在網路上，我們還可以看到，和伯元師的詩作〈近事言懷答陳新雄教授〉：「權謀好發陳年怨，問計無能百業凋」、「此日天人皆怒憤，覆舟民意已如潮」[五]，呼應了伯元師的這份胸懷。伯元師對社會的關懷，對台灣鄉土的熱愛，是我們知識分子的典範，他的憂國憂民，浩然正氣，必然萬古長存。

五 http://tw.myblog.yahoo.com/alexander-xu/article?mid=188&prev=194&next=-1

望之儼然，即之也溫的伯元師

國立臺北大學中文系教授　司仲敖

我從未修過伯元師的課，當民國五十八年，伯元師剛取得國家文學博士，在師大國文系開訓詁學課，我已修畢訓詁學，也曾興起旁聽的念頭，但因當時準備考研究所，所以錯過了此福緣。機緣是佛家用語，佛家講結緣、緣分，緣是一種註定而不易逃避的命運，人與人的相契，事與事的相諧皆歸之於緣字，我成了伯元師的門生可說是緣。我第一次見到伯元師是在文化大學中文所時，記得我把撰寫的博士論文大綱送景伊師審閱後，景伊師說：「我就和新雄共同指導，你直接找陳老師」，當即我停了幾秒，因伯元師的專長是聲韻學，其治學方法及精神是早有所聞的嚴謹與不苟，我既未修習過伯元師的聲韻學，也從未修過任何一門其所開的課，我如何向老師開口請其指導，收我爲門生？景伊師已洞悉我的爲難及窘態，就說：「我會告訴他，你找時間將大綱送去」，回來後我整整一個星期坐立難安，當翌週景伊師查閱圈點書籍時問我：「陳老師同意了你所提出的大綱嗎？」我一時無言以對，停了幾秒，終於擠出：

「我尚未拜見陳老師。」「你今天就去，」當天下午我先以電話向老師請示允許的時間，伯元師說：「下星期的今天晚上七點後你可以來，但來之前再打個電話，以免臨時我有事外出，或你也留下電話，」沒料到三天後，伯元師來電，要我當天晚上八點前往，當我一進門坐下後，伯元師就說：「景伊師已對我說過了，你要研究錢大昕的經學？你知道大昕不專治一經，而無經不通，不專攻一藝，而無藝不精，大昕之學無所不通，你不畏？仍要研究？」，我答以：「炎武主經世實用之道，思振民族人心於既亡，倡舍經學無理學，以君子之學以明道，以救世也。大昕論學大旨與顧氏相同，大昕認爲道在六經之中，道既在六經，欲求聖人之道，故舍六經而未由也。而有清學者，自顧亭林而下，其學術成就大抵皆建立於廣博的基礎上，既博之後，再深入研究，於是由博而精，蓋根本博厚則能旁推交通，立言有據，大昕先生，博古通今，久以碩學雄視海內，於學無不綜貫，博而能一，通而近正，其所以致之者，以其治學方法之謹嚴，精神之不苟，老師之治學方法及精神，最得大昕之旨，希望能得老師指導。」伯元師微微點頭接著又說：「你沒聽過我的聲韻學課，大昕治經，覽小學之宏綱，以小學爲通經明道之徑，亦即由文字、聲韻、訓詁以達聖人之心，明聖人之禮義，貫穿經旨，揄揚大義，早歲讀書即從小學入手，大昕以小學爲通經明道之鑰，捨是無他途。」隨即從書房內拿了老師所著《古音學發微》一書，對著我說：「妳回去先好好看看」。我接著問伯元師：「老師妳答應指導我了嗎？」老師頭沒回的往書房走著說：「景伊師的吩咐，身爲弟子的當然只有遵照。」從老師的身上感受到老師對景伊師的尊敬，也給了我上了一課。當時雖然喜出望外，但對伯元師的感覺是「敬畏」，也因此稍稍體會了「立雪與春風」之別。過了一個月左右，我再以電話請示老師容我請益的時間，這次伯元師在電話彼端傳來：「下午妳就將目前的進度帶過來」，當我把所蒐集的資料及撰寫的第一章呈到老師面前，並向伯元師報告用知人論世的研究方法，先述大昕之生平以盡知人之旨，次述師友門生及其思想著述，以見其師友之寖漸，而得其學術淵源之有自。蓋大昕一生交游廣，好購書及收藏金石文字，和藏書家交往頻繁，幾以學術討論相切磋爲事，一生學殖殆得師友之助。伯元師翻閱著資料，告訴我說：「大昕的師承、學侶、門生，如是之眾，論文題目修改爲錢大昕的生平及其經學」並要我回去稟告景伊師，同意後，先撰寫大昕的治學目的、態度、方法。認爲大昕經學成就在其方法及精神，尤其是方法。伯元師說：「古人治學方法語焉不詳，或寓於訓釋體例之中，或出於經驗之不同，雖有其法亦難以傳授。有清漢學家起，方法之精，態度之嚴，致力之勤，始有精密完整之治學方法。大昕爲乾嘉鉅子，由治經而發展出有效之治學方法，以此治學方法通用於其他史學……」回家後，我先仔細研讀《潛研堂文集》、《潛研堂詩集》、《十駕齋養新錄》、《竹汀先生日記鈔》後，略識端緒，整理出大昕的治學方法在：以小學通經，以訓詁立本；著重義例，旁求貫通；多方歸納，小心求證；致力校勘，歸實考據；隨時劄記，存儲資料。得明大昕以小學疏通經義，故能洞徹原委，語多精諦。多方歸納，小心求證，凡所辨正，確當可依。講求義例，建立系統，則鰓理得，涇渭分。隨時劄記，存儲資料，以勤勉之精神，矯空疏之流弊。大昕挺立於乾嘉諸大師之中，能創說立言，由舊出新，非餖飣抄錄所能，乃其治學有法有以致之。

伯元師告以應先得知大昕所以啓示後人治經之途徑，再來研究大昕之經學。此乃伯元師示以方法爲治學致知之起點，對我爾後治學研究影響很大。

親炙伯元師的這兩年，漸漸感受到老師的關愛與激勵，因爲老師的關愛與激勵，也常能激發內在的潛能，愛戴與之俱生，這時對伯元師已由敬畏轉爲敬愛。除嚴肅論學外，伯元師在知道我學位取得後就鑽研清人詩，故每有關詩詞之作，或電話中要我往取，或直接付郵寄我，並親手題上字，打開民國八十九年十一月二十日及九十三年一月十四日所贈《東坡詞選析》、《東坡詩選析》的扉頁，雍容大雅、蘊藉條暢的題字，內心不勝感傷。也終能體會伯元師在景伊師民國七十二年棄世後，近三個月時間無法指導我論文的哀痛心情，其敬奉景伊師亦猶七十子之於孔子，善盡弟子之道，永爲我輩弟子的典範。伯元師對諸生亦關懷備至，在同門生依序年屆五十之年，就由年長一年門生爲之舉行餐聚，雖是以此慶賀，實係對知天命之年的門生，警其應更加惕勵，同時並藉以砥礪門生後輩。餐座中的伯元師，飲酒賦詩，酒量並不佳，但性豪於飲，熱情蘊於中而發於外，每於酒酣耳熱，妙義時出，言人所不敢言，一針見血的評論與萬夫莫敵的自信，堅持人所不敢堅持的理想，扮演著一士諤諤之角色。不知伯元師的書法，如在其豪飲醉後揮毫，是否有另一番風雨驟至，氣撼河山之烈?

學位取得後兩年，我考取了教育部的公費博士後研究赴日本京都大學，赴日前向伯元師辭行，伯元師以行書寫了一幅中堂送我，我就問伯元師，聽說日本人喜書法，日本的毛筆不知好不好?老師說：日本人做事有時令人不得不佩服，你回來就帶隻小楷筆吧！，並告訴我一枝好的毛筆要具備「尖、齊、圓、健」四德。尖就是筆毫聚合時，筆鋒要能收尖。齊就是將筆頭沾水捏扁，筆端的毛整齊，無不齊現象。圓即筆肚周圍，筆毫飽滿圓潤，呈圓錐狀，不扁不瘦。健則筆毛有彈性，筆毛鋪開后易於收攏，筆力要健。從小學就用毛筆，但卻從不知如何選筆。更不知一枝好的毛筆要具備「尖、齊、圓、健」，在伯元師的身上，讓我除了習得如何做學問，更習得德業做學問之外的一些事。

八十一年九月二十八日教師節，我去看伯元師，他送了我《放眼天下》之作，讀後更佩服伯元師鏗鏘有聲的精闢立論，足以恢宏志士之氣的國士風範。沈謙教授爲書序言曰：「從歷史的眼光，針對現實作深刻的透視，掌握時代脈動的躍動，諤諤直言，不啻爲滔滔濁世的清流。」憶及伯元師對當年王建煊先生在接受徵召出任財政部長時，以「陳力就列，不能則止」八字相期許，引《詩經・伐檀》大聲疾呼：「彼君子兮，不素餐兮」不可抱著尸位素餐的「保位」主義，並以孔子之所言：「危而不持，顛而不扶，則將焉用彼相矣。」令爲官主政者反覆沈思。伯元師真正是融合儒家文化與現代觀念的偉大思想家。回想到赴日前，伯元師要我讀《資治通鑑》時說：「讀書人就是要做通人，不讀通鑑，怎能做通人，大昕治學旨在博通，欲爲通儒，你更得讀通鑑。」抽出書架上的通鑑，翻閱所圈點的註記，伯元師的一席話從書中一一跳躍出。

八十九年二月台北大學成立，我初長教務的某天，伯元師來電：「你當教務長，應要學校規定師長參加畢業典禮，一律著學位袍，對學生具有鼓勵作用，身教除了德業之外，這也算是另一種型式。」伯元師的一句話，開啓了本校每年的畢業典禮師長都身著學位袍。伯元師處處念念的是學生，從其所賦可見，在其五十自賦詩：「登壇講學心猶壯，對酒吟詩意亦悠。一事至今聊足樂，及門桃李已盈疇。」，六十自賦詩：「栽蘭育蕙盈庭綠，述學論文積紙深。自度無須愁覆瓿，生徒相繼有知音。」七十自賦寄調江神子用歐陽永叔韻：「蕙蘭欣喜已成群　歲寒身　白頭新　桃李成陰到處見爭春　今夕壽堂才濟濟　皆昔日叩鐘人」每以門生濟濟而自慰。故伯元師很強調教學，他常說教師的主要職責是教學，研究成績豐富，學術論文眾多，卻未必在教學上也一定優良；學術研究的成績是客觀的，比較容易評價，教學技巧的良窳是主觀的，是需要學生感受的。而伯元師又告訴我：「書教的好不好，不在於學生的稱揚，也不在乎同事的推譽，更不在乎主管機關的表彰，那完全在於自己的心，如人飲水，冷暖自知。當自己教完了一堂課，走下堂來，步履輕鬆的時候，已經可以問心無愧了；如果是步履沉重，垂頭喪氣，縱然學生沒有表示不滿，自己也應虛心檢討了。」對身爲他的門生，終生謹記踐履。

伯元師的一生，教學不輟，著作等身，兼承章黃之學，推動兩岸學術對等交流，關心時局，以一介書生，既不能執干戈以衛社稷，又不能立廟堂以獻替國是，用其如椽大筆，勇於表達見聞。伯元師於詩詞特喜東坡，嘗謂：「東坡於詩有意深語緩，未易窺測者：或事有難言，或語有所礙，隱於肺腑，詩意難曉。」又謂：「東坡之詩，尚且若此。而詞原爲意內言外，其言在此，而託意於彼，勢必有更多隱忍難宣之心意。」東坡逝後千年，有伯元師爲之一宣其深忍難言之隱衷，而我諸門生能一窺吾師內心家國興亡之感？中華文化斫喪之憂，亟思有以救之之念乎。

（本文轉載自《國文天地》第二十八卷第四期）

敬悼伯元師詩序

國立成功大學中國文學系教授　王三慶

民國五十六年九月，余初上華岡就學，時景伊師、仲華師主持編纂《中文大辭典》，急如星火，諸多學者紛紛雲集於陽明道上，系上同學工讀者多人，而名師亦每經耳傳，故受學長旁介修聽雨庵師詩學及一田師文字學。

逮入二年級，慶幸承修伯元師講授「文字學」，詠琍師開授「詩經」，是受業師啓蒙之始，尤其因有一年旁聽先行，故課中多得伯元師嘉許，卻被評爲博雜而不純。蓋先生授課，綱舉目張，條分縷析，嚴謹完備，甚得同學喜愛。課中不苟言笑，又深爲同學敬畏，唯所苦者乃必需默誦《說文・敘》，除了課堂唱名外，未稔者課後還往華岡新村補誦。學期末，紛紛以爲年假將至矣，豈知五百四十部首據許慎六書原則予以分類錄寫令下，則新年滋味可想而知矣。也因在此嚴格訓練及實習後，同學皆能紮下深厚學養，縱有不乏重修者，然而業畢後，任教幾能克盡其職，蓋緣此堅實基礎之立也。

經此一年，同學正額手稱慶，以爲跳脫苦海矣，豈知課表聲韻學又赫見先生大名，跌足慘叫者時或可見。正式上課後，初階乃從聲韻調諸條例說解，然後分析中古音，而第一道作業則爲《廣韻》切語上下字之系聯，所謂聲經韻緯表乃同學所必填。下學期則授等韻，以迄於今日國音之變化條例，而《韻鏡》字反切又爲眾所必填。期中一過，則解說顧炎武以迄今日古音學發微，同時又有《詩經》押韻及段氏十七部諧聲表之比對等。如此眾多之內容及煩重之作業，哀鴻處處可以想見，然而從無敢於當面討價者，蓋先生教學之認真同學備受感動，豈敢辜負其苦心者，是以無怨無悔，甘甜如飴。甚至在先生鼓勵下，勝昌、居取、正賢及余等，又在先生指導下填寫《十韻彙編》、內府本《刊謬補缺切韻》、《玉篇》、《說文》注切語系聯，以及與《七音略》、《韻鏡》、《四聲等子》、《切韻指掌圖》、《切音指南》諸書之比較，最終由我總其成，於是文字聲韻之學乃爲我等後來從事學問之基本工夫，其影響深遠非數語所能形容。

經此二年，余與勝昌等初解研究學問之苦辛及趣味，於是擬試研究所深造。溫書之際，舉凡不解，或稍有心得，夜間常往來華岡新村從事請益或討論。及至後來，始了先生奔波授課之苦，且臨將休息之際，又因我等之少不更事，登門煩擾，至今思之，愧感交加。也因先生之鼓勵，終於進入臺灣師範大學國文研究所深造，又得修先生之古音學研究及擬音門徑，完成《廣韻》諧聲偏旁字表七大冊作業，並先後在許師世瑛及先生指導下，撰寫《杜甫詩韻考》論文，獲得碩士學位而入伍服役。

役內，先生已接華岡系主任職務，而葉師又赴國外深造，並因昌華等之教育轉赴山下定居，時校家兩兼，所負重任可想而知，以至於後來以病住院。逮余聞悉北上探訪，先生又於榻側勉勵深造，並提及敦聘潘師石禪從香江歸來是爲得意之作。故余婚後役畢，重回華岡修讀者，蓋奉先生令也。山居讀書，除至師大上課外，以妻惠蘭任職家鄉，兩地隔離，倍爲相思所苦，因此只有黽勉戮力於論文寫作。然慶勳學長告以伯元師有意根據《廣韻》切語重修聲類彙編一書，因與呂春明同學在暑期中剪貼上呈，蓋即後來《聲類新編》之前身。博二時，原託友人自東京大學東洋文化研究所購回《敦煌出土文獻目錄》數種，擬從小學文獻研究入手。然因石禪師所內授課《詩經》及《文心雕龍》，大學部則小說選及《紅樓夢》，小學因限於教育部新規，先生不再負責系務及相關課程，於是上華岡者日漸稀少。再者，石禪師又擬從事《百廿回抄本紅樓夢》之整理出版，而余以博士生負責組織大學部讀書會，擬訂總體計劃，並且日夜從事該書之抄寫與勘定，行經二年，完成革新訂本之出版，同時個人也轉向《紅樓夢版本研究》之博士論文寫作，終告大違初衷，更有虧先生期許，乃始料所未及。

石禪師後來雖然改授敦煌學課程，接軌初衷，卻又未曾執教或指導文字聲韻之學，既無緣發揚師門，研究走向只好另出蹊徑，則又深愧先生之誨教。雖然，後來余研究敦煌文獻與整理越南、日本等域外漢小說之稍獲學界肯定，究其始者莫不緣於伯元師往昔紮下之深厚根基也。南下執教成功大學中國文學系，伯元師復往香江執教，晉見益稀，更因受託行政，忙於公務；以及父母纏綿病榻，身爲長子，既受孔門之規，終需身教子弟，克盡孝道，於是音斷訊絕。直到傳來先生尊體不適，始再北上候問。

蓋先生早年戮力於教育子弟，心不疲而身已累，積宿疾而自不覺，以至於退休前，已見江河日下。唯咳嗽不止，仍然自許有限生命願爲學術作無窮付出，時以《莊子》薪盡火傳而自喻，蓋死生達觀之見緣此，亦劉伶個性使然。至於其尊師重道，如對景伊師、仲華師、石禪師之敬崇，誠又我等後生子弟之所當效法。伯元師在學問、道德之外，復足彰頌者，乃從小學而入於詩詞創作，粉絲於東坡，字字珠璣，語語中道，始終忠於一己情性，且戲樂而不疲。每出新作，必伊媚兒至眾子弟信箱，余時以才器不及，偶或唱和而已。晚年講座臺灣師大，曾以弟子職任一場主持，重溫少年學堂夢憶，則先生學問又仰之而彌高矣。

今從淑齡學長口中述及八月一日先生仙遊及未來後事，並追悼前年發病，臨將赴美前之慶生聚會，先生曾經傷感語道：「余雖愛臺，又不得不離臺」之嘆，蓋以病患之身，昏迷數日，曾經地府一遊；直到曙光乍現而醒，已越數日矣。往後若此，生活終難自理，故必赴美受親人照護。斯語斯情，歷歷在目，猶迴響於耳際。念及當日，余亦爲先生吹奏琴曲二首，蓋平生所未曾有也，今若復演，先生其或歸來乎？一念及此，更添悲戚，因詩吟數首，用以追思悼念。

一離鄉國再歸來，不見尊容添淚哀。細想平生緣聚合，華岡雲影共徘徊。

我最愛臺將去臺，都因病兆已難摧。師生藉酒話離後，莫問殘杯幾度陪。

二曲琴聲頌壽時，平生才藝許藏私。若非今後別難見，那敢尊前演竹枝。

空談地府一周遊，還笑曾經未展眸。剎那曙光初乍見，莊生蝶夢兩悠悠。
學生不肖我為先，教誨從來業未傳。愧對當時薪盡日，餘年願許續完篇。
臨將歸國願招魂，高唱魂兮入國門。台北依然錦繡地，華岡猶似翠芳園。
且留炙酒共朝暮，莫剩殘杯到黃昏。醉後乘空來復去，古今飲者我稱尊。

受業　**王三慶**　八月十五日子夜哀思於台南家居

憶伯元師

臺北市立教育大學人文藝術學院院長
中華民國聲韻學學會理事長　葉鍵得

八月一日是新年度的開始，也是人事、制度、措施等更新或施行的日子，我因爲有行政職務，所以這天特別忙碌，一大早就出門，將近八點時，打開手機，上面有一通簡訊，是柯淑齡老師發的：「林老師（林慶勳老師）回了嗎？」心裡想著：今天行程很滿，等下午忙完後再與她聯絡。八點十五分進辦公室，才不久，就有電話聯絡提醒八點三十分需擔任「一〇一年全球僑校領導者管理研習班」〈綜合座談〉課程的主持人；十點參加林天祐校長連任布達典禮；十一點擔任中語系新舊主任交接儀式的監交人；結束後趕赴師院附小，參加方慧琴校長連任布達典禮；十二點擔任公共系新舊主任交接儀式的監交人。所有活動結束後，回到辦公室已一點十五分。正要回覆柯老師電話，手機顯示柯老師簡訊：「老師離開我們了！」同時間又收到許雯怡的簡訊：「我們敬愛的伯元師已於剛剛美國時八點四十五分離開我們了……。」一時間難過至極！立即撥了電話給柯老師，她說：「大家先讓心情沉澱一下，想想下一步如何進行？」暑假期間，原是半天班，下午本想留下來審查文化總會《兩岸常用詞典》的稿子，但是心情無比紊亂，無法平靜，三點多就回家。正逢蘇拉颱風侵襲，車外傾盆大雨，腦海裡不斷湧現伯元師的影子，心頭萬斤沉重，望著窗外滂沱大雨，如哭伯元師。

八月十一日門弟子爲伯元師治喪事宜召開第二次會議，其中討論《國文天地》雜誌請李添富兄籌組「陳新雄老師紀念特輯」，爲陳老師的行誼留下紀念，我被分配就老師「爲人處事、生平紀念」撰文，爰就伯元師教學、相處、啓示等列舉數事，藉以緬懷師恩：

．敦請老師擔任孔孟學社指導老師，開始與老師結緣

民國六十二年我在文化大學中文系文學組就讀。大二時我擔任孔孟學社社長，敦請老師擔任指導老師，與老師開始結緣。記得那天我帶著社團指導老師簽名公文到辦公室，當面請老師擔任孔孟學社指導老師，老師二話不說，立刻簽字。那時，他擔任系主任。這一年中，我辦了許多活動，把一個幾乎停擺的孔孟學社活絡起來，也得到課外活動組的獎勵。謝謝老師的指導！

．老師擔任碩、博士論文的指導教授，要求嚴格

民國六十六年我大學部畢業，繼續就讀文化碩士班，老師擔任〈廣韻研究〉、〈等韻研究〉授課教授。有一天幾位班上同學，提議利用假日拜訪老師，於是一行四、五人到老師寓

所拜訪，談話中老師問同學論文擬撰寫的方向，當老師問到我時，我請教老師：「等韻圖中的《七音略》，是不是羅常培寫了〈通志七音略研究〉，就不可以寫了？」老師說：「不是，你可以寫，你可以寫。」於是我就以《七音略》做爲我研究的題目。當我寫到擬音時，由於基礎不夠，遇到瓶頸。老師交待林慶勳老師，要我去他家一趟。記得那是傍晚時分，老師剛下課回家，馬上拿起紙筆來，跟我分析擬音、音變的各種情形。並說：「你寫的每一個聲紐的擬音，我要逐字看。」等我交了論文，果真老師逐字閱讀，應驗了學長所傳「陳老師指導論文必會逐字看」的說辭。在同學及學妹幫忙校稿之下，終於在兩年內順利畢業。

碩士班畢業後，我原本並無報考博士班的計畫，先去服兵役，承龔顯宗學長允諾等我退伍後，欲介紹我到臺南一所公立高中教書。豈料退伍那年，我姐夫陳峻昇先生及部隊長官董濟民先生一再鼓勵我報考博士班，由於時間緊迫，我就想到先請示老師。老師說：「考試是採論文審查及口試，口試要得高分，就要廣泛的準備。」於是報考文大中文所博士班，依老師指示全力、廣泛的準備。後來因爲部隊移防金門，始終無法獲得上級長官的准假，最後還勞董隊長拎著腦袋准我的假，讓我有應試的機會。終於幸運上榜。

升了博三，有天，所長高明老師要所助理王三慶學長傳話，要我去找他。我與高老師約定拜訪時間，依約登門拜訪。高老師問：「博士論文題目訂了沒？」我說：「老師，還在構思中。」「學生書局出版的《十韻彙編》，裡頭錯誤很多，你把它校一校，光校一校份量就很多了，你去找陳新雄老師指導。」高老師態度和藹、語調平和的說著。離開高老師公館，我直赴陳老師府上，把高所長剛剛的指示，向老師報告，他聽了以後說：「光校一校還不夠，每一本韻書還要做研究。」我聽了以後，覺得壓力好大，但師命不可違，於是開始尋找敦煌卷子，進行校勘及研究工作，其中尋找資料所遭遇的甘苦，在此不贅。歷經五載，終於完成底稿，當我把稿子送到老師府上，老師說：「你先辦休學，這麼多的稿子我一下看不完。」半年後，老師來電：「你可以復學，提博士論文口試了。」論文在潘石禪師、高仲華師、李爽秋師、謝雲飛教授、伯元師擔任口試委員口考之下獲得通過。本來我想把論文印四十套就好，老師說：「印多一點，你的論文有人要。」後來印了一百五十套，除了繳交及部分送出、自留之外，有一百二十套左右交學生書局販售，沒多久就售罄。這本論文，後來也獲得國科會獎助。伯元師指導論文的嚴格要求，由此可見。

．兩度訪問伯元師，伯元師語重心長

民國九十一年我擔任中華民國聲韻學學會的祕書長，正逢學會成立二十週年，理事長姚榮松師規劃出版紀念特刊，其中有「學人專訪」單元，指示我去訪問伯元師。其實對於這次訪問我覺得有點爲難，原因是若論老師處事風格、教學、指導學生及與聲韻學學會關係，則林慶勳老師的〈伯元師與中華民國聲韻學學會〉乙文已有詳細說明，文見《聲韻學學會通訊》第二期（二〇〇一）及《中華民國聲韻學學會廿週年紀念特刊》（二〇〇二）；若論伯元師與聲韻學會關係及《聲韻論叢》的看法，則吳聖雄學長的〈絕學誰當隻手擎——訪本會創辦人陳新雄教授〉乙文也作詳細記錄，文見《中華民國聲韻學學會廿週年紀念特刊》（二〇〇二），所以我到底要訪問老師什麼呢？

由於需配合出版時間的關係，我事先規劃從伯元師在小學、東坡詩詞、書法及其大家所關心的身體健康問題（老師的咳嗽），構擬十個訪問題目，心想屆時呈給老師，看老師有什麼意見再說，於是與老師約好下午三點鐘到府上訪問。那天帶了錄音機，準時登門拜訪，把十個擬訪問的題目呈給老師，問老師的看法，沒想到老師看了以後，直說：「好！」於是我打開錄音機，就題目逐一訪問。我每訪問一題，老師就侃侃而談。對於「在何種因緣下進入到聲韻學的領域？」、「如何轉到東坡詩詞的研究與教學？」、「如何學習小學？」、「如何擬定論文題目？」、「如何學書法？」無論哪個問題，老師都興致高昂，滔滔不絕的說著。而大家所關心的老師咳嗽問題，我本來擔心老師會介意談呢！沒想到老師一點都不介意，原來是免疫系統出了問題所導致。最後老師也談到尊師重道的道理，認爲爲師者先要做到重道，學生才會尊師。訪問到下午五點結束，整整兩個小時。中間，老師除了接一通電話以外，還咳了幾次，讓我感到十分不捨與不好意思。在老師去世後，有同門與長公子昌華聯絡，昌華說：「老師現在已不咳了！」這話聽來令人鼻酸！這篇訪問稿〈訪本會創辦人、榮譽會員陳新雄教授〉也登錄在《中華民國聲韻學學會廿週年紀念特刊》（二〇〇二）。

民國九十一年有一天接到擔任《聲韻論叢》總編輯的曾榮汾學長電話：「鍵得兄麻煩你再去訪問老師。」我說：「學長，不是訪問過了嗎？」學長說：「老師剛從大陸講學回來，他在大陸有一些學術活動，像專題演講、詩詞創作等，你再去訪問他，我要把這次訪問和上次訪問的內容登在《聲韻論叢》上。」聽了曾學長的囑咐，我感慨萬千，卻又感到無比的興奮，心想：「上回的訪問歷多時才整理完成，沒想到還有第二次用途。」那兩個小時的訪問，先由一位工讀生花了約六小時把錄音檔書寫成文字稿，我自己又用了兩個小時繼續整理，除了極力保持老師的口吻外，對於若干口語也略做修飾，讓我深深體會到口語與書面語的不同。

奉曾學長的指示後，我再度訪問老師。在這次的訪問中，老師除了談到在大陸講學的經過與感想，也提供專題演講及詩詞創作資料，予我方便不少。老師在回答「發揚師說，實踐『繼志成事』」時，語氣高亢的說道：「我們做老師的，就是要培植學生，讓你的學生將來能傳你的道啊！假如只是自己一個人，這叫『自了漢』！只能把自己一生了嘛！」老師引景伊師「莫爲之先，人莫之知；莫爲之後，人莫之傳」之語後，闡釋說：「沒有人在你前面教導你，你不知道做學問的道理；沒有人做爲你的傳人，你的學問沒有人給你傳下去。」要學生們做到「繼志成事」，洵語重心長啊！此篇訪問稿登在《聲韻論叢》第十二輯（二〇〇二年四月）。

・為團結同門，要求為同門五十歲需舉辦壽宴

伯元師立了一個規定：「同門中，有誰五十歲就要爲他做壽，將同門集合起來聚餐。」這件事已實行多年，據我所知，同門初時都不願意，各有理由，但是老師緊盯著，到最後師

命難違，只得做壽。記得添富兄五十歲時，添富執意不肯辦，老師要我籌辦，正當籌備到中途，添富兄眼看逃不了，於是轉由他的學生接手。

還記得我四十九歲那年，接老師來臺北市立教育大學做專題演講，老師在後座，問：「你幾歲了？」我說：「四十九歲。」「哦，明年五十歲要做壽了！」老師說。「不要，不要，我從不做壽。」我極力說不要。到了第二年他要添富兄去執行，結果宋新民學長六十歲，我與金周生五十歲，一起辦理。

我曾聽老師說：「爲什麼同門五十歲要辦壽宴？如果不辦，你們就不會聚集在一起；辦壽宴，就是大家聚在一塊，才有力量。」原來老師的用意，是要大家有向心力，團結起來。

．藉由通過「成均圖」考驗的過程，欲門人愛護、提攜學生

就是九十二年這年，宋新民學長六十歲，我與金周生五十歲，同門爲我們舉行壽宴。我帶了碩士論文指導的前兩位學生金朱慶及葉淑宜一起參加，老師非常高興，聽同門說老師最高興的是我們有再傳的門人。

那天老師興致高昂，說了許多話。後來老師的話題談到當年林景伊老師推薦他到東吳大學中文系教〈聲韻學〉的往事。老師在《聲韻學》這本書的「自序」中寫到：「吾師認爲我聲韻學已有相當基礎，故余大學甫一卒業，即介紹我前往東吳大學中文系教聲韻學，當時東吳大學中文系主任爲七十歲左右之洪陸東教授，不日，即雙手顫巍巍捧講師聘書致聘，其時

余年二十有四，令人十分感動，而亦永以爲榮也。」老師說當他上課時，隔壁班是一位約七十歲的徐子明教授，徐老先生每次上課都罵他，後來林景伊師要他去拜訪徐教授。拜訪時，徐教授故意考他章太炎先生的「成均圖」，「均」字要怎麼發音？圖要怎麼解釋？老師都能正確、詳細的說明，終於通過考驗，以後徐教授也不再罵他了。老師說：「你們看看，林先生是怎麼愛學生的，我也希望你們愛護你們的學生，有機會都給他們提攜。」此文登錄在臺北市立教育大學《應用語文學報》第五號、《陳伯元教授七秩華誕論文集》「附錄」。

・南陽師學院研討會拙文〈陳伯元先生在廣韻學之成就與貢獻〉，承老師鼓勵

二〇一〇年河南省南陽師範學院特別爲老師的學術成就，召開《陳伯元先生文字聲韻訓詁國際學術研討會》，同門林慶勳師、姚榮松師、金周生兄、文幸福兄、康世統學長、汪中文學長、戴俊芬學妹及我都撰寫論文發表，同行尚有何昆益君，負責照料老師。我撰寫的是〈陳伯元先生《廣韻》學之成就與貢獻〉一文。此事順利圓滿達成，添富兄出力最多，功不可沒。

事後老師來信鼓勵，師曰：「上月南陽聶振弢先生寄來一份《南陽師範學院學報》二〇一一年第一期。特闢《陳伯元學術貢獻專題研究》一欄，內收林慶勳〈絕學繼往聖—陳伯元先生之學術成就與貢獻〉，吾弟足下〈陳伯元先生《廣韻學》之成就與貢獻〉，金周生〈陳伯

元先生《中原音韻》研究之成就與貢獻〉，汪中文〈陳伯元先生文字學之特色〉等四篇論文，我看編者所選之論文，皆經法眼精選。……足下論文提綱挈領，層次分明，讀之令人心喜，希繼續努力，百尺竿頭，再佔鰲頭。」承老師鼓勵，益增孺慕與自我鞭策之心也。

．師生緣的另一章——為學生介紹醫生

我自從就讀大學部起，歷碩士班、博士班均跟隨老師，從望之也嚴，到即之也溫，由爲學、待人、處事，獲諸多教誨與啓示。此外讓我感到特殊因緣的是老師幫我介紹醫生，使我康復。

記得是大學時代，有一次理髮，按例理髮師師父都會掏耳屎，結果掏得太深，以致左耳耳膜破了。看了耳鼻喉科，補了一下就痊癒。事隔十年左右，舊疾復發，流出一種黃黃的液體來，百般不舒服，經訪求西醫、中醫，始終不能痊癒，後來經大姨子介紹到臺北市聯合門診，就診兩次即痊癒。再隔十年左右，又復發，立即前往臺北市聯合門診找同一位醫師看診，卻無效，又開始訪求西醫、中醫，一直未得，一日拜訪老師，老師介紹我到和平東路一家診所，就診兩次即痊癒，至今未再發病。內心感念老師的介紹。

去年十二月我上陽明山一所小學，擔任評鑑工作。當天下午，突然下雨，溫度略降，得輕微感冒。起初以爲只是輕微風寒，後來日趨嚴重，竟變成腸胃炎。某日，突然發作，坐、立、睡難安，簡直要死掉似的，有生不如死的感覺。經過打針，腸胃炎好了，卻帶出另一個

症狀一咳嗽。連月咳嗽，時好時壞，就是不能痊癒，懊惱不已。有次發 E-mail 給在美國的老師，問候老師、報告近況，間也提到久咳無法痊癒之事，不意老師回信說：如西醫看不好，就嘗試看中醫。介紹信義路一家中醫診所一位醫生，經就診兩次即告痊癒，解決困擾。讓我想到師生緣的另一章——介紹醫生，真是感激不已。

・區區贈鞋，卻蒙老師掛懷

一日，姚老師、姚師母宴請老師，也邀請爽秋師、許錟輝師、張文彬師、師母、何大安院士、楊秀芳教授作陪，此外還有饗峰、雯怡及我。飯後，老師要到博愛路買鞋，錟公溫馨提醒需陪老師一起去，我與老師搭計程車偕行。老師選妥後，我便付款，再送老師回府。這原本是小事一樁，早已忘記，沒想到老師回美國後，來信說：「那天你送我去購鞋，而又為我出資購買，實令我感到教書之責任重大，現在穿此鞋出門，每有足下之感，應是念念不忘，而非紀念亡人——介之推。」只是幫老師做了一件微不足道的事兒，老師卻掛懷若此，實令人由衷敬佩！

・療養之中，猶致力讀史，願望讀完二十五史

當我就讀大學部時，伯元師擔任系主任。規定大學部學生必須圈點《資治通鑑》乙書，老師認為文史不分家，遂有此規定。二〇一一年一月二十日老師來信，除了詳細說明治療情

況之外，信末說：

返美後讀《資治通鑑》，讀到王猛輔佐苻堅治秦一段，深為配服王猛其人。因寫了一段感言，茲錄於下：

古虔老人曰：偉哉王景略，以一書生，胸懷韜略，知桓溫之姦，不惜國家，惟成己名，故辭溫官不就。符堅之秦，乃一氐族，其勢甚小，其力甚微，然如先主之任諸葛，悉心聽景略之籌謀，凡所獻計，幾無不納。猛之為政，剛明清肅，善惡著白，放黜尸素，顯拔幽滯，勸課農桑，練習軍旅，官必當才，刑必當罪。由是國富兵彊，戰無不克，秦國大治。不數年間，西併西蜀，東滅大燕，成不世功勳。臨終之際，勸符堅勿以晉為圖，宜除西羌與鮮卑，若堅能納景略之言，則苻堅之秦，當繩繩不絕。而堅不納景略臨終之言，惟晉是圖，首敗於淝水，繼輸於慕容垂，終被縊於西羌姚萇，盡如景略之所料，蓋亦人傑也。余故將景略一生事蹟，見於《通鑑》者，詳錄於此，俾後之有國者，知所緩急，有所抉擇也。

不知弟讀過《資治通鑑》否？若未讀，當立志讀一遍，最好讀未有標點者，如藝文印書館所出者，或者中華書局四部要本亦可。弟等正當盛年，事務繁忙，自是意料中事。尚祈於忙碌之中，注意養生。如能潘老師那樣活到九十七歲，則於學問之建樹，當更有可觀也。余目前最大之願望，上天若能多假我數年，使我讀完二十五史，則此生可無遺憾矣。

老師在養病之中，猶勤於讀史，其最大之願望——「上天若能多假我數年，使我讀完二十五史，則此生可無遺憾矣」，如今老師已去世，想想一年半以前，他還發願讀完二十五史呢！我等門生能不爲其勤學景仰、汗顏嗎？

‧勉勵我當院長，要做得有聲有色

本年二月一日我就任臺北市立教育大學人文藝術學院院長，我曾向老師報告。承老師勉以「接信知即將接任北市師大人文藝術學院院長，聞訊至感欣慰，尙希繼續努力，做得有聲有色」。我自接任後，戮力從事，在本院網站推出「人文藝術學院電子報」、規劃講座、參與各學系各項活動，甚至遠征國外，不辭辛勞，不知是否符合老師「有聲有色」的殷切期盼呢？希望老師在天之靈，予以督導、鞭策！

我在民國六十二年負笈華岡，就讀中文系文學組，六十三年開始修習老師授課課程，迄今近四十載，謹就以上與老師學習、相處數事，藉《國文天地》「伯元師爲人處事、生平紀念」這一單元，緬懷師恩，老師給我的教誨與啓發，我永銘於心，今後亦將秉持師教，亦步亦趨，不敢稍怠，也希望能因此將老師人師經師的典型永留人間。

附記一事：中華民國聲韻學學會逢竺家寧理事長任期屆滿，改選理監事，並推選出新的理事長。我蒙會員提攜與厚愛，當選十五名理事之一，後來又被選爲常務理事，與楊秀芳教授、金周生兄同爲常務理事。之後，選舉楊秀芳教授擔任理事長，我認爲不管是學養或歷練，楊教授都是最適當的人選，實至名歸。不意，一日，竺理事長來電告以：楊教授因已身兼數職，無法分身擔任理事長，須重新選舉。我向竺理事長推薦金先生，我認爲他比較有空閒，可以擔任。八月五日獲竺理事長通知，說是由我當選。這不是我規劃的事，而且我正推動院務之中，一時腦筋空白。經過一日沉思，心想：這個學會由伯元師所創辦，老師又擔任過兩任理事長、兩任常務監事，適値老師去世的這時候，豈敢言辭，於是我回竺理事長：「頃獲來示，誠惶誠恐，適値伯元先生去世之際，後學豈敢推辭，只是想到任重道遠，不免感到壓力，懇請多予指導與協助！」感謝竺理事長、李壬癸院士及各位理監事的抬愛與提攜，讓我有服務、學習、成長的機會，還請學界各位先進多予指導與支持，至爲感謝！

（本文轉載自《國文天地》第二十八卷第四期）

幾則伯元師的訓示語錄及生活記事

中華民國聲韻學學會理事長　葉鍵得

伯元先生辭世，《國文天地》雜誌規劃「陳新雄教授紀念特輯」，我奉命就先生「爲人處事，生平紀念」撰文，爰撰成《憶伯元師》一文。後來又接到「籌印《紀念陳新雄伯元先生哀思文錄》」通知，編輯姚榮松師指示我再寫一篇，乃就昔日聆聽先生訓示及生活記事撰成此文，以資緬懷。

先生訓示語錄，係就先生授課或平日所言錄之，聞者當不止我一人；生活記事，則回憶與先生相處時所得。

一、先生訓示語錄：

•「初爲人師者，頭兩年授課，按部就班就可以了，到了第三年，就可以開始靈活變化了。」

•「一位老師下課後，走出教室的門時，如果是昂首闊步，充滿精神，表示他教得不錯；

如果是低頭彎腰，毫無氣勢，表示沒有信心，教得不好。」

- 「我不希望你的碩士論文是你一生中的最後一篇論文，要常發表論文。寫一篇就有一篇的涵養，寫兩篇就有兩篇的歷練。」
- 「我對於學生的發問，問小答小，問大答大。」（筆者按：此即〈學記〉：「善待問者，如撞鐘，叩之以小者則小鳴，叩之以大者則大鳴。」之意也。）
- 「我指導學生不會先告訴學生怎麼做，一定是他有問題來問我，我才告訴他，如果我先告訴他，他就缺少了『思考』這個過程。」
- 「學聲韻學一定要『訓練』，也就是要做《廣韻》作業，反切上字的聲紐，反切下字的系聯都要做，否則學不好。」
- 「我初作詩，送給林（景伊師）先生看，他說：『做得還可以，但就像一般人作的的詩一俗氣，要多讀名家詩。』於是我把蘇東坡的詩全部抄了一遍，好好去體會其中的奧妙。」
- 「做詩要用典，才會顯得高雅，所以要熟悉典故。」

二、關於先生的幾則生活記事：

1. 民國六十七、六十八年左右，有一天我去拜訪先生，先生在樓頂陽臺上，正在爲花木澆水，原來先生授課之餘也種些草本植物，先生說：「我本欲學作老圃，但這些植物，花雖然開得很漂亮，卻容易枯謝，感受不太好，我要來改種蘭花。」後來，先生在住家後陽臺栽種蘭花。

2. 記不清楚是哪一年了，有一天在嘉義輔仁中學任教的大學同學李新如來電說：「同學很懷念陳老師，想北上拜訪老師，跟老師一起用餐。」經過聯絡，先生慨然答應，新如約了張明義等幾位同學，到了中午用餐時間，先生說就在寓所附近餐廳好了。正好姚榮松老師也拜訪先生，先生說一起去。先生也囑長公子昌華及其女朋友也去，於是大家坐滿一大桌。榮松師帶了一瓶一公升的金門高粱，沒多久就喝完了，先生向長公子說：「你回去把爸爸書房裡的紹興酒拿來。」沒多久昌華學弟提來四瓶，先生問：「家裡還有幾瓶？」「還有兩瓶。」昌華學弟回答。先生說：「你還知道留兩瓶給爸爸，如果是你弟弟，就全部拿來了。」大家一聽，無不哈哈大笑。

3. 民國九十九年十月先生、師母帶領門人赴河南南陽師範學院參加「陳伯元先生文字音韻訓詁學國際學術研討會」，其實先生自手術後體力大不如前，加上原本的咳嗽宿疾，步伐較緩，多由門生戴俊芬、何昆益扶持。那天開幕式，先生爲了減少咳嗽，特地服了藥。一直到返臺後，我才聽先生說：「沒想到那天服了咳嗽藥，非常愛睏。」我這才知道，當天先生整日都強忍著。先生進行專題演講時，必也是勉強支撐，方能有條有理的完成。這種堅毅、負責的精神與態度，令人敬佩！

南陽師範學院聶振弢先生學養深厚，是一位性情中人。研討會當天，於美術館舉辦「伯元先生詩詞展覽」，展出聶先生的書法作品數十幅，內容都是伯元先生的詩詞創作。運筆純熟，神氣高妙，足見功力，更顯見兩人深厚之情誼。南陽師範學院學生的吟唱演出也令人刮目相看，內容也全部都是先生的詩詞作品，弦音妙律，聲韻動人，讓人確有餘音繞樑之感，真是一場豐盛的吟唱饗宴。

　　河南省號稱中原地區，當地人士非常熱情，研討會的幾天中，於餐宴中皆招待中原出產的醇酒，確實是好酒，但我因有任務在身——除發表論文、擔任主持人外，還得擔任論文討論人，尤其是擔任論文討論人，因前一天晚上才知道有這項任務，實在有壓力，所以用餐時，只敢小酌一、兩杯，不敢多喝。直到返臺前一晚歡送餐會，大陸學者來敬酒，方才敢暢懷盡性。因爲與會成員都要表演節目，我也吟唱了兩首詩，其中一首是杜牧的〈泊秦淮〉：「煙籠寒水夜籠沙，夜泊秦淮近酒家，商女不知亡國恨，隔江猶唱後庭花。」第二天，先生特地跟我說：「吟唱得還可以，已經把那個『恨』字的味道吟出來了。以後還要不斷的練習。」親切的口吻，殷切督促著我繼續進步。

4. 先生的電腦技術純熟，但是大家可能不知道他是年紀大了才學的。他說有一次他向潘（石禪師）先生說：「老師可以學電腦。」潘先生說：「我年紀大了，眼力不好。」於是伯元師用單手打鍵盤做示範，說：「老師，就像這樣，這叫『一指神功』啊！」在我印象中，先生如遇電腦問題時，一通電話，曾榮汾學長馬上到，就把問題解決了。其實，先生的電腦技術已經很好了，他還去住家附近資訊工業策進會報名研習。有一次，先生跟我說他報名的是夜間班，他說：「我年紀大了，上課很認真，不像有些年輕人上課還打瞌睡。」

我自受業，迄今四十載，敬觀先生平日致力於學術，認真授課，指導學生，無不兢兢業業，循循善誘，已感欽佩，先生又溫文有禮，尊敬師長，友愛同儕，關懷後進，儒雅風釆足爲後輩典範。自先生仙逝以來，緬懷形影，歷歷如生，心中感念，湧現如泉，哲人風範，縱寫數文也難盡述，所以於雜亂中記取數言數事，速寫我心目中的先生，相信先生在天之靈也能知我用心。

懷念伯元老師三五事

輔仁大學中國文學系教授 金周生

「老師真嚴」，這句話如在學生口中流傳，必曾經烙下過深刻的印記：或是被逼的苦不堪言、痛不欲生，或是被訓的望而生畏、思而難眠；伯元老師在眾多學生的印象裡，「嚴」是出了名的。老師高足，遍及全臺大學，若不是幸遇嚴師，怎能磨礪出學問精實的弟子，與眾多善於任事的幹才？「師嚴然後道尊」、「嚴師出高徒」，確然可信。但對我來說，用「即之也溫」來形容對老師的感受，卻是更爲恰當。老師仙逝，悲傷之餘，謹記幾件往事，以誌悼念。

無緣受教　有幸為生

四十年前，我考入輔大中文系，大三「聲韻學」與碩士班「古韻源流」都是必修課，課程本由伯元師任教，但因遇老師出國講學，一再錯失同學口中「望之儼然」、「聽其言也厲」的上課機會。當時由炯陽師代課，林老師是伯元師的學生，認真中不失瀟脫，很得大家喜愛。

在研二時，伯元師回所續教，我準備研究《廣韻》多音字的問題，想請陳老師指導論文，當時心想：面對學識淵博，要求嚴格的「太老師」，貿然請求，是不是會應允呢？那種侷促不安與戰戰兢兢的緊張情緒，真是難以形容。意外的是，當我一開口表白，老師即欣然的說「好、好」，讓我有如釋重負的激動，現在回想，老師當時才四十三歲。

晚宴謝師　始明源委

一九七九年五月，我論文完成，將準備口考，王所長安排林景伊先生任口試委員，林先生乃是伯元師的恩師。考試過程中，景伊先生暢談「北京三沈」的學行軼事，栩栩如生，民初學者如在目前；我偶視伯元師，老師也正聽得入神。在接送過程中，看到老師引路攙扶，執弟子禮的恭敬態度，讓我印象深刻。

畢業後不久，家父為感謝老師對我的教誨，特別安排一場謝師餐會，來賓除景伊先生與伯元師外，還有孔達生（德成）、毛子水（準）、臺伯簡（靜農）、鄭因百（騫）、王大安（靜芝）、史孝龕（次耘）、葉慶炳、王初慶、林明德諸位業師作陪。席間想必觥籌交錯，歡然暢飲，伯元師後有〈夜宴富貴樓詩有序〉之作，見於《伯元吟草》。參加這場謝師宴的，都是學界耆宿與俊秀，伯元師還算年輕一輩，多年後老師屢次向我提起此事，可見印象深刻。

家父早年在臺大中文系任助教時，曾想隨董同龢先生學聲韻，但苦於發音之難，轉而師事董彥堂（作賓）先生習古文字，但終以不熟古音為憾事。伯元師曾私下告知，在我剛上研究所時，某日相遇，告訴有兒讀輔大中文研究所，想學習音韻學，特別拜託指導論文，當時老師就已欣然答應。或許就是這層關係，當請老師任指導教授時，才會那麼順利。日後與老師請益問學，似也從未有過重言厲色，讓我產生怯畏之心，這種「即之也溫」的感受，有時會聽到同門說「老師對你真好」的話，應該是事出有因的了。

一言通禮　鶼鰈情深

老師家居和平東路二段巷中，與我住處距離不遠，或因知平日教學工作繁重，三個子女又需照顧，就從不找我幫忙做事，長年除開學術研討會，或與同門師生特別聚餐外，我也鮮少與老師聯絡。

記得有一次要向老師報告博士論文撰寫計畫，必須登門請示意見，於是先致電老師，欲詢問老師何時方便？電話響起，師母接聽，我報告姓名後，就聽電話旁輕呼：「伯元，學生的電話。」頓時讓我有進入昔時「禮教」時空的感覺。

《孝經・廣要道章》說：「禮者，敬而已矣」。古時敬親、敬賢、敬尊，稱字、稱號、稱官職，絕不直呼姓名，就是禮敬他人最基本的表現。記得在研究所修讀臺老師「治學方法」課程時，常稱道「卓如先生」、「援庵、靜安先生」如何如何，出語極爲自然，我們心裡也知這是「避諱」，因此自己言談間就會儘量學樣，以爲禮敬。而此次電話中親耳聽到師母以字招呼老師，卻真是一大驚異，「舉案齊眉」「相敬如賓」這些成語，都從腦中躍出。

現代人不流行取字取號，朋友間也往往直稱其名，甚至上課說顧亭林、江慎修、段若膺，學生都以爲怪，時代風俗改易有如此之速者，無怪乎社會輕狂之舉，人與人間不相互尊重，謾罵批評之聲到處充斥。

回想參加幾次老師與及門弟子的重要餐會，只要師母在臺，老師一定偕師母參加；如遇老師誕辰壽宴，則最後齊吹蠟燭，共切蛋糕，弟子爭相與老師師母合影留念，大夥必定歡愉而歸。

二〇一〇年南陽師範學院特爲老師召開大型學術研討會，大型布幕背景正是師母畫作，一時傳爲美談。會議結束後，老師身體勞累，長咳不止，無法一起參加參觀活動，於是師母也不跟團，留下陪伴，並要學生放心出遊，說是不要影響主人美意。

最後一次進老師家門，是與中央大學廖湘美老師共商接送老師至中壢口考事宜。老師恰好出門理髮，等候期間，與師母談及老師病情，廖老師告知有一套簡易健身運動，對身體定有好處。師母隨即跟著湘美學習，並說：「我先學起來，到美國養病時，我跟老師一起做，這樣就不會覺得枯燥。」言談舉止間，鶼鰈情深，表露無遺。

師母以字稱呼老師的事，我課堂上屢屢提及，看到學生乍現訝異欽慕的表情，不禁想到傳統文化小細節中表現出的文明，其實還是能讓年輕人產生認同感的。

日耕不懈　結實滿園

我平常接觸老師的著作，不出《聲韻學》、《古音研究》、《廣韻研究》幾書，真積力久，動輒數十萬言，至關節難讀處，仍有不能了然的地方，以爲老師寶貴光陰，盡消耗奉獻於此。近年蒙贈《伯元吟草》、《古虔文集》，才知老師其實交遊廣闊，臺、港、大陸，海外賢達，無論少長，都樂與親炙筆談，唱和詩文。至於傷悼師友之作，出自至性，讀之常令人酸鼻。所收自選詩文作品，又數十萬字。若無持久毅力，日日筆耕，豈能有此成果。

前年至南陽參加「陳伯元先生文字音韻訓詁學國際學術研討會」，主辦單位囑我以〈陳伯元先生《中原音韻》研究之成就與貢獻〉爲題撰文。翻閱相關資料時，才發覺老師《中原音韻概要》先後有三種版本，仔細推敲比對異同，從原始《概要》本到《注音檢索》本以至於《新編》電腦排版本，除增補內容外，配合電腦資料處理，更使讀者方便閱讀。撰寫完畢後，至老師住處面呈就教，老師仔細看完，抬頭說：「可以。我當時只是想寫一本概論的書，看你這篇文章後，才回想起以前要修訂的一些事，更沒想到還對學生產生那麼大的影響。」從老師的學術專著與詩詞文集創作看，伯元師真是一位追求知識、日耕不輟、面對當下、真實生活的士林典範，無怪乎能成爲著作等身、桃李滿園，讓大家尊敬懷念的長者。

關心思念 睹物知恩

近一年多，老師赴美養病，我不常通信問安，但如遇同門聚會，相互急切詢問老師近況，則已成常態；知老師要開白內障、作栓塞，心情隨之緊張，事後得知一切順利，始除懸念。五月間，老師來信說八月回臺，詢問九月初可否同至南陽師範開會？我立刻回信答應跟隨。七月多，同門傳出老師身體欠安，我晚間常以msn與幾位同門聯繫，爲師祈禱並相互打氣，時遇年輕學生悲情難抑，淚流不止，我只得以「吉人天相」「順其自然」相慰。八月一日，添富兄來電告知噩耗，真是難以接受，其他同門與學校助教也紛紛傳簡訊、寫電郵報喪，一時之間，大家極爲傷痛。老師在學界與同門之間受到的關心與愛戴由此可見。

爲了寫這篇簡短的思念文字，我找出了二〇〇一年獲得博士學位時老師寫的贈詩及五十歲時老師所書贈的對聯，又看到老師多年前寄來的信，內裝〈哭炯陽弟〉詩一首，老師如此地寶貝學生，如此地椎心痛傷高足，真情照顧關愛學生的「人師」，怎麼那麼快就離我們而去了呢！

嗚呼！智者任天大化，仁者薪盡火傳。
弟子繼志述事，恩師典範永存！

（本文轉載自《國文天地》第二十八卷第四期）

憶舊遊——跟陳新雄老師在一起的日子

香港中文大學聯合書院 黃坤堯

一、伯元花甲

一九九五年陳新雄教授的六秩壽慶，同門假臺北市福華飯店舉行祝壽餐會，出版學術論文集，並製作銀盾及紀念品。感念師恩，同心善禱，鬱鬱蒼蒼，氤氳佳氣。際此青春吉日，我也寫了一闋〈水龍吟〉爲伯元夫子壽。

嵩雲佳氣呈祥，春風涼靄繁霜墜。芳菲競豔，青蔥裁錦，流霞綺思。追琢文林，蘊培詞苑，微言深閉。更論聲析韻，抄書暴富，振高鐸，人驚起。　喜見斗回周甲，慶今朝壽康眉綴。蒼松挺秀，孤標江表，金甌補碎。膏雨停雲，裁成桃李，高山流水。愴時艱，莽莽河山萬里，有英雄淚。

此詞上片先寫春天喜氣；追琢即雕琢，出《詩經．棫樸》「追琢其章」，指伯元師的詩文創作，微言大義；先生固以聲韻名家，其實也很重視教育工作。抄書句出蘇軾〈與程秀才書〉：「兒子到此，抄得《唐書》一部，又借得《前漢》欲抄，若了此二書，便是窮兒暴富也。呵呵，老拙亦欲爲此，而目昏心疲，不能自苦，故樂以此告壯者爾。」而這亦是伯元師一貫的教學主張。下片祝壽，王靜芝教授嘗繪「春山瑞松圖」以贈。結言教育事業之重要，莽莽神州，更添殷切。

二、《香江煙雨集》

一九八一年，陳新雄教授來港任教浸會學院中文系，越一年返臺，輯成《香江煙雨集》，一九八五年由臺北學海出版。何敬群、汪中、張夢機諸先生撰序。何序以發揚江西詩風相許，「君詩即景生情，遊方之外；遺形寫意，筆墨淋漓。而香江山海樓臺，四時成歲之地，則正在煙雨迷離之中。」汪序稱「師友之誼，展卷慨然，而栖栖海角，又不勝神州陸沈之戚矣。」蓋當時臺灣公教人員不能前赴大陸，輾轉尋親，香江聚首。集中有〈與舍妹闊別三十年，近傳訊息，仍在世間，感賦二律以紀之〉云：

卅年生死兩茫茫。每念親情欲斷腸。海外來音傳遠訊，夜間求夢到高堂。鴒原急難思無盡，白日看雲意豈忘。陟彼屺岡悲不已，久勞瞻望淚浪浪。

兒時百態記猶新。手足情深分外親。弔影昔傷淪火宅，尋根今欲覓天倫。卅年悲苦艱難甚，萬里迂迴信息臻。何日重逢勞遠夢，臨風懷想淚橫陳。

迂迴得信，一往情深。張序更以真詩許之，因云：「字字出於胸臆，絕無浮夸虛飾之弊，然則此非真詩而何？」

三、性情與詩

伯元師性情中人，胸懷磊落；但昏昏俗世，難以苟合，是非愈明，痛苦愈甚。其〈初謁涂丈公遂〉詩云：「蒼松翠柏堅貞節，勃鬱盤根自不群。」題贈之作，亦所以抒志節也。陳新雄《香江煙雨集》深於人情，尤以師生之誼，全始全終，彌足感人。集中首唱即爲〈赴港講學上景伊師三首〉，其一云：

> 鵬翼摶扶南海去，追維訓誨實難忘。尋今能得逍遙樂，緣昔曾叨雨露光。白雪雖教春事晚，貞松益勵歲寒蒼。心香一瓣無窮意，永念師恩日月長。

情辭懇切，不假修飾，一切成就，端賴師恩培育。伯元師以身示教，足爲天下典式。〈恭壽景伊師七秩晉三〉有句云：「地隔臺灣勞北望，潮連香港暫南耽。葵心向日仍如昔，媿未堂前伴酒酣。」呼息一氣，神明相感，師生之情有愈於骨肉者，信然。

林尹教授仙逝，伯元師有〈恭挽景伊師〉二十七首，蓋合從遊二十七年之數。「愁覘藥飲發悲哦。劇痛恩師受折磨。兩眼相看知有意，可憐無語淚如波。」以拙辭寫探病，蒼天無語，痛徹心脾。

四、香江麗景

陳新雄《香江煙雨集》多寫香江麗景，如勒馬洲、萬佛寺、黃大仙廟、道風山、調景嶺、新娘潭、大嶼山、宋皇臺、太平山、長洲、蟠龍半島以至澳門等，均有紀遊之作。其〈香港黃大仙廟〉云：

> 相傳三教共祥煙。靈異真人降九天。巍廟區分儒道釋，信徒競拜佛神仙。求籤匍匐民相湧，博彩貪婪慾莫填。富貴浮雲如孔聖，門庭冷落固當然。

此詩善寫風土民情，前四句實景，純是眼前所見；頸聯將求籤與博彩相連，顯出一種難以言說的蒙昧與關心。末聯筆鋒又轉，突然擺出孔子的冷落，與世不侔，同時也有強烈的自嘲意味。其他寫沙田第一城的暴雨也很傳神。

伯元師詩中多寫香江學界人物，例如何敬群、汪經昌、陳耀南、涂公遂、蘇文擢、曾錦漳、羅思美、楊昆岡、何文華等，其中尤以跟韋金滿唱和聯句最多，亦足見一時之樂。〈歲暮有懷曾主任幼川〉四首之三云：

> 一樽曾與子同攜。到府令郎笑語低。問我別來何最憶，君家風味臘腸雞。

此詩是到訪曾錦漳家的作品，洋溢生活氣息，十分親切。

五、滕王閣

一九九七年八月，陳新雄老師赴南昌出席中國語言學會第九屆學術年會，姚榮松兄及我隨行。首天在南昌大學揭幕，繼往廬山進行兩天分組討論及閉幕。在南昌期間，《江西詩詞》副主編熊盛元來訪，約遊滕王閣、百花洲及六朝古刹佑民寺等。滕王閣位於贛江和撫河的交匯處，自古是兵家要衝，屢毀屢建。現在看的是九十年代新版本，也是歷史上第二十九次重建了，稍嫌俗氣。熊盛元撰聯云：「蛺蝶圖中，香凝帝子花間夢；滄桑劫後，簾捲王郎筆底風。」滕王李元嬰嘗繪「蛺蝶圖」，現已不存。滕王荒淫，政聲甚惡。拙詞〈蘇幕遮〉「滕王閣贈盛元兄」云：

暑風炎，秋熱慍。湖海相逢，一曲琴絃潤。蛺蝶圖中消午困。浩渺煙波，夢向洪都近。
奏仙韶，調細筍。絕特瓊樓，蓮步姍姍進。幻彩霓裳催拍緊。人傑地靈，記取泥鴻印。

在廬山的閉幕禮上，陳老師即席賦〈蝶戀花〉云：

文字語言非小事。往昔鄉音，今日猶相繞。會聚友朋真不少。天涯到處皆芳草。　清爽廬山談論道。語出詼諧，拍手齊歡笑。討論漸深聲漸悄。相憐何必生煩惱。

當時我也和作〈蝶戀花〉賦別云：

幾日行程風雨小。路入南昌，贛撫雙河繞。賓主盡歡良會少。滕王閣下迷花草。　千仞匡廬翻鳥道。造極登峰，論學留言笑。牯嶺天街良夜悄。人間消夏消煩惱。

六、應景之作

元豐七年（一〇八四）甲子三月，蘇軾自黃州移汝州。四月渡江，有〈初入廬山〉三首。其一云：「青山若無素，偃蹇不相親。要識廬山面，他年是故人。」其二云：「自昔懷清賞，神游杳靄間。如今不是夢，真箇在廬山。」其三云：「芒鞋青竹杖，自挂百錢游。可怪深山裏，人人識故侯。」黃州與廬山隔江相對，蘇軾以待罪之身，不能隨處浪游。路過廬山難免也要戒慎恐懼了。其一擬跟廬山訂交，他年再傾幽素；其二介於想像和現實之間，恍惚夢境；其三寫深山中亦多舊識，十分自負。蘇軾游廬山，謙稱「懶不作詩，獨擇其尤佳者作二首」，蓋詠開先漱玉亭及棲賢三峽橋二景。現在這一帶屬於秀峰景區，位於廬山東南，李白也曾經在這裏觀瀑得詩，寫出千古名作。在廬山寫詩，珠玉在前，實在不好發揮。拙作〈三疊泉〉云：

酷暑來遊三疊泉。澄紈素練掛冰川。跳珠迸玉龍潭鏡，五老峰光入紫淵。

只能應景而已。陳老師亦有〈三疊泉次坤堯韻〉云：

叢生灌注有清泉。三疊懸空倒玉川。一洗此身長垢後，有如親入濯龍淵。

潛入龍潭，想象出奇，亦遠較拙作瀟灑了。

七、不識廬山真面目

廬山西北麓有西林寺及東林寺。蘇軾〈贈東林總長老〉云：「溪聲便是廣長舌，山色豈非清淨身。夜來八萬四千偈，他日如何舉似人。」溪聲指虎溪，山色即廬山，此詩稱頌常總住持，連溪聲山色都能感染佛法。又〈題西林壁〉云：「橫看成嶺側成峰。遠近高低總不同。不識廬山真面目，只緣身在此山中。」此詩深於哲境，更是騰播眾口的名作。八月游廬山，我們在錦繡谷中遠眺西林寺的白塔，在翠田繚繞之中，別饒佳氣。於是包車下山，重新投入酷暑的世界中去。西林寺修復一新，今題「西琳寺」，可能刻意繁化字體，似乏典據。陳老師〈西林寺用東坡韻〉云：

未見盧山五老峰。西林氣象繫心同。驅車直向前奔去，已墮諸天色界中。

極有天花亂墜之感，好像要向東坡討答案。拙作〈西林寺和東坡韻〉云：

回首匡廬錦繡峰。色空如幻素心同。東坡悟得禪思趣，魂化千山煙雨中。

拙詩故國神遊，大有與東坡同在之意。拙作又有〈東林寺〉云：

虎溪橋畔白蓮池。淨土開宗葉滿枝。水色山光留半偈，翠田雙塔碧琉璃。

東晉慧永住西林，慧遠建東林，僅屬一街之隔。現在東林繙經臺上亦新修一塔，即將竣工。陳老師〈東林寺用坤堯韻〉云：

惠遠淵明坐碧池。虎溪難越且安枝。聰明泉水人爭飲，論道今來幾合離。

則惠遠、淵明如坐左右，古今一夢，更為熱鬧了。

八、贛州行

八月十六日，陳新雄教授偕師母回鄉。姚榮松和我兩家人奉陪同行。我們一行七人，在出席廬山語言學會議之後，即返南昌轉乘京九鐵路的火車赴贛州。陳老師原籍贛縣，出生於鬱孤臺下；十四歲離鄉，距今快五十年了，近鄉情怯，自是常情。此外，姚教授專研客贛方言，而我則是為了取景和尋詩而來，各有所樂。在火車上，我們有幸在閒談中結識了葉發有主任，他是江西省人大常委會委員，剛從南昌開會回來；他很熱情地為我們介紹了贛州地區的發展情況。下午贛州行署臺灣事務辦公室的劉衛東主任來接車，並安排我們入住贛南賓館。這是贛州最寧靜優美的園林酒店，滌清塵累，服務甚佳。當晚葉主任設宴接待我們，初嘗苦瓜酒及贛南名菜。苦瓜酒的製作十分特別，就是將小苦瓜先放在酒瓶中生長，成長後才剪斷臍帶浸酒，一生住在瓶子中，再也跑不出來了。此後幾天由劉主任等打點行程，探親遊覽，得詩甚多。

九、王母渡探妹

陳新雄教授原籍贛縣，老家在黃沙的伯公坳。可是山區尚未通車，還有十多華里要修兩座小橋才過得去，目前仍靠雙腿走路。我們先到陽埠鄉政府辦公室，由郭書記、曾鄉長帶領往訪陳老師的母校惜分高等小學，今名贛縣陽埠中心小學。校舍繚繞於青山白雲翠田果樹之中，環境清幽，可是交通困難，一切顯得簡陋，百廢待興，談何容易。參觀過後，曹校長要我們提意見，我除了欽佩他們在匱乏的條件下承擔教育的重擔之外，更希望政府撥款或商界捐資修路育林、發展旅遊、保護水土、改良農業，爲地方注入新希望的元素。下午陳老師往王母渡探望幼妹及她的子婿家人，喜氣洋溢，在鞭炮聲中，一條小街馬上就沸騰起來了。陳老師賦〈蝶戀花〉云：

八載之前初會遇。好夢成真，走向臺灣路。昔日你來今我去。匆匆多少朝和暮。　欣見廳房居有處。次第諸甥，系屬連枝縷。此日歸來難盡語。別時光景何能訴。

十、陽埠尋根

贛州遍地古蹟，過去遊客不多。現在京九鐵路通車了，巍峨的新車站帶動黃金嶺經濟開發區，華廈鼎峙，交通便利，已經粗具大城市的氣派了。贛州菜式繁多，湯品豐富，往往能在家常小菜中調製出不同的色香味效果，風格各異。此外贛州人情味濃郁，對臺辦的工作人員守時負責，令人感動。我常常遊說陳新雄教授回老家黃沙看看，據說山區到處都是唐宋古蹟，文革期間也沒有遭受破壞；不過要走兩三個小時的山路才能回去，只好打消念頭了。贛州發展迅速，最好能注意環保，不要爲發展工業而犧牲神聖的土地。有時想想山區交通不太方便也好，可以多保存自然景觀，不受破壞。當日隨陳老師訪陽埠小學及往王母渡探妹，感觸良多，拙詞〈蝶戀花〉云：

萬里逃荒餘一口。半紀歸來，歷盡滄桑久。兄妹團圓天鑄就。從今漸解眉心皺。　陽埠尋根山路走。飲水思源，渴念相思瘦。學海從頭堪記否。驪歌又送長亭柳。

十一、虔州八境

虔州，漢曰章貢，屬豫章郡。今名贛州，蓋章、貢二水合流爲贛江，縱貫江西入鄱陽湖而得名。宋孔章翰築石城防治水患，並即其城上樓觀臺榭之所見而作「虔州八境圖」。蘇軾觀圖賦詩，序稱「苟夫知境之爲八也，則凡寒暑、朝夕、雨暘、晦冥之異，坐作、行立、哀樂、喜怒之變，接於吾目而感於吾心者，有不可勝數者矣，豈特八乎？」可見「境」純是觀點角度的問題，後代換爲八景，稍嫌坐實矣。今贛州在古城牆上新修八境臺，北眺贛江，南望峰山，煙雲城郭，草樹蔥蘢。大堂懸畫八幅，即舊傳八景之作：三臺鼎峙、二水環抱、玉巖夜月、寶蓋朝雲、雁塔文峰、馬崖禪影、天竺晴嵐、儲潭曉鏡，由導遊小楊一一指出，依稀可辨。蘇軾雖題詩八首，但當時仍未去過贛州，僅憑想像。例如其七詠鬱孤臺云：

雲煙縹緲鬱孤臺。積翠浮空雨半開。想見之罘觀海市，絳宮明滅是蓬萊。

大抵採用比擬手法，末二句用舊經驗托起。

十二、鬱孤臺

元豐元年（一〇七八），蘇軾題〈虔州八境圖〉詩八首。紹聖元年（一〇九四）貶官嶺南，八月過虔州，初遊鬱孤臺、廉泉、塵外亭、天竺寺，得詩四首。建中靖國元年（一一〇一）赦歸，復遊鬱孤臺，題詩和前韻者五首。原作云：

八境見圖畫，鬱孤如舊游。山為翠浪湧，水作玉虹流。日麗崆峒曉，風酣章貢秋。丹青未變葉，鱗甲欲生洲。嵐氣昏城樹，灘聲入市樓。煙雲侵嶺路，草木半炎州。故國千峰外，高臺十日留。他年三宿處，準擬繫歸舟。

這是一首五言排律，中間各聯對仗精密。蘇軾摹寫臺前景色，麗字欲飛。末四句厭倦仕宦生活，已萌退意。拙作和韻云：

煌煌京九路，喜作贛南游。翠玉章江帶，浮橋貢水流。匯瀾開八境，微雨沐初秋。渺渺慈雲塔，萋萋曉鏡洲。崆峒饒佳氣，日月燦瓊樓。絕壁通天洞，英雄虎崗州。人情增樸厚，詩趣漫淹留。千載東坡客，逍遙一葉舟。

詩中「崗」字依普通話讀上聲，倘依舊讀平聲則失律了。

十三、贛州中元觀月

中元節的晚上，贛州街上到處都是盂蘭燒衣，拜祭亡魂。現代鬼節增添民俗采色，再沒有絲毫恐怖氣氛了。回到了贛南賓館，圓月中天，松桂婆娑，池沼秋波，涼風習習，乞巧剛過，而中秋將近了。同行姚榮松、林麗月教授儷影雙雙，花叢漫步，天上人間，都是麗月相映的世界，拙詞〈浣溪沙〉云：

天上中元桂魄黃。人間乞巧繡針忙。贛南賓館倚新妝。 漫步花叢憐彩蜨，映階松雪凜秋霜。瓊樓雙照鬢雲香。

贛州峰山原名崆峒山。天晴時可以遠眺贛州市。當日雲霧稍多，太陽懶洋洋的灑在蒼松翠杉之上，好像蒙上白茫茫的雪光。峰山乃贛州第一高峰，主峰一〇一六公尺，又名寶蓋峰；綿亙相連者有玉屏山、席帽山、金際崠、丫髻崠等。山色洶濛，不讓廬山專美，而寧靜過之。拙詞〈減字木蘭花〉云：

群山拜倒。傲立贛南浮翠好。丫髻相扶。寶蓋澄霞玉女壺。 蜻蜓煙草。章貢北流奔遠道。酒暖香蘇。回首來時路已無。

十四、贛州覓酒

贛州市古蹟處處。我們跟隨陳新雄教授拜訪贛州第一中學（原爲贛縣中學），老師在這裏讀過初中一，五十年過去了，記憶猶新。王志遠校長親自迎迓老校友，謂明年將舉行百年校慶，歷史悠久。校門旁邊有光孝寺，這是廣東商人修建的，外貌尚存。校內有陽明院、廉泉、夜話亭。據說蘇軾與贛州名士陽孝本在廉泉夜話，煮茗長談。中學附近又有始建於唐代的文廟，內進爲大成門、大成殿、崇聖祠、尊經閣等，規模弘大，富麗堂煌。隔壁是宋代慈雲塔，構型優美。

此外我們又往訪陳老師夜光山的舊居，在貢江東門古城牆下，原是一間小旅館，現已改建爲公厠和貨倉了。陳老師在中山路覓得吉安冬酒與贛州伏酒，談起來酒廠竟是中央銀行的舊址，昔日的金庫已成酒窖。陳老師賦〈減字木蘭花〉云：

往常醉倒。酒味還難如此好。得路相扶。今日贛城得兩壺。　何來芳草。尋覓綿綿窮遠道。宿醉還蘇。一醉頹然懼也無。

十五、白首重回事若何

在贛州幾天，我們跟陳新雄教授的老師陳之敏及族叔陳金伯時常見面。陳之敏酒量佳，意興豪邁，現住贛州第二中學宿舍。退休後辦高中補習班，高考成績驕人。陳金伯住陽阜鄉，能詩而不善酒。當年他也曾遠走，但半途折返，現在優悠歲月，木訥寡言。陽阜舊街多是清末民初的木構建築，村外就是蒼翠的田野。街上多曬辣椒、花生、燙皮絲等。經他們逐一指點，當年的肉檔、藥店、衣店、木店等依然開業，五十年不變，顯出永恆的魅力。現代社會節奏太快把自己也淘汰掉了，變成陌生人。陳教授〈減字木蘭花〉別金伯叔云：

贛州城下。攜手同遊真夢也。來去如梭。白首重回事若何。　故鄉重見。眼裏滄桑千萬變。情已闌珊。漸覺涼風入指寒。

拙詞同調呈陳之敏太老師招飲賦謝云：

贛州嘉獻。美酒佳肴消漏箭。狼藉杯盤。荏苒春光五十年。　廉泉月白。棗綠橙黃居士擘。八境詩香。夜話蘇陽杜麗娘。

十六、通天巖

通天巖位於贛州市西北郊區，地質學上稱之爲丹霞地貌。山上多天然巖洞，著名的有翠微巖、同心巖、忘歸巖、廣福寺、群玉閣等。崖壁有摩崖造像及題刻，爲贛州著名的避暑勝地。神龕內有蔣經國的臥室，一廳一房，設備簡陋，現在還擺放著當年他用過的桌椅、行軍床、油燈等。雙桂堂上的將軍樓，本用以囚禁張學良的，後來並沒有住過。通天巖內又有陽孝本宅，他是贛州名士，蘇軾路過贛州時曾跟他廉泉夜話，所以在當地傳說很多。王守仁嘗於明正德十四年（一五二〇）在通天巖結廬講學，在忘歸巖上留詩云：「青山隨地佳，豈必故園好。但得此身閑，塵寰亦蓬島。西林日初暮，明月來何早。醉臥石床涼，洞雲秋未掃。」陳老師〈蝶戀花〉詠通天巖云：

巖號通天消暑氣。習習涼風，洞口容人睡。古木參橫森鬱意。暇來一臥真慵起。蘇子陽生交語際。夜話因緣，古蹟題來似。更有陽明吹玉蕊。傳芳欣育多才子。

拙詞〈蝶戀花〉亦云：

寒谷生春盈爽氣。雙桂紅樓，午夢昏昏睡。斷續蟬聲如有意。微茫清角將軍起。振翅鳳凰巖壁際。二虎金龍，唐刻神龕似。藝苑詩壇披玉蕊。傳經更待陽明子。

二詞同爲寫實之作，歷史與現實交錯出現，而著眼點略有不同，大抵各抒己意而已。

師恩永難忘——懷恩師

銘傳大學華語教學系教授兼系主任　江惜美

伯元師離我們而去，對我而言，留下的是無限的哀思與感懷。

依稀回到了民國七十三年，我考上了東吳大學文學研究所碩士班。在炯陽師的課堂裡，可以感覺到他對伯元師的推崇，我既感恩炯陽師的提拔與愛護，很自然的也希望成為伯元師的弟子。暗自思忖，如果能向老師學習東坡詩，定能有積極正向的人生觀，於是不揣淺陋，請炯陽師為我懇求老師收我為門生。老師慨然應允，使我立下了終身研究東坡詩詞的職志。

炯陽師曾多次提醒我，伯元師治學嚴謹，要求甚高，一定要虛心受教，小心言行，我也牢記在心。那時，我一邊修習伯元師的「蘇軾詩專題研究」，一邊還在國小教書，忙得不可開交。幸好在伯元師的指導下，順利的完成了碩士論文，那一年，轉任中正高中教師，同時也考取了博士班。好幾次到伯元師家中請益，老師總是放下手邊的研究工作，關心我的工作情形，就是那樣滿溢的愛與關懷，讓我感到成為老師的門弟子，是我一生中最值得慶幸的事。

民國七十九年二月，我回到母校——臺北市立師院服務，由於是當助教、做行政，因此每天要上班，處理系裡所有雜務，還要修習博士班課程，同時也因爲炯陽師的愛護，夜間在東吳大學兼任大一國文課程。我的生活充實而忙碌，寫公文、交報告、忙教學、辦活動，那時骨瘦如材，憔悴不堪。幸好每一次到兩位恩師家中，他們都不曾嫌忙、嫌累，就像等待自己子女回家一般，不厭其煩的聽我訴苦。疲憊的身心，每每在恩師的關懷、叮嚀之下，恢復了元氣，這才能繼續的往學術路上邁進。

就在博士班即將畢業的那一年，我的工作壓力也達到了巔峰。一個人要教學、辦活動、輔導學生，還要讀書、寫作，同時要以極短的時間，完成博士論文的撰寫，在這樣氛圍之下，整個人籠罩在壓力中，不得不去找醫生。我請求醫生開解除壓力的藥方，醫生笑笑的說：「小姐，壓力是沒有藥方的，你不要攬那麼多事情不就好了嗎？」走在仁愛路上，我問自己：能不繼續攬這些事嗎？答案是「不能！」於是我決定完成不可能的任務。

向伯元師表明了要畢業的決心後，我一天只吃一餐，肚子餓時就喝牛奶，省下了時間，全力衝刺。伯元師對博士論文的要求，當然是很高的，所以一再的希望我不斷修改，務必沒有半點缺陷，於是我奔波在學校、老師家，身心俱疲。因爲忙碌，好一段日子不曾去找老師。伯元師發現我不再找他，於是透過炯陽師詢問我的消息。在他們語多慰勉、不斷鼓勵之下，我終於提出博士論文，通過了口試，順利的升任副教授。

還記得博士論文口試的那一天，宴請伯元師。伯元師問：「令尊、令堂呢？怎麼沒有來？

他們不來，我可不吃飯！」於是，我請來了父母親一起用餐。父親看到桌上金色的湯匙，非常小聲的對母親說：「我從來沒有到餐廳吃過飯，這個餐廳還用金湯匙，是高級餐廳哦！」雖是輕聲細語，但我卻聽得分明，而伯元師則是欣慰的看著他們，向他們連聲的說：「您老人家有個好女兒，恭喜您家裡出了個女博士！」老師欣喜的笑容，如在目前，那彷佛是昨日的一幕啊！

伯元師爲我上了寶貴的一課，他教導我「不要忘記父母栽培的辛勞」、「人要感恩、惜福」，我也因此沒忘記在父母的晚年裡，盡心的侍奉他們。好幾次，我接老師到「驥園」用餐，老師總不忘問候我的家人，我想：伯元師心中，真的是將學生當自家孩子看待，說他是嚴師、是慈父，一點也不爲過。因著這一份情，我沒有忘記終身研究東坡詩的信念——因爲我是老師指導的「第一個」學東坡詩的女弟子！

> 結網臨河莫羨魚，胸羅萬卷意欣如。陶情應可窮詩賦，篤學終當究注疏。不種硯田無樂事，能寬心地是耘書。常持此志同堅鐵，傳道仍須仗爾徒。

這首詩是伯元師親手所贈，詩裡有老師對我的勉勵，也有老師對我的期許。遺憾的是：今年八月，我得以主持系務，服務學術界，老師卻不能親眼看見；難過的是，老師本要回國參與東坡詩論壇，卻不克出席學術會議，我也無法親聆教誨。今後，唯有一本初衷，朝著老師期勉我的路上邁進，有朝一日能發揚老師最愛的「東坡詩詞」，也才能告慰老師在天之靈了。

如果說父母有養育之恩，那麼，師長的教導，即有裁成之功。炯陽師的辭世，我黯然神傷，哀思不已；年初，林師母也告別人間，留給我無限的懷念與悵惘。他們給我的愛，使我每一回首，都要濕紅眼眶；如今，伯元師仙逝了，留給我的，也將是無限的哀思、永遠的感懷。

《禮記．學記》云：「善歌者，使人繼其聲；善教者，使人繼其志。」伯元師一生教導無數學子，成就聲韻學一家之言，而對東坡詩詞的鑽研，也到了爐火純青之境。能詩、能詞、能書、能文，是老師儒者的風範；能吟、能唱、能言、能酒，老師是東坡的化身。「有情風、萬里捲潮來，無情送潮歸」，這闋〈八聲甘州〉的論析，是老師的遺稿，我既有幸成爲老師指導東坡詩的第一位女弟子，對於老師最終仍不忘東坡的詞，自然是深有所感。

老師生前總要我們填詞和作，但我總膽怯不前，如今，感懷師恩，願以此詞獻給恩師，願老師在天之靈能得到一絲寬慰。

〈八聲甘州〉悼伯元恩師

向東窗，裊裊送飛僊，千里快哉風！問山中明月，林下清泉，可見萍蹤？自鑄新詞無數，吟詠蓬萊宮。斗酒與君酌，人道豪雄。　猶記愛徒樓上，正師生談笑，一抹殘紅。嘆年來踪跡，追憶總成空。再回眸，春江依舊，勵來茲，著述謝坡公。靈山路，翩然遠去，煙雨濛濛。

後記：本文初成，九月二日忽夜夢，夢見烱陽師與大夥兒一起到機場迎接伯元師，醒來以後，頗感詫異。夢中烱陽師神情依舊，侃侃而談，且言及能與伯元師見面，甚感欣慰。生前，伯元師與烱陽師情同父子，此際，莫非知我翌日將前往迎靈，乃托夢囑我捎去音訊，向伯元師一家人致意？人世間竟有如此巧合之事，夢耶？非耶？

華開蓮成留清響

中央大學中文系　廖湘美

初次見到伯元師是在民國八十年，那年是在東吳大學中文系所舉辦聲韻學會會場上。爲了再次見到仰慕已久的的國學大師，碩二那年，我與正芬學姐課餘至師大旁聽老師所開「上古音」的課，隔年升碩三，除了開始學位論文的撰寫及生計必須的兼職工作外，因擔心自己有所懈怠，那時，很幸運地遇上了伯元師爲東吳開設古音學，爲讓自己持續地接觸學術氛圍，我向老師稟告後再度旁聽。老師的學問博通古今，向爲聲韻學界的翹楚，在老師的循循靈活善導下，對於專業，我未曾稍有退卻之心。

老師總說他最熱愛的是教學工作。記得那時聽課的人只有學長姐數人，人數雖不多，但我們大部分都打算主攻聲韻學專業，幸得伯元師允我旁聽，課後每每我都帶著愉悅的心情返家，這成爲我論文寫作期間的最佳振奮的良藥。伯元師更於課程期末時，爲了勉力我努力繼續鑽研，我有幸得到老師親手所書的墨寶，那幅是南宋國詞人陳與義的「臨江仙」：

憶昔午橋橋上飲，坐中多是豪英。
長溝流月去無聲，杏花疎影裏，吹笛到天明。
二十餘年成一夢，此身雖在堪驚。
閑登小閣看新晴，古今多少事，漁唱起三更。

書簡齋臨江仙夜登小閣憶洛中舊遊詞貽

畢業二年後，我順利地考上師大國文研究所博士班，我選修了老師開設的上古音及廣韻研究，終於名正言順地成爲老師的學生，一償夙願。

在升博二的暑假裡，驚聞指導我碩士論文的炯陽師不幸罹癌。心裡雖掛念恩師的病情，卻苦無可使力幫忙的機會。一天，我在課後請教了伯元師，老師說他了解我的心意。沒多久，老師促成了正芬學姐與我可以幫忙邀稿並編纂炯陽師的六十壽慶論文集，讓弟子的憂思掛念才有機會化爲行動。雖然炯陽師很堅強地努力抗癌，但身體最終仍不敵病魔侵蝕。猶記是炯陽師往生的前一天下午，學姐權敬姫特從韓國來台探視，一下飛機，我陪同學姐直接驅車往台大醫院病房，正巧遇上伯元師也來探病，老師在病榻旁面色凝重地喚著炯陽師的名字，只見炯陽師奮力地眨動了雙眼，雖然只有一瞬間。一旁的林師母對著我們說，自從昨日昏迷之後，這是唯一一次的睜開眼。伯元師待弟子如親人般之深情，實非一般人所可想像理解的。

歲月如梭，如今我已畢業執教多年，因個人身體健康及工作因素，便疏於向伯元恩師問安，幾年前從學生那裡得知老師罹癌，抗癌期間，老師的研究與教學熱忱未曾稍減，爽朗個性一如以往。

伯元師雖常赴美，但心裡總是記掛著台灣。記得老師要赴美養病前還曾對著我們弟子說，待病情穩定後，便會偕同師母一同返台定居，原本殷切期待著還有問安請益的機會，言猶在耳，如今竟成絕響。只留二十餘年成一夢…

感謝師恩——永懷最敬愛的伯元師

文藻外語學院應用華語文系 戴俊芬

最早對伯元師的印象，來自於先師孔仲溫先生課堂上的講述。每每談起太老師，治學嚴謹，學問精深，學生無不敬畏。這樣的印象一直留在心裡。民國八十三年師尊南下於中山大學講學，一次宴席中，第一次見到師尊，神采煥發，聲如洪鐘。雖望之儼然，實即之也溫，完全沒有大師的架子，令人感到親近。那時我剛剛直升研究所，害怕師尊當場測試，沒想到他指著桌上菜餚，考的卻是料理，令我大感意外。老師侃侃而談，無所不知，正印證「治國如烹小鮮」，聖人無所不學，而其道一以貫之。無論是烹飪、學問或是做人處事，師尊皆能從生活中體會與隨處細心的觀察著手，而有深入的見解。

真正有幸與師尊結緣，是在民國八十九年四月。先師孔仲溫先生英年早逝，臨終之際，唯獨放不下我們這群學生。師尊不捨先師，病榻之際，慷慨應允幫忙指導。在愛屋及烏下，師尊視我如子女，總是不忍苛責，關懷不斷。九十六、九十七學年，老師兩度至文藻講學，有幸親聆教誼外，師生同遊美濃、墾丁、蘭陽諸勝，賦詩唱和，好不快樂。民國九十九年更有幸陪師尊赴大陸南陽，參與「陳伯元先生文字聲韻訓詁學國際學術研討會」，並承師命發表論文。想我何德何能，竟有如此寵遇；雖是緣分與幸運，對於師尊提攜之恩，始終是無可言喻的感謝。

師尊待人寬厚，總是為人著想；即使病榻中，也是最配合的病人，得到所有醫護的尊敬與喜愛。記得有次在榮總等待檢查之際，某日得到醫生允許，得返家幾個小時。老師欣喜不已，戲而賦詩：「門外忽傳開恩典，初聞喜樂滿病床。卻看護士愁何在，收拾玲瓏喜換裝。冬夜微雨不足懼，俊芬作伴返家堂。即從石牌穿古亭，便除病湯向安康。」其真性情與樂觀的精神，可見一般。師尊當時喜悅的神情，至今仍深刻在腦海之中。

師尊既為經師，也是人師。德業之深，道業之廣，實難以言語道盡。影響我最深者，茲以下述三項記之：

一、事親至孝，尊師重道

蒙師尊持贈太師公百歲紀念冊，翻閱「序」及「先君事略」，感師尊之孝心，所謂「揚名立身，顯揚父母，是乃大孝也」。光耀門楣，善盡人子本分，是德行之首，令人尊敬。在師門方面，承繼之餘，更將章黃之學發揚光大。今年初，和詩云：「十方聲教終成願，一代弘儒更紹先。七七春秋惟樂道，章黃藝業永薪傳」，相信太師公們若在九泉之下，必定含笑欣慰。

二、書不厭倦，無欲則剛

師尊見我治學顧前思後，力有未逮，總是再三期勉：一輩子不只寫一篇論文，應像他一樣到七八十歲都要努力。近年師尊雖身體病苦，猶筆耕不輟，著作等身。這樣的精神，實在令人佩服。其次，師尊忠義爲懷，關心國事，不遺餘力；也曾不滿當局，屢屢投書媒體。我問師尊：「難道不怕被貼上標籤嗎？」師答曰：「我一輩子堅持不做官，就是這個道理。無欲則剛，自然毫不畏懼」。不管是捍衛師門，或是針砭時弊，師尊總是仗義直言，無所畏懼。子曰：「智者不惑，仁者不憂，勇者不懼」，師尊耿直率真的個性，與東坡實無相異，令人尊敬不已。

三、金針渡人，傳道為先

師尊春風化雨，桃李滿天下。雖退休，念茲在茲，都是傳道之業，爲人而不爲己。不僅在師大兼課、並在週末開聲韻講座；行有餘力，不管國內或是海外，北部或是南部，他都願意去講學。說到底，終其生命，燃燒自己，只爲傳播學問的種子。今年聶振弢先生籌辦之「南陽語言文化學院」即將落成，其附屬小學完全依照師尊的〈文化傳承與小學語文教材〉設施教學，對於國學教育的振興尤其重要。老師感念其德，即使身體不適，仍計畫前去講學，爲他們做義工；然而這個願望，沒想到還是來不及實現，成爲最大的遺憾。師尊對於中華文化傳承的使命感，舉世罕見；不僅積極推廣，更是「忠孝仁愛信義和平」之實踐者。

「兒女相承爲血統，生徒相繼乃精神」，這兩句話是當年伯元師贈送給先師孔仲溫先生的話，也是我的座右銘。老師的教育理念日漸實現，身爲他的學生，承其志、述其行、繼其業，火盡薪傳，實任重而道遠。

「人有悲歡離合，月有陰晴圓缺，此事古難全」。對於師尊的離開，傷痛不已。然而師尊已閬苑登仙，與東坡同遊，想必不亦樂乎。一想到此，便寬慰不已。今後唯有對著朗朗明月，寄予我無限的想念與感謝。這份情感與殊勝因緣，如同師尊鏗鏘嘹亮的吟唱聲，將永遠在我記憶深處；並期待緣起不滅，來世能有再相聚、續緣的一天。

遙祭伯元夫子文

慈濟大學東方語文學系　何昆益

維中華民國百有一年，歲次壬辰六月既望十四日，遽聞噩耗，仰天感懷，望洋欷歔，冥夜懷思，隨侍相從而不可再。弟子獻辭，遙祭　夫子之靈：

伯元吾師，卓躒尠儔，纂承道統，毓養德猷，講六藝於上庠，考古音而不朽，克明俊德，仁洽義修，信景瞻於先賢，寔弘顧於後流。天生夙慧，潛研不息，潘公所擢，尹公所陟，講授說文，群士躡屩而冠集，闡揚音韻，萬流踵門以嚮側，兼述坡公，尚儀其挺挺之大則，文藻唱酬，猶資於翩翩之翰墨。鍥而不舍，以鏤金石，僶勉諸生，書齋式格，乃若潛研，十駕垂策，乃成其功，畢竟全責。其知玄奧，其思淵哲，仍酌古以研今，猶規周而矩挈，問學究理，如旭日遍照，制圭爲臬，明道闡義，若清暉普現，解疑釋結。

思我夫子，絳帳廣被，門牆桃李，滿庭妍媸，春風化育，有律有儀，審音度韻，博文約禮，謁師從學，漫紀迄茲，如秋零草木，企春雨之潤滋，若冬凝川谿，賴惠風之煦垂，誨訓不倦，何樂如之？穆穆其德，磊落嶔崎，望之儼然，即之熙怡，肅肅其性，粲粲其思，拯陷溺以大道，撥反正乎正直。朝乾夕惕，勉恪諸生以中逵，焚膏繼晷，勤亹門下以嗣徽。乃若師大宴席，壽慶筵幃，受業俊彥，嘉聚歡頤，或有興吟誦於雅懷，或有縱羽觴之高飛，供珍饈而酌醴，奉甘食以斟醽，伏願樂之長久，祝禱壽而永彌。

嗚呼！夫子歸重泉，生死永幽亡，悼絳帳之寂寞，望重洋之渺茫，自此授業之聲已歇，弦歌之音絕響。哀永年之慟，悲無盡之傷，暫別有返歲，思念尚可償，長訣無歸年，哀慟怎堪當，匿慼容以餞別，掩涕淚而悽愴，戀往昔而感慨，獻哀慇兮惆恍。辭曰：

嗚呼哀哉！

天道久吾欺，君子享福綏，永日心鬱結，含淚欲待誰？

何以敘長別，心衷悵有違，哭我伯元師，道履返無期，

魂魄何所往，歸返同陵圯。摯友相與泣，親眷臨穴呼，

臨者涕流離，門生櫬側哭，蒼天何有亟，長夜徒悲蹙，

長嚎豈能聞，哀泣將何復。一期共一會，嘉會實有亟，

歡筵既不復，對酒將誰浥？掩淚顧空影，永夜長歎息。

嘆息何能扼，別緒一何深。長簟徒輾轉，興寐思遺音，

人生奈若何，天道也寧尋。夜來多悲風，揮淚望長空，

悵恍憶所歷，籌昔相與從，堪聽悲風響，彷彿睹音容。

嗚呼哀哉！

業生：何昆益泣輓

（本文轉載自《中國語文》第六六三期）

從師向學二十一年——我所景慕一生的經師人師

國立臺灣師範大學國文學系 郭乃禎

民國七十九年九月臺師大三年級，我第一次踏進伯元老師聲韻學的教室，黑壓壓的人頭，閃爍著期待的炯炯目光，準備迎接上課鐘聲，講桌前的位置擺滿了書本，搶先要聽到老師釋放出的「第一手的授課內容」。記得老師的開場白引用了胡適之先生的名言：「爲學當如金字塔，要能廣大要能高」予以期勉，成了許多同學終身努力的目標。

從國際音標開始，老師聲如洪鐘，任何細節都不馬虎，每位選課的同學要抄錄《宋本廣韻》的每一個反切，背誦四十一聲類和二〇六韻的開合等第，分辨聲母的音值、清濁、發送收，系聯反切下字，塡寫「聲經韻緯求古音表」，背誦反切下字表。上學期結束時，中古音的系統從《宋本廣韻》前的〈切韻序〉開始，到等韻圖的解說爲止，老師維持一貫的神采奕然，不論課程的繁複程度，黑板所提示的簡要綱目，搭配平穩的講授速度，在我們振筆疾書之中，古音系統條理清晰地深烙腦海，而且最後我們每一本作業都得到老師親筆的勉勵與評語。向學於師的點點滴滴，時時刻刻都留存在心頭，特別是備課時，站在講臺時，總是想起老師的大師風範：如何適切的予以鼓舞，如何幫助同學跨越困難，最重要的是如何讓學生視野寬闊，立志遠大。在老師引領之下，大三見識了全國聲韻學學術研討會，雖然身在堂廡之外，同學莫不心嚮往之。

下學期從重紐開始，總結中古音系統後，進入中古到國語的語音變化、再由四十一聲類上推上古正聲十九紐，解說上古卅二韻部的本韻、合韻和轉韻，撰寫毛詩作業等。課程難度越來越高，老師穿插清代音韻學家問學的歷程，段玉裁如何讚譽江有誥：「閉門造車，出而合轍。」戴震與段玉裁師生情誼等等，緩和了上課的速度，使密集理性思辯的教學過程，得以稍稍舒緩，即便如此，老師對於課業的嚴格要求卻從不鬆懈。同學反覆的在極慢的翻查韻腳中，漸漸熟悉韻部的輪廓。非一蹴可及的錘鍊，在循序漸進、諄諄善誘中，不知不覺地達成。伯元老師親手抄錄的毛詩尚在案前，至今仍指引著修課的學生，在字跡中摸索探求得到收穫。大四的訓詁學課程，老師從段玉裁《廣雅疏證・序》：「聖人之制字，有義而後有音，有音而後有形；學者之考字，因形以得其音，因音以得其義。治經莫重於得義，得義莫切於得音。」爲始，開啓詞義之學的方法與內容，包括「凡同聲多同義」、「凡字之義必得諸字之聲」、「凡从某聲皆有某意」、「形聲多兼會意」講明「以聲爲訓」的道理。並舉古書爲證，一一實踐證明。

就讀臺師大的碩博士班，接連選修了「廣韻研討」和「古音研討」，老師將歷年教學研究精要的內容，撰寫編輯成爲教材，細究中、上古音系統。除了《廣韻》成書的因革與體例外，從鄭庠六部到伯元老師的卅二部，將清代以來，學者修正韻部系統的方法和貢獻，做詳盡和完備的說明，其中包括清晰明朗的聲韻學史和研究方法。介紹音變的條例時，老師以章黃爲宗，旁徵博引兼及各學派，對於諸家所擅則兼容並蓄，務以學術爲主，屏除偏見，胸懷無限寬廣。在老師時時勉勵，務求博聞廣知之下，研究所修課期間又多次旁聽了楊秀芳老師，以及中研院龔煌城先生、鄭再發先生、鄭錦全先生、何大安先生的課，藉以增廣視野。每與伯元老師討論音韻結構與系統，不論任何問題，總是能夠得到啓發，有時還獲授書架上珍藏的文獻資料。爲學處世遭遇困難時，正面思考的力量總是源源不絕出自老師之口，包括尊敬師長，虛心求教，以禮待人，努力充實等等。伯元老師除了發皇師說之奧義，回應無理的攻擊以外，課堂上從來不曾惡言批評其他學者，充分展露爲人師表應有風格與精神，贏得所有學生的尊敬。

民國九十八年底，爲太老師林景伊先生辦理「紀念瑞安林尹教授百歲誕辰學術研討會」時，來自兩岸三地的學者專家，在伯元老師的邀約之下，齊聚於臺灣師大國際會議廳共襄盛舉，發揚章黃之學。此時卻不幸傳來罹患肝癌的消息，此後往返臺北榮總與美國霍普金森醫學院治療長達二年半的時間。民國一〇一年二月二十八日老師賦〈七十七生日感懷〉：「近時真覺不如前。只有精神勝往年。心喜南陽尊幼學，春臨人世煥新天。商量培養規今昔，沉淪高明看後先。七七生辰餘一事，中華經藝要相傳。」雖纏綿病榻，仍心繫南陽師範學院召開

「國學教育」會議一事。五月七日爲太老師黃天成先生題輓辭：「不見先生已有年。病肝病肺莫陪筵。曆窮還可書相續，面改非如鏡可研。五十載來時未促，一人身覺道難宣。相期百歲都將去，望影猶縈薪火傳。」孺慕之情溢於言表，不勝唏噓！七月七日接獲最後一封來信：「邀請前往南陽師範學院開「國學教育」會議」，然而我們在七月三十一日卻驚聞噩耗。

這就是我們的恩師——陳新雄先生，老師在病中把「心肝肺」交給醫生，把親情交給家人，把學術的熱愛廣遠散播，無論對師長的敬愛，對學生的關愛，無不充足而飽滿。老師的生命旅程多的是令人驚喜、敬佩的故事：伯元老師在五十九歲的那年學會了「一指神功倉頡輸入法」，每分鐘就可以輸入九十二個字，並且開始以電腦寫書，陸續完成上課用書《聲韻學》、《古音研究》、《廣韻研究》以及《訓詁學》下冊。爲了使教學活潑有趣，開始學習製作**ppt**，課堂之上，迅速地成爲電腦高手。六十歲在美國考取駕照，返臺後，開車載黃天成老師到「六福村野生動物園」出遊。養病期間，老師說：他要爲蘇東坡寫傳記，還要以聲韻學的語言趣味寫一部武俠小說，儘管戴上氧氣罩，仍挺身而起，要繼續圈點二十五史。頑疾雖然奪去了老師的軀殼，卻從未使其驚懼畏縮，雖使脈搏的溫度冷卻，卻未曾稍減其對學術始終如一的追求熱情。親愛的老師，我們永遠敬愛您，您是我們永遠的學習榜樣。

思念伯元師

輔仁大學中國文學系講師 錢 拓

唐人朱放的〈送溫台〉：「渺渺天涯君去時。浮雲流水自相隨。人生一世長如客，何必今朝是別離。」蘊藏了許多深層意蘊。放眼古今，離別雖然令人難過，卻不至於讓人心傷的緣故，是因爲知道還能再相見。但世間往往得面對的，卻是「別亦難」。從豁達的角度來看，人生一世，光陰不過是百代之過客，何況須臾？玩味詩句，詩人雖然不以別爲別；而今，學生說不出口的卻是「何必今朝」。「東坡詩研究」課堂結束後，老師用清麗的墨跡，寫下這幅〈送溫台〉賜予弟子，懸掛至今。八月一號，蘇拉颱風侵台。草木唁嗚。

我的字「展之」是老師取的。每每老師提起時，眼神中殷切的期許，總是令學生難忘。在學習的經驗中，當記憶力與理解力都讓自己感到沮喪時，老師給予我的只有稱許；同時也讓我明白，想進步，除了努力，沒有別的訣竅。

進研究所不久，因爲還沒適應學習的步調，很快的就產生了一些壓力累積導致的小毛病。某年夏天，患了偏頭痛。這種刺痛的感覺，好像是有個人跟在後面，不經意的就拿根針往頭上刺。不痛則已，只要開始發作，連躺在床上都會整個人彈跳起來。老師知道了，便帶著我一起去坐電位氣功。放鬆的過程中，聽老師與道友聊國學、聊詩經，看看老師的生活方式，在師生間的互動之外，也獲得了不少啓示。

《文選》與《說文・段注》點讀，是入門的兩項必備作業。我的書是在二手書店買的，早已老舊泛黃。老書有股油墨味，相處久了，就會覺得那是香氣。現在翻開，香氣還存在。抱著它們上山下海，不僅背壞了一個側背包，也把精裝的書皮從直的背成彎的；與書本之間的感情，也是在朝夕相處中累積的。檢閱時，老師總會逐頁仔細檢視我們的斷句，並且討論不同的斷法，所表示的不同語意。最後爲我們題字，落款蓋章。有顆「鍥不舍齋」的章，是室名齋號，也是老師專門檢查點書用的鈐印。這顆章很特別，是「鍾馗抓鬼」。老師說，檢查點書就好像鍾馗，把那些點錯的地方像小鬼一個一個抓出來。我們都笑了。這份功課，是一份讓人熟悉漢語文法與字義、文章與音韻美感的功課，也是充滿回憶的功課。

老師七十五歲生日這幾天，也是第一次栓塞完出院後的復原期。在祝福聲中，先生訴說著與病魔對抗的夢境；而我們只希望病痛遠離。兩年後，老師的精神回來了，或許應說，老師的風範從來沒有離開。紙短情長，這份恩情學生永遠銘記在心。（作者爲輔仁大學中國文學研究所博士班研究生、輔仁大學中國文學系講師）

（本文轉載自《中國語文》第六六三期）

感謝您！伯元老師

叢培凱

八月一日，是個令人悲慟的日子，伯元老師走完了充實卻令人感覺短暫的一生。在老師面前，我是位不善言詞、十分木訥的孩子。老師也曾說過：「培凱都不太說話！」然而，這皆起自我對於老師的敬畏。

大學時期懵懂的我，在修習添富老師「訓詁學」課程時，初識伯元師之臺甫，不僅是因爲教材上使用伯元老師的著作，在添富老師的課堂言談中，也處處呈現出對於伯元老師的景仰。我們雖未能深探學問之門徑，但伯元老師的淵博學識，已深植在這些小小「徒孫」的心中。因此許多大學畢業即就業的同窗們，雖沒有機會一睹老師上課的風采，但對於伯元老師，也都是充滿著敬意。

我讀研究所時期，伯元老師於臺師大舉辦聲韻講座，許多同學們都帶著朝聖的心情聆聽老師的教誨，當伯元老師進入會場時，我甚至偷偷地在臺下照了幾張相片。講座中，老師充滿著朝氣，言談十分精神，至今仍不時出現伯元老師精彩地論述《鏡花緣》中聲韻觀念的影像。與老師正式的認識，是在進入臺師大博士班之時，我有幸能更近距離與老師互動，像是潘、羅正簡字之論辯的因緣，引領著伯元老師進入國學研究的殿堂。至於〈聲經韻緯求古音表〉的重新設計、早年如何研讀《資治通鑑》……這些事蹟，老師在課堂上，娓娓道來，皆讓學生們終身難忘，足以作爲志學待人處事的圭臬。

伯元老師是位充滿熱忱、智慧的長者。猶記得老師晚年聽力有些衰弱，他卻笑著指著他的助聽器說：「這樣我就聽不到別人說我壞話了。」有回下課時，我拿著葛信益先生的《廣韻叢考》與師友們討論，我看到老師經過時眼神發亮，愉悅地問我手上拿的是什麼書籍？並且論述了起來。當下我深刻感受到老師對於學問的不倦精神。但也是這一時期，伯元老師身體開始出了些狀況，我永遠記得，在一次送老師返家休息時，我攙扶著老師上樓，明顯感覺到老師消瘦了，隨著慢慢往上的階梯，老師的喘息聲也粗重了起來，陪著老師邊走邊休息的時候，平時寡言的我，也試著鼓起勇氣找一些家常話題陪老師聊天。老師進了家門後，我輕輕將門關上，此刻我彷彿聽到了伯元老師咳嗽的聲音。那時著實覺得自己很駑鈍，都說不出讓老師心情舒坦的話。

八月一日，伯元老師離開了我們。我家中掛著老師的墨寶，那是於「《廣韻》研討」課程中，承蒙老師饋送的。伯元老師以李白〈清平調〉作爲其書寫內容，如今看來，「會向瑤臺月下逢」一句真真切切勾出我對於老師無盡的思念。伯元師，感謝您。能夠聆聽您的教誨，

是培凱畢生的幸福。（作者爲臺師大國文所博士候選人；臺北商業技術學院、中國科技大學通識教育中心兼任講師）

師訓永遵

李立夫

師尊：

燈下提筆，陣陣追憶，掀舞著淚花，拍擊著思緒的海濱。師尊您屹立昂首的身影，在此塵世，縱已翩翩羽化爲哲人的典型，然而您的神采，您的教誨，卻永銘我心。衷心盼望，來日我們師生相聚於天國的盛宴上時，我能無愧師訓地向您高聲敬禮：「老師好！」

那年，我剛轉入中文系，對博大精深的國學洋溢著無限憧憬。教我大一國文的先生，知我頗好了解漢字字形的來龍去脈，因而他推薦我讀的第一本文字學書，就是林景伊先生的《文字學概說》這部經典，我讀得津津有味！興趣盎然之際，自然想「就有道而正焉」。師承家法，是中文人理當注重的。早在進中文系之前，遂已耳聞師尊您與李爽秋師的國學宗師盛名了，就是某些因素而無法躬沐道澤。

「讀書必先識字，識字必先審音。」文字學與聲韻學非但分別是中文系大二、大三的重點科目，更是研讀我國古籍的敲門磚。當時曾聽學長姊們說過，如果文字學難，那麼聲韻學就難於上青天！而幾位師長也提過，若要深一層明瞭形聲字，則聲韻學就是樞紐。由於既不願臨渴掘井，也素不喜隨隨便便跟著人家「有邊沒邊讀中間」；唸大二時，從王初慶師習文字學的同時，經家姊的引介而赴世新大學旁聽何大安師的聲韻學。

對母語是國語的我而言，大二詩選課的困擾就是「入聲字」的識記。我就去圖書館借了陳慧劍先生的《入聲字箋論》與師尊您在《鍥不舍齋論學集》中的〈萬緒千頭尋次第〉來研讀。而您讓我迅速掌握了辨識入聲字的要訣，教我這個小大二生，真是不勝感激！一日，大安師在課堂上告訴我們，師尊您將在臺師大開設聲韻講座。從那之後，星期六早上更加充實而愉悅！

師尊您在聲韻講座首講上吟唱示範陸法言〈切韻序〉；問我們「按部就班」的出處；教我們看韻圖的妙趣……您目光炯炯，聲若洪鐘，精神奕奕！大三聲韻學甚棘手的功課之一就是《廣韻》的二百零六韻與切語上下字的歸類了。講座引言人爽秋師也叮囑我們要不厭其煩地反覆熟練。有一回，您見我等小子面露倦色，就勉勵我們不只是習聲韻，做學問，乃至於做人做事都要「耐煩」。

有天中午，講座課後，天上飄下了雨絲。師尊您與爽秋師共撐一傘，站在師大正門口，候車要離去。我快步上前，向您們致上敬意、謝意、辭意。您們當時雖尚未識我，雨中，卻送了我鼓勵的眼光與溫暖的笑容。爾後，我未能繼續前來恭聽講座，然而師尊您的勉勵：「耐煩」，卻激勵了我不依賴那本印好的廣韻作業；而是直接用數本筆記簿，把《廣韻》裡所有的切語上下字及其歸類手抄一過。使我日後在大三從金周生師習聲韻學時，相較同儕而略能駕輕就熟，且因「耐煩」而更有「耐心」去協助在學習聲韻學上遇到瓶頸的同學。

入輔大中文所碩士班後，能親從師尊您習東坡詞、詩，復蒙受您更多的教誨與肯定，是何等的福氣！東坡詞第一講時，我們向您行禮後，您銳利地注視著每一個被您點到名而答「有」的學生。您訓勉我們既然要修讀您的課，就該「認真」！有一次，您講到了「爲師之道」，希望我們日後若有初爲人師者，要「不求有功，但求無過。」而在備課時，對每個會成爲問題的地方，應先準備「三個何以故（爲什麼）」，用以釋學生之疑。

師尊您講到坡仙的老友參寥子時，嘗語重心長地讚歎這位天人大導師。而今亦忝爲教師的我，不敢好爲人師，唯願永遵師訓，時時自惕：耐煩。認真。三個何以故。不求有功，但求無過。

伯元師尊，謝謝您！後會有期！

弟子 **李立夫** 叩首

寒雨方歇，巍峨高山竟從此崩頹

——憶伯元師

謝元雄

記得多年前，接下了文字學會託付接送幾位老師到彰師開會的任務。那時，依照著師長們的囑咐，隨伺伯元師前往臺北車站，準備搭車南下。在月台候車時，老師親切地詢問著我的研究方向，並且開懷地談著剛剛完成的《訓詁學》下冊及《聲韻學》等著作，興之所至，甚至還邀我在一旁的階梯一同坐了下來，繼續談論著學術的發展與心中的理想。那時，我從老師飛揚的神情裡，已充分感受到一位惇惇儒者對於學術、教學的熱忱與投入，心中滿是欽佩。

其後，在會議結束的晚宴上，老師半開玩笑地對著與會學者說：「這小朋友，把我的名、字都各取了一個走，不加油可不行啦！」此話一出，引來師長們的哄堂笑聲，也讓初出茅廬的我在旁惶恐萬分，但經過咀嚼思考，除了發覺老師幽默風趣的一面，也同時體會到了其中老師對學生們的深深期許之意。因此，回到臺北後，在老師的鼓勵下，我更加努力於課業，以期不負老師期盼。而有一日，老師的弟子錢展之拿著一幅字，說是伯元師要餽贈於我，仔細讀之，上面題著王昌齡〈芙蓉樓送辛漸〉，其中「洛陽親友如相問，一片冰心在玉壺」一句，在接送老師的機緣之後，讀來特別有感觸，也格外地感動。

而在考上輔大博士班後，得知伯元師在所內開設了「古音研究」，便積極用心地修習這門課程。每堂課中，老師領著我們在古音的世界裡上下求索，從各時代韻書、反切、韻圖，到音韻的演變發展，鉅細靡遺，條理井然。若同學有不懂之處，老師更是不厭其煩地解釋、說明，直到大家完全理解。有時，老師也會吟頌幾首自己創作的詩詞，讓課堂上充滿著老師爽朗的笑聲與同學們愉快的表情。

這幾年來，看著高掛在牆上的墨寶，老師的談笑風生、奕奕神采似乎還在眼前；上課時的每一則教誨，以及咳嗽過後仍堅持講學的略微沙啞聲音，也依舊迴盪在腦海中。但在今年八月初，卻驚聞老師遽返道山，令人錯愕而失落。想到再也不能得見老師漫步於校園，傳道於課堂的身影，不禁黯然神傷。只能憑藉過往的感動與故事，再次憶起老師的卓然風範與那一片皎潔冰心！

逐師出門

國立臺灣師範大學國文學系所助教 許雯怡

老師是系上的教授，我是系上的助教，我們之間只是單純的同事關係。自民國九十四年，我承辦「聲韻講座」後，因講座所需的簡報製作，大部分老師和我都是透過電子郵件來連繫，老師常常在上課前會臨時這裡要加個圖、那裡要補些重點，於是在彼此魚雁往返間的連繫便更加活絡頻繁，和老師之間的關係也就日漸熟稔親近。

老師常常會在宴席間提到一些學生的拜師過程，而「逐師出門」是老師生前在宴席間常提到的故事，幾乎是南北講透透了。而我，就是這故事的主角，也因爲這段故事的發生，老師和我也就結下了不解之緣。這樣的關係就像朋友、像親人，總之就是不像師生。我自始至終，一直很慶幸自己沒有入師門，畢竟不在師門內，和老師之間的相處模式，氣氛上自然也就沒有像指導論文般的緊張且嚴肅了。

民國九十五年，我考上師大國文所碩士專班時，老師高興極了！記得在收到我上榜的訊息之際，老師寫了封信給我，他說：

> 親愛的雯怡：
>
> 這個消息是我半年來聽到的最好的消息。我今天上午到系裡來看妳，向妳道賀，等我吧！專復順詢
>
> 近祉
>
> 新雄手復

確實，老師果然在一個小時後出現在辦公室，並帶上一幅親手寫的字送我。他說：我從來都不會在寫信的時候稱學生『親愛的某某』，妳是我第一個用這樣親密的稱呼，足見我多高興哇！

當下，我感覺到老師是如此高興愉悅，好似父親聽到女兒上榜的消息一樣開心。在一次公開場合，老師更是表示欲將我收入門下：

> 雯怡啊！老師知道妳考上研究所，很是高興！妳要是讓老師指導，老師就關門了，老師會把很多東西傳給妳的，妳可不要讓老師失望呀！

我深知自己在小學領域所學不夠紮實、基礎不甚穩固，因此不敢冒然應允。終究還是沒有簽署老師爲我碩士論文的指導教授。每每聊起這段往事時，我也總是會被老師調侃：向來只有學生來找我，我從不主動收學生的！別人都是被『逐出師門』，全中文系大概只有雯怡妳敢『逐師出門』了！

老師和我之間真的有很多故事，大部分都已經寫在我的部落格上了，然而真的要在千字

以內完成我對老師的懷念，不諱言，挺難的！在追尋往歲記憶和老師共處的點點滴滴過程中，爬梳部落格曾寫過的文章時，眼裡總泛著淚光，再如何去窮盡目力，看到的仍是一片模糊！每至深夜時分，就是我另啓新郵件要寫信給老師的時候了，「**親愛的老師呀：**」我都是這麼開始的。自從老師辭世後，每當深夜欲寫信之際，總是不禁又悲從中來了。此刻，我又寫了封信……

親愛的老師呀：

在沒有咳嗽、氣喘、病痛的地方，您一切都好嗎？雯怡忒想您呀！

（本文轉載自《中國語文》第六六三期）

憶念教育界的大藝術家

——伯元師

靜思人文編輯 呂佩珊

如果，教育如同法籍哲人盧梭所說，是「使學生喜歡你所教的東西」，那麼，伯元師真是達致這教育的藝術了。

聲韻，不諱言的話，可以說是許多中文人的惡夢，以深奧難解而昭彰。爲著一點私人的情感因素，加上，來到師大攻讀博士班時，選讀了伯元師的聲韻學課程。當年在鍵盤上按下選課鍵的我，完全未料到，我爲自己拓展了一個通往國學的大門。

兩年的聲韻課程，是師大求學的美好記憶。伯元師在課堂中，每每用著洪亮如鐘的聲響，傳授艱澀（至少，於我而言是如此）的聲韻知識，並不時以前賢大儒的軼事串接，讓臺下學生聽得津津有味。課堂上的老師，是嚴謹的；然而，出了課堂，走下了講台，伯元師是可親的長者。每週課後，一大群學生們總是簇擁著老師，在大臺北知名的中式餐廳變換著，舉辦屬於聲韻界「二中全會」-每週二中文人聚會。席上，總是以美酒佐菜，以笑聲拌飯，伯元師尚不忘和藹的關懷座上同學的生活點滴，讓我這遠讀在外的學子彷若回到了家中的餐桌。

這可親的形象，連今年五歲的稚女其其都得以接近，陳爺爺送的超大聖誕拐杖糖，讓這小女孩念念不忘。當然，外子昆益記憶中的二中全會，可能不如我與其其這樣甜美。

在伯元師晚年，才有因緣忝入陳門的外子，駑頓的資質，讓伯元師費了不少心神。記得有一次的二中全會，伯元師爲了外子廣韻反切的程度未達作爲學弟妹楷模，帶著恨鐵不成剛的悲憤，激動地怒罵，這一罵也就罵出了師生之間深厚的情感。如此深切的責罵，當然源自老師在學術的嚴謹要求，不僅僅是外子個人，全體修課學生的學習動力，也完全提升。

當年的一罵，罵醒了怠惰的學習基因，往後的未來，跨出的每一步，都要感謝當年伯元師不留情面的教誨。如今，再想聽聽伯元師洪若鐘響地罵人，唉……

今年仲夏過後，伯元師罕見地在skype主動傳訊，說有事吩咐。當晚，旋即去電老師美東家中，這一通再也平凡不過的電話，卻成爲老師與我的最後談話。

原來，伯元師惦念著外子研究的積累，叮囑我：

昆益啊，我知道他很好，就是好面子，不夠積極，佩珊你要盯著他，不要懈怠，有事、有疑就直接問老師，不要擔心。怕問老師，多問問學長也可以，轉益多師是汝師啊！不要忘了啊！

細細地叮嚀，切切地關心，源源不絕從太平洋的另一端通過電話線，流轉入耳。當下，外子與我真是歉疚極了，居然讓老師牽掛如此，豈不是爲人門生之過！我們感謝老師的教誨，請老師專心養好身體，等待老師返臺之後，還要帶著老師暢遊花蓮的好山好水呢！或許是想起前年大啖花蓮美食的回憶，伯元師興致勃勃的承諾著我們，再來花蓮一遊……

知名的教育學家說，平庸的教師在說教，好的教師在解惑，更好的教師在示範，卓越的教師在啓迪。我們敬愛的伯元師，把自己的生命放在學生的生命裏，解我們課業的疑惑，解我們人生的疑惑，用一身的傲骨示範了學者的高雅風範，更用一生的孜孜矻矻啓迪了後學者的生命。

回到天上的伯元老師，是真正盡了爲人師表的天職，是教育界的大藝術家。回望著家中壁上懸掛著伯元師的親筆臨書「人生一世長如客，何必今朝是別離」的墨寶，其實，伯元老師從未離開我們。

輯七 輓額、輓聯

馬總統輓額

新雄教授 安息

績學貽徽

馬英九

吳副總統輓額

新雄教授 安息

教澤流遠

吳敦義

王院長輓額

新雄教授　安息

蒙主恩召

王金平　敬輓

陳院長輓額

新雄先生　千古

儀行貽徽

陳　冲　敬輓

蔣偉寧部長輓額

陳博士新雄教授　安息

教澤長存

教育部部長　**蔣偉寧**　敬輓

郝龍斌市長輓額

新雄教授　千古

遺範猶存

台北市長　**郝龍斌**　敬輓

吳碧珠議長輓額

新雄先生　千古

音容宛在

台北市議會
議　　長　吳碧珠　敬輓

蔣乃辛立委輓額

新雄先生　千古

景行足式

蔣乃辛　敬輓

張國恩校長輓額

新雄先生　千古

教壇星殞

國立台灣師範大學校長 **張國恩** 敬輓

江漢聲校長輓額

陳公新雄教授千古

天喪斯文

輔仁大學校長 **江漢聲** 敬輓

鄭志富副校長輓額

新雄先生千古

哲人其萎

國立台灣師範大學副校長**鄭志富**敬輓

林東泰副校長輓額

新雄先生 千古

德業長昭

國立台灣師範大學副校長**林東泰**敬輓

鄭邦鎮局長輓額

陳府新雄先生 千古

教澤永懷

台南市政府
教育局局長 **鄭邦鎮** 敬輓

陳國川院長輓額

新雄先生 千古

桃李興悲

國立台灣
師範大學 文學院院長 **陳國川** 敬輓

孔德訓輓額

伯元教授千古

哲人其萎

孔德訓 率子孫敬輓

秦慧珠議員輓額

新雄教授千古

典範猶存

台北市議員 **秦慧珠** 敬輓

故陳公新雄教授治喪委員會輓聯

伯元教授千古

辨形體究音韻學祧乾嘉壇坫聲名推祭酒

拾桷榱傳薪火功侔洙泗門牆桃李哭恩師

治喪委員會 敬輓

臺灣師範大學國文系所輓聯

恭弔　名譽教授　伯元師千古

身逝洋東，魂返洋西，關山疊疊，雲海悠悠；恨未了愛別情牽，道不盡胸懷磊落。翥兮鶴羽，咽兮琴操，天涯海角歸根好；哀什麼，友生默會此時，掬赤忱裕後光前，學聖賢樂亦聖賢，欣喜詩書霑溉過。

小學路來，經學路去，生平僕僕，歲月迢迢；積累出著作等身，薪傳得世尊德齒。仁若嶽崇，智若純素，高風亮節效孔孟；憾怎的，親故悲喪斯文，導青衿遊洙詠泗，習惠尹志即惠尹，笑迎肝膽絡繹來。

國立臺灣師範大學國文學系主任
高秋鳳暨全體師生　敬輓

李鍌教授輓聯

伯元仁兄千古

瑞安門下桃李盈庭惟君得以窺堂奧

鍥不舍齋絃歌聲絕徒留哀思在人間

弟**李 鍌** 拜輓

丁邦新院士輓聯

文章錦繡詩酒留連苦雨淒風憐瘦影

音韻鏗鏘情懷婉轉青天白日弔羈魂

弟**丁邦新** 敬輓

王寧學友輓聯

繼絕學、廣師承，聲韻文字訓詁，一通百通，
筆伐衺詞妄說，辨偽維真，鑑古知今，更為學界先；
傳文脈、留真意，詩曲文章辭賦，千言萬言，
心繫育才大業，滋蘭樹蕙，口傳身教，自有後來人。

學友 王 寧 泣輓

王甦輓聯

伯元教授千古

集太炎季剛景伊之大成，薪盡火傳輝翰藻；
匯義理詞章考據於一體，星沉月落失宗師。

王 甦 敬輓

尤信雄輓聯

新雄教授千古

再傳章黃當代學養第一人古音學發微發皇振鐸上庠
蜚聲國際洵為一代學者

神交東坡停雲風雅冠三雄鍥不舍好詩好詞講經論學
風範儼然無媿千古斯文

學弟 **尤信雄** 敬輓

史墨卿輓聯

新雄教授千古

新用材料新探方法學術教育均有新見
雄稱一時雄居一方為人處事俱見雄心

高雄師範大學 **史墨卿** 敬輓

門弟子輓聯

伯元恩師靈前

一甲子筆耕巨著鴻文日曜月華垂典範

五十年傳學栽桃培李山頹木壞守心喪

門弟子同叩輓

臺灣瀛社詩學會林正三輓聯

伯元夫子靈右

絕學紹章黃，論音論義論形，風氣宏開一代；

高才涵海嶽，立功立言立德，聲華永著千秋。

臺灣瀛社詩學會 **林正三** 敬輓

國立成功大學中文系輓聯

伯元教授千古

古韻精微一代宗師成典範
宋詩簡要三蘇遺響浥泉源

國立成功大學中文系主任 **沈寶春** 暨全體師生敬輓

輔仁大學中文系輓聯

陳教授伯元千古

六十年夏學商量燁燁文章揚四海
三千子傳薪繼述煌煌德教麗千秋

輔仁大學中國文學系全體師生敬輓

南陽師範學院兩萬師生輓聯

伯元先生千古

經史子集學術通家，考字、考音、考故訓，後啟來者；

詩詞曲賦藝林翹楚，和蘇、和歐、和山谷，前無古人。

南陽師範學院兩萬師生敬挽

南陽語言文化學院並附屬小學全體師生輓聯

陳公伯元先生安息

提筆無言，只緣我公文采絕天下；

舉觴有願，惟望吾師德光照宛城。

南陽語言文化學院並附屬小學全體師生敬挽

虞萬里輓陳伯元夫子

伯元夫子千古

棹斯木蘭檝，採南山菊，彈東坡調，勘李渡醇，四百首樂府倚聲，此曲祇應天上有；

生此豫章材，承餘杭缽，禮量守廬，挹甌江水，五十年杏壇振鐸，人間能得幾回聞。

虞萬里 敬輓

劉平和輓聯

室齋名鍥而不舍，樸學經傳，詞章翰墨，皆由此出；

胸臆實剛裏帶柔，修身立言，振鐸傳薪，誠以為然。

劉平和 敬輓

許翼雲輓聯

新雄教授千古

治學勤慎　精研音韻詩詞　神交元祐　今人能作宋人語

處世篤誠　廣植春風桃李　澤惠中西　弟子長懷夫子恩

弟子 **許翼雲** 敬輓

戴瑞坤輓聯

伯元先生千古

憂樂一身兼治徐海內稱巨擘

煙雲千里隔招魂蓬萊禮先賢

受業 **戴瑞坤** 敬輓

陳冠甫輓聯

音學貴為一代師，念風雨華岡，閱四年親承教誨；
吟壇幸接重洋軌，看詩詞書法，凡次韻素擁聲華。

陳冠甫 敬輓

林安梧輓聯

伯元夫子千古

新命舊邦聲達四表文王其伯
雄揚故國韻通八方大道乃元

學生 林安梧 敬輓

崔成宗　許俊雅輓聯

伯元夫子千古

草玄亭空，悲聞弟子；
詮坡緒渺，軫念龍頭。

受業　**崔成宗　許俊雅**　叩輓

金周生輓聯

伯元吾師千古

多音叶韻總難辨指點迷津弘揚國學存師法
發蒙有聖功詁訓通經豈易明裁成巨着勤誨

學生　**金周生**　叩輓

龍思明輓聯

輓陳導師伯元教授

極蓬萊方丈竟無靈藥秋風暮雨絳帳招魂定知望宇懷鄉隔滄海

留種子人師始著新篇經聲緯韵清音拔俗更有高文名世繼東坡

龍思明 敬輓

輯八　祭文、家屬哀思錄

故陳公新雄教授治喪委員會公祭文

維中華民國一百零一年九月二十八日國立臺灣師範大學校長張國恩暨諸治喪委員謹以清酌時羞之奠致祭於陳故教授新雄之靈前曰：

嘒星隱曜，猶減在東之明；戰陣折兵，尚衰振旅之氣。況文曲之喪，科場災殃之徵；大師云亡，上庠殄瘁之兆者乎？

嗚呼哀哉！先生稟庚、盧之玉石，潤江、贛之波瀾，才縱自天，智高在御。器識宏偉，胸情開朗，耀靈光於幼時，露頭角於早歲。甫入大學，即傳聲聞，受名師之既甄，承林老於已鑄。離經辨志，勤正業之厥修；重道尊師，奮居學以自發。攻木循先後之序，撞鐘適大小之鳴，上駟騁功，至誠無息。沉潛小學，深植根株，縱橫六經，廣藏義理。貫穿百子，旁推交通，誦吟古詩，反覆執翫。宗經徵聖，既立德以樹聲，雕藻修詞，復摛文而鋪采。夫古人進學，踐此康莊，保氏教書，循茲軌物。先生修道授業，遵此坦途，乃入聖賢之門牆，培俊英於庠序。張馬融之帷帳，聖道有傳，仰蘇軾之風流，斯文不墜焉。

晚歲自美返國，敷衽下帷，門客矢勤於探微，先生忘倦於移晷。是知博士學博，習業高視於林門，師大大師，教庸廣傳於禹域。而霧露頻降，肺肝屢傷，沉疴難攻，良醫束手。嗚呼哀哉！淒涼月色，嗚笛起於四鄰；蕭瑟秋懷，荒鷄嘯乎午夜。黃壚尚在，徒憶濁醪之香；驥館猶開，永絕華誕之宴。死生契闊，但繫來去之間；哀樂混同，止託存亡之數。莊周齊物，避世離經，河漢之言為虛，謬悠之說不實。惟人殊物性，孰能處順無憂；動異天行，庸可安時不息。有緣相會，保情誼於平生；無意見離，繫精神於永世。

嗚呼哀哉！昔時遊宴之好，久未忘懷，今日追思之哀，永成悼念。輓樂歇而再起，幾斷肝腸；泣聲咽而復尋，盡消魂魄。往事縈繞，心神震惶；故情纏緜，精爽飛越。秋意蕭瑟，益激長思之悲，殯宮悽酸，更增永訣之慟。而先生德音宛在，彷彿有聞；典範猶存，依稀或見焉。嗚呼哀哉！尚饗。

（**陳松雄**教授撰）

中國文字學會
中華民國聲韻學學會　聯合公祭文
中國訓詁學會

維中華民國百有一年九月廿八日，中國文字學會理事長宋建華、中華民國聲韻學學會理事長葉鍵得、中國訓詁學會理事長王初慶暨全體會員，謹以鮮花清酌素儀，致祭於陳故創辦人、理事長新雄教授之靈前：

嗚呼！國尚師位，邦崇儒門，今杏壇屯蹇，哲人殞魂，實文化之渫失，家國之偃損。昊天皇偉，賴乎豐沛之澤，群芬秀逸，在保葳蕤之姿。弘惟我創會理事長　陳公伯元教授，纂承隆緒，窮研深究，道承洙泗，學繼量守。治學謹嚴，論證精詳，蜚聲宇內，馳譽家邦，窮究小學，兼長經史，闡國故之旨歸，執教上庠，成小學之大師，誨人無隱。吟風弄月，體會詩詞之美，建德礪行，瞻仰坡公之節。巨帙鴻篇，深稽廣輔，著述傳習，敏而好古，闡古聲十九紐，定古音卅二部。審音度韻，解字說文，元元本本，高視林門，成一家言。化育青衿，教授不厭，薰風庶士，誨諭無倦。期勉學子，沾溉後生。創立學會，奔走呼籲，動邁翰林，功在木鐸。文字聲韻，訓詁經史，闡弘儒業，發揚國故。英英陳公，燦燦其德，翩翩才儁，燿燿為式，學會既創，蔚為士則。洎自兩岸，交流啟航，率領門生，踵進各方，導學子以正義，斥頑豎之迷惘。闡述國學，沉潛音韻，深造有得，獨擁高詣。祛流俗之妄說，宗章黃之正道。故論詩序存廢於河北，講季剛音學於西梁；振興漢字，論辯於扶桑，宣揚國學，講席於香江；講詩詞吟創於華府，述東坡文情於玉堂；道履東亞，跡踵西洋；執守正體之文字，堅持中華之國體。

陳公睿哲，步武洙泗紹述之儒宗，諸生篤敬，不讓程門立雪之文風。靜思典型兮夙在，體悟任重乎薪傳，傷悲風兮緣斷，嘆先生之超倫。吾儕有幸，仰承謦欬，或隨侍而相游，或賞訓乎錫賚，緬惟昔時受業，如沐春風，今日絳帳已傾，涕泣何從，嗚呼哀哉！意亂神傷，五情無主，憶餞別於昔日，悲覲謁之無期，面對永訣之慟，綿綿傷懷，耳聞長哀之笛，縷縷酸鼻，嗚呼哀哉！尚饗！

（**何昆益**撰）

門下弟子祭伯元老師文

維民國一〇一年歲次壬辰九月二十八日，弟子林慶勳謹代表全體門弟子，以鮮花素果之奠，致祭於吾師　伯元先生之靈前曰：

尊師重道，篤守終生。教學並重，師承章黃。
傳統學術，逐日見輕。西學東漸，斲傷群經。
振弊起衰，用心經營。狂瀾既倒，重塑金城。
恩師提攜，頭角崢嶸。苦心孤詣，如解朝酲。
聖人之道，承教乃精。治學奠基，矻矻硜硜。
犖摩不懈，勤於筆耕。撰成新篇，學子傾聽。
每屆十載，必有新登。身教言教，躬自力行。
告誡吾輩，學無速成。漸漬之效，硯田服膺。
初學論文，盤基空擎。來日論學，難達深閎。
始任教職，勗勉叮嚀。但求無過，不求盛名。

榮退之際，連喪菁英。師弟之親，涕泗縱橫。
香江講學，兩岸邀朋。首開風氣，切磋成形。
支撐病體，籌畫經營。身心俱竭，永悼師名。
前歲十月，率我群生。南陽講學，討論前程。
往返夜宿，但聞咳聲。體力負荷，苦辛倍增。
當眾題字，心靜神凝。氣注筆尖，入化輕盈。
千里迢迢，文化傳承。囑我弟子，協助不停。
上月初始，山頹震驚。哀音傳來，風淒雨霝。
海內故交，淒其涕零。朋輩弟子，哭寢失聲。
幽明兩隔，遠近傷情。尊奉遺志，我輩赤誠。
微言未絕，弟子深耕。薪盡火傳，謹守堅貞。
魂兮有知，鑑此心盟。尚饗

永遠的念思

葉詠琍

自從新雄被發現肝臟上長了兩顆腫瘤，並各據肝的兩側，大的四公分六，小的一公分不到後，我們就開始了三年艱難的治療過程與面臨心靈煎熬的折磨，真是千般滋味，難描難述。尤其當我們了解了此病在治療上不能根除，只能帶病延年，一時真無法接受，固然生老病死，人所必然，但誰不希望健健康康，長命百歲？頓時，天地色變，前途茫茫之感，襲上心頭。回憶我們夫妻自結婚以來，歷經千辛萬苦，多方磨難，好不容易到了晚年才得以安怡度歲，他盼望著書立說，將其所學，遺惠後世，我則寄情丹青，游戲皮黃。偶爾，攜手旅遊，天涯海角，盡是美景，該是多令人嚮往？如今，這晴天霹靂，教人如何承受？

所幸，新雄在短期的沮喪後，很快就恢復了常態，他相信他的意志能克服病痛，除積極配合醫生，手術服藥，從不喊苦外，稍微舒服，立即架起眼鏡，或執筆著書，或圈點古籍，常常忘了時間，直到晚上三、四點鐘，才上床睡覺。他曾經說道，希望老天再多給他幾年時間，他要寫一部以武俠小說的形式來暢述中國聲韻學的書，還要寫一部關於蘇東坡一生事跡與他詩詞相印證的書。可惜，未能如願，只有抱憾終生了。

染病頭兩年還不錯，不論是精神、身體與平時差不太多，醫生很樂觀，認為他是一個意志堅強能對抗頑疾的人，所以治療十分積極，本來三個月照一次片子的，改為兩個月一次，手術效果反映也很正面，大家這才放下了心，鬆了口氣。

但是，到了第三年，他的肝癌指數愈來愈高，手術之後降了下去，不久檢查，又高了起來，體力明顯不如以往，不願意走路，口味越來越鹹、越油、也越辣、同時，他的氣喘、咳嗽又老不好，雖然有肺科醫生照顧，仍然時好時壞，影響他的體力尤其嚴重。期間，還發生大動脈瘤破裂，緊急開刀安放支架及輕度肺炎住院及兩隻眼睛開白內障的事情，其中，大動脈安裝支架手術最為驚心動魄，所幸都有驚無險，安然闖關，我們認為天佑吉人，他的前景還是不錯的。

誰知，正當他計劃返臺，預備去醫院作行前最後一次栓塞，被發現他肺部極端纖維化，當即住入加護病房，作進一步檢查，兩天後醫生召集我們一家人開會，被告知他肝、肺均已極度惡化，藥石罔效時，我與孩子們淚眼相看，一時，天旋地轉，已不知身為何物了。那天是七月二十三日，爾後病勢一天天加重，至三十一日逝世，短短十天，新雄日漸衰弱，呼吸困難，飲食少進，昏昏而睡，偶而醒來，尚不忘叫蘄兒將他的機票改後一點，返台之心，益發熱切，我們安慰他已在辦理，他即安然入睡，就此長逝。如今，新雄已擺脫病痛，在天國永享上帝無上的榮寵，而我們仍留在塵世的人，因為經過了這場生死洗禮，心更淡定了，只是思念的心，永無停止。

詠琍寫於新雄逝世百日

追思與感恩

新賢　怡晴
新豪　凱枝

我們敬愛的大哥，你離開我們已經六十天了，每當午夜夢迴想到你數十寒暑對我二人的愛護與照顧，就會情不自禁的流下眼淚，幾天前二哥打電話給我，說他決定今天要參加你的追思會，最近病況惡化血氧降低引發氣喘，兩腿無力，步行非常困難，他也十分難過不能在今天向你告別，他告訴我在我們幼年時你是如何的疼愛和保護我們，記得有一次你帶我們去家鄉的人工湖游泳，二哥要背我去落水柱處，游到一半我倆都已沉入水中，你轉眼看到立刻把我們自深水中救起，如不是你的快速反應，我們二個人亦不可能活到今天，二哥告訴我他初中數學不好，由於你耐心爲他補習，始能考上高中。當年父親是校級軍官，待遇微薄，同時要負擔三兄弟接受一般大學高等教育，十分困難，父親乃安排大哥你報考師大國文系，放榜時你的成績遠高於文學院其他各系並錄取爲國文系第一名，成績突出，潘重規及林尹老師都很驚訝，入學後受到兩位恩師的重視與栽培，父親要二哥投考政工幹校，要我報考海軍官校以減輕家庭經濟負擔，我們都未辜負父親期望，唯二哥因不能適應軍校生活，自動請求退學，回到家中沒多久，就接到大哥好友曾開明來電，轉告二哥可報考藝專，僥倖錄取，四十八年畢業適逢郵政特考也告錄取，入局後工作勤奮，逐級晉升至新竹特等郵局局長，在職期間，除奉派前往美國郵政管理學院深造外，並先後當選模範公務人員及模範郵局局長，二哥常說這都是平日你對他的勉勵與教誨，讓他終身感激不盡。我亦是受到你的鼓勵，進入海軍官校，十年服役期滿，正設法投入職場之際，承你推介進入中鋼公司，就職後一本負責盡職的態度，競競業業，由工程師幹起，先後歷任高級工程師、處長及中鋼所屬子公司總經理，退休前夕，適遠東集團欲招募電廠總經理一職，經中鋼王董事長推薦，進入遠東企業，歷任嘉惠電力公司總經理及現任遠龍不鏽鋼公司總經理，至今回想起來，若非大哥你對我的關心和協助，那有今天的我，這一切都要感謝大哥你對我的栽培，如今我們失去了這樣一位好大哥，在我們內心深處是永遠無法彌補的痛！

所幸在你離開之前，有大嫂為你安排在華盛頓霍普金氏醫學中心妥善治療及諸位侄兒女們細心照顧，讓你很平靜的安息，回顧大哥一生，自幼聰穎好學，刻苦自勵，就讀各級學校成績均名列前茅，如今功成名就，著作等身，立功立德立言均已具備，且為中華民國教育史上第七位教育部直接授予國家級文學博士，也是國內首屈一指的聲韻學權威，桃李滿天下，遍及五大洲，家庭幸福，子孫滿堂，且各有成就，我們祝福您到天國後受到天父的照顧與安排，重啓你的新生命，我們也將永遠的懷念著您，祝您好好安息！

二弟**新賢**暨弟媳**怡晴**
三弟**新豪**暨弟媳**凱枝**　率同子孫一同叩拜

師母輓聯

伯元夫君靈右

半世紀情深鶼鰈遐我棄角枕錦衾徒粲爛

一輩子永隔人天長爾思冬晨夏夜漫悲涼

妻 **葉詠琍** 泣輓

子昌華 昌蘄等輓聯

父親大人靈前

靈椿摧夜雨知子莫若父此後空餘風木淚

寸草注春暉齊家惟奉母從今怕讀蓼莪篇

子 **昌 華 昌 蘄**

媳 **陳開嵐 王倩楠**

同叩輓

女逸菲　逸蘭等輓聯

父親大人靈前

冬日照階庭膝下久相歡荷恩豈止積嵩華

靈椿蒙霧露慈暉忽見背泣血寧惟摧肺肝

女　逸　菲　逸　蘭

壻　麥銳志　宮本泰　同叩輓

弟新賢　新豪　弟媳王怡晴　劉凱枝輓聯

伯元長兄靈前

秉性純仁孝　爲吾表率　嘆今世無緣手足會

持情最善良　唯爾是瞻　盼來生再續股肱情

弟　新　賢　新　豪

弟媳　王怡晴　劉凱枝　同泣輓

孫良瑋　良靖　良晧　良瑀　良敏　良曣輓聯

祖父大人靈前

慈暉無覓處　德音不輟　為忠為孝為仁義

祥靄有尋蹤　浩氣長存　讀禮讀詩讀春秋

孫　**良瑋　良靖　良晧**

孫女　**良瑀　良敏　良曣**　同叩輓

九月二十八日在父親追思儀式上家屬代表致謝辭：

父親的遺願

陳昌華

首先我要代表所有家屬跟參加籌辦追思會的所有工作人員，還有治喪委員會所有成員，在此敬致最大謝意，因爲家人都在國外，對於很多的細節跟風俗都不是很清楚，沒有大家的努力，絕對沒有辦法將其中所有的細節都辦得這麼好。

今天父親能夠回到台灣，在學生跟朋友的簇擁和圍繞下，是父親生前最大心願，在父親過世前的一個禮拜，父親的身體狀況不是很好，加護病房的主任醫師要家屬有心理準備，在那之後，在家人陪伴下，我第一次在父親生病後楊轉達了醫生不樂觀的看法，父親那時聽到消息，情緒倒是很平靜，只說要大家將來好好照顧媽媽，但是後來我又問父親現在最想做的是什麼事情，他那時最最想做就是回台灣，可見父親對台灣這個他成長的地方的熱愛，雖然很遺憾的父親身體在幾天後就急轉直下的辭世了，也就沒有辦法在過世前做到他心中最想做的事情，這也是我們家屬最難過的一件事，但是今天在大家的努力下，依照父親生前指示，將父親的骨灰葬在此地，讓父親的能夠安心，昌華在此特地代表所有家屬跟大家致意。

父親過世的前幾個月，我跟昌蘄有一次在家中跟父親安排回台的行程時，我那時特地又問了父親說，「這樣安排好嗎？你這樣回台灣，我們兄弟姐妹跟媽媽都不在身旁，要是突然有事情怎麼辦？」，那時父親要兄弟不要擔心，他說學生會輪班來照顧他，這樣他仍會有很多事可做，要我跟昌蘄不要掛心，他跟我說此事的那一刻，眼光中有一種特別的期待，所以我知道他是非常期待能夠回到台灣跟所有的師兄弟們見最後一面，今天大家能夠到這裏參加父親的追思會，我想在天國的父親一定會很欣慰。

在此特別感謝李添富李師兄，父親在過世前一晚，我在醫院陪他過夜，因爲那時父親身體狀況已經不是很好，需要雙氧氣面罩來維持呼吸，那時我就擔心父親情況，所以問他將來他自已有些什麼想法嗎？他那時想一想說，要添富師兄全權負責就好了，他沒什麼好擔心的了，今天大家能在此地陪伴父親，家屬特地感謝李師兄的辛苦奔走聯絡，師兄之情，家屬感謝莫名。

最後，我想要說的是今天在座的各位師兄弟姐妹，大部份也都是老師，將來希望能以父親跟學生之間的互動情懷爲本，跟你們的學生都有這樣的感情，父親在世之日，對學生雖然嚴厲，但是也以學生之成就爲榮，很多次碰到學生出書跟升任重要教職，父親都會寫詩詞以茲慶賀，在此特祝所有師門之師兄弟姐妹，將來跟你們的學生也有如此深厚之感情，我想這是最能夠安慰父親在天之靈的事情，感謝大家，祝福所有貴賓。

八月八日在美國的葬禮上子女代表的講話：

憶父親

昌蘄

敬愛的父親已在美東時間七月三十一號晚間八點四十五分辭世。

在我的記憶中，父親爲了支持我們家，永遠都是早出晚歸。小時候，父親到處兼課，每天總要過了晚飯後，才能回到陽明山的家。雖然我們的物質不是很富裕，爸爸總是會想辦法完成我們的心願，我因爲從小就喜歡蹦蹦跳跳，只要二三個月，我的球鞋就會破個洞，有時候，我都不好意思開口再要，但是父親總是毫不猶豫的買一雙新的給我。

不管有多忙，父親對我們的支持總是不遺餘力。小學的我熱愛運動，爸爸爲了不讓我在寒假裡無事可做，他特別自掏腰包和兼任教練一職，來贊助我和同學去打台北市籃球賽，每天帶著我們一群小孩，坐着公車穿梭台北市到處征戰，雖然敗多勝少，父親總是給我們最大的鼓勵，年復一年直到我們畢業。長大後，父親利用一次往返台美之間的機會，和我遠征加州棕櫚泉打了一場高爾夫，父親特別權充駕駛和計分，得以使我享受十八洞的親情，父親特別填了一首詞描敍這一個難得的經驗，每當我和良瑀良瑋在球場上揮桿，我總是會想到那一天和父親的種種。

碧草無塵。曉色如銀。喜陶陶愉悅十分。驅車慢駛，養足精神。看高揮桿，球飛起，扭腰身。

記分紙上，手澤常親。父子兩樂盡天真。加州離別，情異他人。是真難捨，親骨肉，念慈雲。

父親非常喜歡旅遊，我非常記得一九九一年我們全家一起遊遍大峽谷，南加州以及拉斯維加斯，父親非常享受在空曠的公路載著我們全家展現他新學的開車技術。其後幾年我們又去了黃石公園和佛羅里達等地。在黃石公園的時候，老爸突發奇想，想去看看四個總統頭像，我們立即決定出發，披星戴月，趕到Mount.Rushmore，完成父親的願望。

自從來美之後，和父親總是聚少離多。就算是最近這兩年他住在這裡，他也總是叫我以家和公司的事情爲重，不要太掛寄他，只是當我有空的時候，才和我出去吃飯，因爲父親就是不喜歡麻煩他人，就連是家人也不例外。父親在世的最後一個禮拜，有一個晚上，我陪他在醫院裡，當我早上起來後，才知道父親寧願忍著自己不舒服最少兩三個小時，也不叫醒我，只因爲他希望我能睡熟一點，而且他能儘量自己做，他寧願自己做而不假手於人。

父親在文教界的成就是眾所週知，從小我就以父親爲榮，雖然我的功課一向不好，父親也從來沒有對我疾言厲色過。父親對凡事都抱持著樂觀的態度，還有活到老學到老的精神，像是學開車和中文電腦，英文對話都是在父親五十幾到六十歲後才學的。因爲父親自己的好學精神，他也希望把自己所學的一切，無所保留的傳給學生，當他的學生都知道要二十四小時待命，因爲老師隨時都會打電話來抽查功課。我只希望我能學到父親的精神來教育下一代，而且希望父親能放心。

記得父親最喜愛芒果，我們小時候，父親總是將芒果削皮切塊給我們小孩吃，而自己總是吃著剩餘的芒果心，當我做了父親之後，對良瑀良瑋做著同樣的事時，才感念父親對我們的愛有多深。

從此以後天人永隔，我再也不能見到父親的慈顏，只能祈求夢中相見。做子女的我們，儘管有千百個不捨，我們只能衷心的祝福父親，已到了一個永遠不會咳嗽氣喘，不會生病的樂土了，但願父親在天國的那一邊，能夠知道我們永遠的愛著他。

MyBaba

By yi-fei

My Baba

I want to thank you all for coming to my father's memorial. It's a great comfort to us that you are here. I'd like share some memories about my Baba.

The first word that comes to mind when I think of my Baba is optimism. My father's optimism is known to everyone who knew and loved him. He never worried about things that are out of his control and enjoyed life to the fullest. Because of this optimism, he managed to dodge many health crises this past two years and we are grateful for the time we had with him.

Baba was tough. I remember a story of him jumping off a train because his house was between two train stations and he didn't to walk that far. But more amazing than the train story is how he pushed himself to get around his house, stores and doctor's offices these past couple of years. He fought the pulmonary fibrosis to the very end. He had to deal with so many health issues that would have crushed those living with just one or two of his illnesses, but Baba dealt with them all bravely. When he couldn't work through it, he worked around it and lived relatively worry free life. We are so amazed at his will to carry on and hope to make him proud by following his example.

One thing Baba and I have in common is food. He loved to eat well, but, I don't think there is anything he enjoyed more than authentic Chinese food and the dishes of his home province Jiangxi in China. The bolder the flavor of a dish, the more he liked it. I've enjoyed cooking some of his favorite dishes under his watchful eye and watching him savoring a dish that lived up to his expectations. But he also never shied away from telling me when a dish wasn't very good as well.

Baba was not only a lifelong teacher; he was also a lifelong student. Baba loved to learn. He was an exceptional student who graduated top of his class and rose quickly as one of the best professors of Chinese linguistics. He learned how to use a computer and drive a car proficiently well after he was 60. Even when he was in his 70's, whenever he could, he went to Montgomery College to improve on his English. He kept up with the technology around him to communicate with people and as another way to improve himself.

I remember, when he decided he was going to learn how to plant orchids, he brought books, visited trade shows, spoke to experts and became an expert in orchids. When Baba wanted to learn or do something, he committed himself wholeheartedly. I truly admire this quality in my father.

Baba is not overly expressive of his feelings, but he showed his love for his family by never forgetting our birthdays and taking us out for special meals and buying gifts. He directed all his children to get together for a family dinner monthly. On those occasions, he always came prepared with a pocketful of candies because he anticipated the excitement of the grandchildren. He would also often play chess with my son William. William hates to lose. Watching them play together, I discovered so does my father.

When I went back to Taiwan to celebrate his 70th birthday and saw the outpouring of love from the many well wishers, I concluded that not only was he successful in his career, he was clearly beloved by his friends, colleague and students. I think it is because he genuinely cared about them too.

I'm so grateful that the day before he passed, he prayed with me and gave his life to our Lord Jesus Christ. Now I know with full assurance that one day I will be reunited with him and enjoy a family reunion that will never end.

August 8, today, is Father's day in Taiwan. Baba told me he wanted to stay here in the US to celebrate father's day with us because it was one of his life's great joys.

I'm honored to have this opportunity to give a tribute to my father: Happy Father's Day-Baba ㄍ`ァヨシヨ. We love you!

By yi-lan i

My Baba

When I sat down to write Dad's obituary last week, I expected that it would take a long time, that it would be difficult to do. But once I started writing, I found that it was actually very easy, and that's because Dad had so many accomplishments to choose from. Professor. Poet. Calligrapher. Author. He excelled at it all.

My dad always told me to do what I loved, and I'd never have to work a day in my life. Personally, I'm still struggling to find that for myself, but I know it's possible because I saw my dad achieve it. He was a man who loved to teach, he loved his students, and he loved his teachers. I was lucky enough to accompany him on some of his conferences, and I saw firsthand how much his students admired him, and looked up to him, and hung on his every word. My dad loved the attention too. They would stay up late, drinking, laughing, singing, writing poetry, writing calligraphy, creating masterpieces. It is the scholarly version of happy hour. When he finally retired at age 73, he immediately went to find another university to at. He just didn't want to stop. And when he would be in the United States, he loved to lecture for his friends in the Chinese Poetry Society. It made him so happy to share his passion. He never stopped wanting to teach, or wanting to learn. When he wasn't actively preparing for a lecture, he would be studying old materials, or learning new ones. I would find him bent over his desk, making notes and marking meter in poetry with his red calligraphy brush, probably the same way he did it when he was a child, studying hard in Taiwan. That's the passion and the drive that made him the top student in his middle school, his high school, and his college.

Once, when I was visiting Taiwan during a summer, I happened to find a stack of teacher evaluation forms from the end of the school year from one of Dad's classes. I went through some of the notes, and the notes were so touching. I remember one of them said, "You are as dear to me as my own grandfather, and when I hear you cough, it makes my heart ache." Not only was he a gifted professor who engaged his students and brought his subject matter to life, but his students were like family to him. And he was lucky to have so many students love him back. He was so lucky to be so loved on both sides of the world.

My memories of my dad aren't of this imposing professor/scholar though, he was just my dad. So I thought I'd share some of my small, but sweet, memories.

My dad would always peel a big juicy peach or pear for me when I went to visit. He would present me with this impeccable fruit. He did it for me when I was 3, and he did it for me a few weeks ago when I was 34.

He was an amazing gardener, he raised the most beautiful orchids. The rooftop garden in our home in Taiwan always had so many gorgeous orchids in bloom. I think many of us here were given orchids that he had divided from his own plants. And then probably prompted killed once we took them home, because orchids aren't that easy to raise as he made it seem.

He loved sneaking M&Ms to the grandkids, and it didn't matter how much we protested. He would give me a guilty smile and say, "But he asked for more, what could I do?"

He loved eating. He loved a good bloody steak with two fingers of whiskey. He also loved butter. He loved spreading room temperature softened butter on his bread -- he wouldn't leave a speck of the bread uncovered. And when he saw me looking increduously at the amount of butter he was using, he would always laugh and tell me the story of when we were on a family vacation, and we were driving for hours looking for somewhere to eat lunch. Everyone was starving, but him, because he was smart enough to lather up his breakfast biscuit was lots and lots of butter. He always ended the story the same way, “Everyone was so jealous of me and my buttered biscuit!”

My dad lived a great life. He did what he loved and he was great at it. His influence is felt here and 8000 miles across the world. So in honor of my dad, I hope everyone here finds what they love to do, and do it. And also, eat lots of butter with your bread tonight.

輯九　附錄：追思會各界致贈花籃

追思會各界致贈花籃

伯元大哥靈前
蒿里興悲
愚弟 弟媳 新賢 怡晴 泣輓

伯元大哥靈前
歌興薤露
愚弟 弟媳 新豪 凱枝 泣輓

敬悼伯元教授千古
德望永昭
國立臺灣師大國文學系全體師生拜輓

陳公新雄教授千古
遺範長存
國立台灣師範大學歷史學系系主任 陳登武 暨全體同仁敬輓

陳公新雄教授千古
天喪斯文
輔仁大學校長 江漢聲 敬輓

陳公新雄老先生千古
德業長昭
中央研究院語言研究所所長 鄭秋豫 暨全體同仁敬輓

陳教授新雄千古
教範長存
教育部國語推行委員會主任委員 曹逢甫 敬輓

故陳公新雄先生千古
碩德永昭
教育部國語文課程與教學輔導諮詢團隊召集人 孫劍秋 敬輓

新雄教授千古
碩德常昭
臺灣大學中文系全體師生敬輓

新雄教授千古
斗山安仰
臺灣大學中國文學研究所全體師生拜輓

陳公新雄千古
德望永昭
政治大學中文系 高莉芬 暨全體師生敬輓

陳教授新雄先生千古
典範長存
中國文化大學中國文學系敬輓

陳新雄教授千古
德範長存
財團法人景伊文化藝術基金會榮譽董事長　林慰曾　敬輓

敬悼陳公新雄老先生千古
典型足式
輔仁大學文學院院長　克思明　敬輓

陳府新雄老先生千古
道範長存
輔仁大學進修部主任　趙中偉　敬輓

伯元教授千古
閬苑歸真
輔仁大學中國文學系全體師生敬輓

故東吳大學教授
伯元公千古
斗山安仰
東吳大學中文系主任　林伯謙　暨全體師生敬輓

陳公新雄教授千古
道範永存
國立台北大學中文系主任　馬寶蓮　暨全體同仁敬輓

故陳教授新雄千古
師德永銘
國立高雄師範大學國文系系主任　林晉士　暨全體教師敬輓

陳公新雄弟兄安息
蒙主恩召
台北市立教育大學中國語文學系全體教職員敬輓

敬悼陳教授新雄先生安息
安息主懷
國立中央大學中國文學系主任　楊祖漢　暨全體同仁敬輓

陳教授新雄先生千古
碩德永昭
國立東華大學中國語文學系敬輓

陳公新雄教授千古
教澤長存
華梵大學中文系全體師生敬輓

陳公新雄老先生千古
道範長存
國立台南大學國語文學系系主任　林登順　暨全體同仁敬輓

陳公新雄老先生千古
泰山其頹
文藻外語學院應華系暨華研所師生敬輓

陳公新雄老先生千古
泰山其頹
文藻應華系暨華研所主任　謝奇懿　敬輓

主內陳教授新雄弟兄安息
安息主懷
靜宜大學中文系　邱德修　張簡坤名　陳瑤玲　敬輓

伯元夫子千古
高山景行
河南南陽師範學院全體師生敬輓

伯元先生千古
碩德堪欽
北京師範大學文學院古代漢語研究所全體師生敬輓

陳教授新雄安息
榮歸天國
中華民國孔孟學會理事長　郭爲藩　率全體會員敬輓

敬悼伯元教授千古
哲人其萎
中華民國經學學會全體敬輓

伯元先生千古
道範長存
中國文字學會全體同仁敬輓

伯元先生千古
北斗星沉
中華民國聲韻學會全體同仁敬輓

伯元先生千古
儀型足式
中國訓詁學會全體同仁敬輓

伯元先生千古
文星遽落
中國訓詁學研究會　李建國　朱小建　敬輓

陳公新雄老先生千古
哲人其萎
台灣語文學會敬輓

伯元先生千古
行誼可師
友　許嘉璐　敬輓

伯元學長靈右
高風安仰
友　王　寧　泣輓

伯元教授千古
典範長存
李福臻　敬輓

伯元夫子
主恩永偕
學生　黃坤堯　王穗蘭　敬輓

伯元恩師千古
哲人其萎
學生　李瑞騰　敬輓

陳師伯元千古
典範猶存
師大六五級國四乙班全體學生敬輓

伯元夫子靈前
道範長存
門下弟子一同泣輓

伯元夫子靈前
師恩永銘
受業　姚榮松　林麗月　泣輓

伯元夫子靈前
立雪神傷
受業　李添富　李秀枝　泣輓

伯元恩師千古
哲人其萎
學生　金泰成　敬輓

伯元夫子靈前
永懷師恩
受業　石光中　郭乃禎　泣輓

伯元夫子靈前

梁木其頹

受業 趙德華 楊徵祥 劉雅芬 李鵑娟 何思慧 李峰銘 錢拓 羅雅文 泣輓

伯元太老師千古

典範長存

小門生 王世中 賴金旺 辛芳薇 蘇芷儀 陳仕桓 叩輓

輯十　附錄：伯元先生文獻二種

求學問道七十年

——二〇一〇年十月二十一日於南陽師範學院發表講辭

臺灣師範大學國文學系名譽教授　陳新雄

我於民國廿四年（一九三五）出生於江西省贛縣陽埠鄉，破蒙之時，先父請了一位私塾老師來家中教我識字，其實在從老師識字之前，先君已親自教我識字，而且認得將近一千多字，因此老師就不必從識字教起，所以那些教識字的蒙學書，像三百千千之類，我並沒有讀多少，現在回想起來，尚覺得十分遺憾。不過我先君卻常常教我吟誦詩歌與文章，就用我們贛州讀書的聲音吟誦，在這種潛移默化當中，在不知不覺當中，就學會了詩文吟誦，實在是一件非常有意義的事情。

進了小學以後，不論教那門課的老師，也都會吟誦古文與詩詞，我因為會吟誦的關係，常常受到師長們的讚賞。民國三十八年（一九四九）的十月，我隨同先君到了臺灣，這個時候，所有的學校都招生過了，一時找不到學校可以就讀。其時先君也因為初到臺灣，工作未定，時間寬裕。當時住在臺灣東部的花蓮壽豐鄉，那裡有一廣大的湖泊，當地人稱之為鯉魚潭。水深且廣，魚鱉無數。其時軍人待遇菲薄，每每有米無餚，故乃自食其力，而往鯉魚潭釣魚，以助菜餚。彼時道路未闢，從壽豐到鯉魚潭，只能沿溪涉水而行，全程約需三小時。先父在路上就教我背誦《幼學故事瓊林》，一人一句，邊行邊背，幾乎把整部《幼學》都讀完了，雖然現在不見得還能全背，但已受益匪淺矣。爲了調劑，先君也教我背誦《古文觀止》及《千家詩》等，縱然未必全懂，但亦深覺有味。

對我來說，讓我走上國學研究這條路，應該從高中三年級開始，那時是民國四十四年（一九五五）的春天，我就讀於臺北市最好的高中——臺灣省立臺北建國中學。這所學校畢業的同學泰半都是研究理工的，像得諾貝爾物理獎的丁肇中，就是我建國中學的同班同學。我之所以會走上研究國學這條路，與當時臺灣報紙上討論簡體字問題有很大關係。其時臺灣考試院的副院長羅家倫在臺港各報發表一長篇大論的文章：〈論簡體字之提倡甚有必要〉。在我們讀中學的時候，對胡適之先生以及他兩位高徒羅家倫與傅斯年是非常欽佩的，可以說是青年學生心目中的偶像。看了羅氏的文章以後，我也認爲簡體字的推行甚有必要。但是沒想到，過了幾天，報紙上就登出了署名潘重規的一篇〈論羅氏簡體字〉的文章，潘氏這篇文章當中，讓我印象最深的就是：羅文說「迁」是「遷」的古文，見於《說文》。潘氏質疑說，不知羅先生所見的《說文》，是那一種版本的《說文》，請羅氏告知。我看了以後，當時就想，這位潘重規不知何許人？真不知天高地厚，也不好好地讀書。我想羅先生一定會好好地教訓他一頓，教他好好地讀書，所以我抱著一種期待看潘重規被教訓的快感，等待著羅先生的大文。誰知左等也看不到，右等也看不到，倒是看到了一些讀者投書，希望羅先生早些答復。誰知羅先生竟然這樣說：「我有說話的自由，我也有不說話的自由。」這樣一來，我心目中的偶像，就徹底地摔碎了。

因此，我乃轉而探詢潘重規先生的學問造詣與師承淵源。我向高三時的國文老師李福祥先生求教，李先生說：「潘重規是黃侃季剛的女婿，而黃侃又是國學大師章炳麟太炎的大弟子。」其實當時我對章黃的大名也是十分陌生的。於是李老師對我說：「章黃你不曉得，梁啓超總聽過吧！以梁啓超的學問，在章太炎眼裏，只不過認得幾個字而已。」然後老師對我說：「如果你想學中文，臺灣師範大學不失爲一所理想的學堂，而你所徵詢的潘重規，正是師範大學國文系的系主任。」當時我把李老師的話向先君徵求意見時，先君說科技不行，可以外求，而文化文學乃我們立國的精神，這是不能求之於外人的。三占從二，所以我就以師大國文系作爲我的第一志願，結果居然如願以償，以第一名考取了師大國文系，因而有機會從當時一流的學者像潘重規、林尹、高明、許世瑛、牟宗三、汪經昌、魯實先等知名學者學習。

在大學四年中，影響我最深遠的老師就是林尹景伊教授，林先生教我大一的國文、大二的詩選、大三的學庸、大四的訓詁學與中國哲學史等課程。我與林先生投緣，是從大一開始的，林先生教大一國文，教完一課，必令學生背誦。我因爲能背書又會吟誦，很得先生讚賞。記得在大二上詩選時，先生與友朋在家相聚時，每每令我吟誦杜甫的〈秋興〉八首或曹子建的〈贈白馬王彪〉，甚至於〈古詩十九首〉等。先生看我能背書，爲打好學問的基礎，乃開始教我熟悉《廣韻》二百六韻的切語上下字，這一工作，花的時間不多，但收效奇大，這是我一生學問的基礎。從此開始，乃走上研究聲韻學之道路，而無怨無悔。古人說：「莫把金針度與人。」我的老師林先生不惜把金針度與我，我也向他學習，盡把金針度與我的學生，因此在臺灣各大學教聲韻學的教師中，我的學生佔了一大半。

在大四的時候，林先生教我訓詁學，談到聲韻與訓詁的關係，有天對我說：「以前黃季剛先生有一張〈聲經韻緯求古音表〉，以聲爲經，以韻爲緯，按著聲母與各類韻母的開合洪細，分別填入此一表中，就可看出古本音與今變音的關係。」這個表先生雖然帶來了，但一時之間不知放置何處，因此先生要我按著這個意思去重新畫一張表試試看。我遵著先生的指示，花了一個星期，幾乎沒有睡眠，畫出來了一張表，並把《廣韻》二百六韻之韻字及其切語分別填入其中。先生一看，認爲比黃季剛先生原表還要完整，所以立刻請印刷廠來印刷，現在臺灣學生書局所印行的《廣韻聲韻類歸類習作表》，就是這張表。由於我畫出了這張表，先生認爲我的聲韻學已經有了相當的基礎，所以就介紹我到東吳大學中文系教聲韻學，當時是民國四十八年（一九五九）的秋天，我二十四歲，剛從大學畢業。

在大學另一位影響我深遠的老師，是許世瑛教授，許先生與董同龢先生都是王力先生的傳人，在大陸有很多先生親自受業於王力先生，對我這個王力先生的小門生來說，應該是我的師叔輩，所以我來到大陸，是來向各位先生學習的。許先生教我國文文法與聲韻學。因爲我在學聲韻學之前，已經熟悉了《廣韻》各韻的切語上下字，所以學習聲韻學，就顯得駕輕就熟，較同班其他的同學，學習起來比較輕鬆。先生也因此特別照顧我，當時臺灣的參考書籍非常缺乏，聲韻學的書實在太少了。先生把他珍藏的王力先生在民國二十五年出版的《中國聲韻學》[一]，無私的供給我，使我在很早的時候，就有機會浸潤於王力先生學術殿堂之中，許先生更把高本漢以來的西方學者治中國聲韻學的成績與方法，不厭其詳的教導我們，使我們能在原有的章黃學術基礎上，接受西方學術的薰陶，而不致於孤芳自賞夜郎自大。這在治學的過程中，特別要感謝許老師的。

在大學的時候，另外一件事值得一提的，就是我們讀大學的時候，從系主任潘重規先生起，在上課的時候，都勸我們應該讀《資治通鑑》，我記得我另一位國文老師唐傳基先生勸勉我們說：「人而不讀《通鑑》，不得爲通人。」所以我在大學的時候，就向一位同鄉老前輩借讀他所藏的《資治通鑑》，在大學四年中，把《通鑑》讀完，對我學問的進益，也是難以估計的。當我讀《通鑑》時，遇到自身有所感想，也仿司馬光一樣，也寫一篇議論，且用文言習作，四年下來，居然積稿盈冊，頗爲豐收。最大的收穫，除瞭解歷史之外，也奠定了我的文言文寫作的基礎。

大學的最後一年林尹教授受教育部之聘，編撰《兩漢三國文彙》。先生要我幫忙他作初步斷句與分段，自己受到老師的看重，在斷句時，更是兢兢業業，沒有標點的文言文，真不

一　此書即後來出版的《漢語音韻學》的前身。

好懂，也不容易斷句。接觸伊始，爲使老師不失望，凡是斷句不了的，都持以向老師請教。使得老師不勝其煩，他安慰我說：「不要急著去標點，一篇文章到手，先吟誦五遍，然後始標點，標點完了，再吟誦五遍。」我遵照老師的指示，一一照辦，於標點分段的問題，都迎刃而解了。《兩漢三國文彙》收了將近兩千篇各體文章，每篇讀十遍實在對我以後習作文言文，有說不完的好處。

到了研究所，因爲所裏規定要圈點經史子集十部，其目爲：《說文解字》、《昭明文選》、《文心雕龍》、《詩經注疏》、《禮記注疏》、《左傳注疏》、《論語注疏》、《孟子注疏》、《荀子集解》、《莊子集釋》等十部古籍，而圈點古籍也是一大工夫，記得我初圈點的時候，那真沒有耐心，圈點不到十分鐘，就坐不住了。圈點兩個月後，情況就完全改觀，坐在書桌上，一圈點下來，就不知道時間之早晚了。《大學》上說：

知止而後有定，定而後能靜，靜而後能安，安而後能慮，慮而後能得。

這種定靜安慮得的工夫，在圈點古籍時可慢慢地養成。從此以後，直到今日，我每年都要圈點沒有標點的古籍一部或兩部。這種習慣就是從那時開始養成的。這對於增長學業，是很有幫助的，對於一位從事教育的人員來說，要不斷地閱讀新書，增長知識，才足以應受教者之所求，才可以做到〈學記〉上所說的「善待問者如撞鐘，扣之以小則小鳴，扣之以大則大鳴，待其從容，以盡其聲。」的境地。

進入研究所攻讀博士學位階段，又增加了圈點的書籍，除全套《十三經注疏》，又加上

《史記》、《漢書》、《後漢書》、《三國志》的四史。而除開學位論文外，也開始撰寫學術論文，例如爲慶祝高明教授六十華誕，就寫了一篇〈文則論〉，刊登於《高仲華教授六十誕辰論文集》。民國五十八年（一九六九），我完成博士論文《古音學發微》，教育部授予國家文學博士學位。旋受聘中國文化學院（今改名爲中國文化大學）中國文學系教授兼系主任。這是我一生當中，擔任學術行政的唯一職務，一任四年，我要求系中學生，在四年之中，須圈點完《資治通鑑》。大部分學生都能夠在四年當中把《資治通鑑》圈點完畢。其中有一位學生葉論啓在畢業後給我來信，說他在服預備軍官役時，同時服役的有各大學中文系畢業生，而讀完《資治通鑑》的，除他之外，再無他人。因此他覺得很驕傲，能在我指導之下，做完別人未曾做的學問。我聽了以後也很感動，特別寫了兩首詩來勉勵他。詩是這樣寫的：

夜讀君書意慨然。胸中翻滾若奔泉。囊螢映雪風流遠，不料今朝在眼前。

篤學如君志意誠。他年自可入雲程。雙肩任負興亡責，非汝微言孰與賡。

由此可見，學生的可塑性是很高的，端在指導如何耳。自中國文化學院中文系系主任任期屆滿離任時，該系全體學生贈我銀牌一面，上鐫「惠我良多」四字，永留紀念。在臺灣各大學中文系中，向離任的系主任贈送紀念品的，至今我仍是唯一的一人。嗣後我應美國喬治城（Georgetown）中日文系之聘爲客座教授一年，客座期滿，喬治城大學中日文系受業學生聯名上書，請學校挽留，我因與臺灣師範大學聘約關係，不能留下，但也覺得十分溫馨。

這段時期，我開始寫詩，我的老師林尹先生對我說：「要想把詩寫好，應該多讀蘇東坡的詩。」多讀，怎麼讀法？這時我已任系主任，而且年齡過了四十，記憶力衰退，再不能像小時候一樣用背誦法。我一方面圈點清王文誥撰《蘇文忠公詩編註集成》。另外，我想到用林先生教我們熟悉反切上下字重複記憶的辦法，先將蘇詩按著《詩韻集成》一東、二冬、三江、四支……的次序來分韻，然後作蘇詩分韻類鈔，用毛筆恭楷抄寫，因爲手寫得慢，眼睛看得快，手寫一遍，眼睛看了至少四、五遍了。我就用這樣一種極笨的辦法，抄完下平一先韻後，寫起詩來如有神助，就這樣我學會了寫詩。當時寫了一首律詩，題爲〈與窗友談及大學春遊照片〉：

漫勞追憶初逢日，丰彩翩繽幾少年。憐彼青山留舊影，嗟余白髮綴華顛。
春雲林下吹殘笛，秋雨江邊攏暮煙。細想昔遊真是夢，夢回相對兩淒然。

持以請教我的老師林尹先生，他說頗有蘇東坡的味道，從此我對作詩就算上道了。從那時到於今，大約積稿兩千多首，前一千餘首，彙集在民國八十九年（二〇〇〇）出版的《伯元吟草》中，後一千餘首，將彙集於《伯元吟草續集》，正籌劃出版中。因爲研究東坡詩而讀王文誥《蘇文忠公詩編註集成．總案》，〈總案〉裏頭錄有東坡詞，於是我也兼讀《東坡樂府》。民國七十七年（一九八八），我應香港浸會學院（現改爲香港浸會大學）中文系之聘，任該系客座首席講師兩年，因專家詩詞乏人教授，系主任商之於我，我遂以東坡詩詞爲教材，而教起專家詩詞，也頗得學生歡迎，學生投票選我爲傑出老師，對我來說，也是一大鼓勵。也是從這一年起，我開始和《東坡樂府》，我於民國八十八年（一九九九）把蘇軾三百多首詞和遍了，出版了我的和詞，取名爲《伯元倚聲・和蘇樂府》，並蒙潘師石禪題簽，華師仲麐賜序。

民國七十一年（一九八三）爲提倡聲韻學研究，改進聲韻學教學，由我約集臺灣各大學教授聲韻學或研究聲韻學之學者，組成「中國聲韻學會」，會員推我爲理事長。民國七十七年（一九八八）我趁在港講學之便，與大陸中國音韻學研究會邵榮芬會長取得連繫，我們兩會在香港浸會學院舉行一次十分成功的聲韻學學術研討會，既促進了學術交流，也增進了學者感情。這種交流後來擴充到海峽兩岸，幾乎每年都有人員與學術的交流。而由於聲韻學會交流的效果良好，也影響到其他學會的成立與交流，這在學術上是深具影響的事情。同時將學會會員所發表的論文，彙集爲《聲韻論叢》，到現在已經出版了十六輯了。民國七十九年（一九九〇）我從香港回到臺灣，又約集同好成立了中國訓詁學會，會員又推我爲理事長，已多次邀請大陸學者赴臺參與學術研討會，多年來，臺灣學者亦應邀參加大陸中國訓詁學研究會所舉辦的學術研討會。訓詁學會理事長任期期滿，又爲學術界分別推薦出任中國文字學會與經學研究會理事長，均能完成任務。由於本人的努力，而有這種良好的結果，內心實在感到十分愉快與安慰。

在教學方面，我除在師大國文系所任教五十年，並榮獲優良教授與名譽教授外，先後應聘於東吳大學中文系所、淡江大學中文系、中國文化大學中文系所、輔仁大學中文系所、國立高雄師範大學國文研究所、國立中山大學中文研究所。臺灣之外，先後應聘於美國喬治城大學中日文系，香港中文大學中文系，香港浸會大學中文系、香港珠海大學文史研究所、香港新亞研究所、日本大東文化大學中國語文學系及北京清華大學中文系爲客座教授。而五十年來，先後指導過的碩士及博士論文已超過一百篇，這批學生都分散在臺灣及韓國各大學任教。現在臺灣各大學的聲韻的聲韻學教授，泰半出自我的門下，這也是我對教育的一部分貢獻。

至於本人在學術著作方面，向來以每年至少寫一篇學術論文爲基準來要求學生，而亦以此自勵。迄今爲止，已成書之著作，計有《春秋異文考》、《古音學發微》、《音略證補》、《六十年來之聲韻學》、《等韻述要》、《中原音韻概要》、《旅美泥爪》、《香江煙雨集》、《放眼天下》、《詩歌吟唱與賞析——附錄影帶》、《語言學辭典》、《古音研究》、《訓詁學上冊》、《訓詁學下冊》、《伯元倚聲・和蘇樂府》、《伯元吟草》、《古虔文集》、《東坡詞選析》、《東坡詩選析》、《家國情懷》、《詩詞作法入門》、《工具書之用法》、《廣韻研究》、《聲韻學》、《文字學》等。至於單篇論文，在五十歲以前所著，則匯集於《鍥不舍齋論學集》中，五十以後，六十歲以前之著述，則匯集於《文字聲韻論叢》一書之中。六十以後之著述又數十篇，散見於各有關學術刊物之中，北京中華書局取語言文字之論文，彙集爲《陳新雄語言學論學集》，今已出版。其他各篇，則尙待彙集成書。

在爲社會服務方面，曾參與《中文大辭典》、《大學辭典》、《國民字典》、《大辭典》、《成語典》之編撰。並主編聯貫出版社《字形匯典》五十冊，以及教育部《國民常用國字標準字體》、《次常用國字標準字體》、《罕用國字標準字體》、《異體字國字標準字體》之釐訂。而特別值得一提的是《異體字字典》之編撰。緣於余應韓國「國際漢字振興協會之邀請，出席「亞洲漢字文化圈內生活漢字振興協會」，大會建議各國學者返國後建議其本國政府編一部《異體字字典》。余持此方案與教育部各有關單位洽談，所得印象，均欲推卻。於心灰意懶之餘，偶與李鍌先生抱怨政府之推卸責任，忽視百年大計。李鍌先生時任教育部國語推行委員會主任委員，聞悉之後，即時於國語會提案編撰，邀請國內語言文字專家數十人，成立《異體字字典》編撰委員會，共同研討。李鍌先生為主任委員，聘余為副主任委員，與總編輯曾榮汾教授共同擘劃，歷時五年，搜集十萬六千餘字，逐字注明文獻根據，實為全球最大之中文資料庫，已遠勝大陸《中華字海》，此亦所以聊獻心力於國家社會者也。中華文化建設委員會，特為錄製《大哉文字》專輯影片，於中華電視臺向國內同胞介紹播出。由於過去參加學術討論，編輯學術叢書。漸為大陸香港，各學術機構所知，於是北京《中國語文》雜誌、武漢《語言研究》聘我為編委。中國《詩經學會》、香港中文大學《中國語文研究》、南陽師範學院音韻學研究所聘我為顧問。

因為在師範大學深受各位老師熱心教導，使我而有今日之小成，為追念師恩，特追憶《師大名師》二十三人，每人賦七言絕句四首，總共九十二首。茲錄於下，以資感念。

師大名師

潘先生石禪

一篇文字動吾思[一]。繁簡由人眾可知。徹底推翻前偶像，奔來師大已嫌遲。

口試相詢情藹藹，問余曾讀甚書來。奠基還應從文字，四載自能塑大才。

先生碩學自宏才。學繼章黃大道恢。說字談經如指掌，春風座上笑顏開。

論語當年親受業，可憐一載即分攜。歸來講學華岡上，詩傳文心花滿蹊[二]。

一 民國四十四年，就讀臺北建國中學高中三年級，在報刊上看到羅家倫氏〈簡體字之提倡甚有必要〉一文，後又讀到潘師重規〈羅氏簡體字質疑〉一文，於羅文提出質疑，要求答復，而羅氏竟雲：「我有說話的自由，亦有不說話的自由。」於是羅家倫在青年學生中之偶像遂告破碎。

二 民國六十三年潘師自香港退休，應張曉峰先生之邀任中國文化大學中文研究所碩士班主任，其時我任中文系主任，先生所授《詩經研究》及《文心雕龍》二課，余皆率學生前往聽講，倍感精彩。

唐先生士毅

文字清通餘事也[三]，忠心愛國已高人。唐師當日諄諄語，此刻思來尚有神。
未覩通鑑豈通人[四]。暮鼓晨鐘警我身。四載讀完通鑑後，翻知未讀是凡倫。
雖說從游才半載，已能深體杵磨針。一言一字皆平實，豈作空虛濮上音。
桐城官話說從頭。未辨空坤自有由。徽語向來非易懂，東原聲學莫能侔。

程先生旨雲

先生每事談原則，系務蒸蒸日有名。指導論文親受業，諄諄教誨感深情。
精通曆法能施用，孔聖方能慶誕辰[五]。學究春秋嚴斧鉞，丘明微旨細披陳。
地理須明因革理，中蘇國界考陳篇。永求學術能為用，報國書生志節堅。
嬋連祭酒十三春。平素詼諧自有因。幽默言辭人盡識，一噸一語總傳神。

[三] 唐先生士毅名傳基，於余作文卷上批云：「以愛國心而學習國文，志氣已高人一等，至於文筆之流利，猶其餘事。」

[四] 先生嘗謂：「人而不讀通鑑，不得為通人。」

[五] 先生名發軔，旨雲為其字。中華民國孔子誕辰日乃先生推算出來，經總統明令公佈為國定假日，並定為教師節。

許先生詩英

讀書指導課程新。娓娓言來自有神。口齒清明情態好，良師自是意中人。
語音文法兩門神。把守黌宮出入津。人說此關飛度過，文憑應已早存身。
博士論文公指導，佳評許我一家言[六]。當年剖滯開疑日，不覺堂前月滿軒。
先生弱視如寅恪，強記多聞實足豪。中國語音書一冊，誦來竟未失絲毫。

林先生景伊

百年身世千年慮，秋夜吟懷已著鞭。國學傳人深自許，吾生幸喜侍經筵。
訓詁聲音今有書。欲傳大道敢踟躕。算來一事能安慰，小學於今盡坦途。
颯颯秋風露氣清。孺思難已及門情。堂前桃李花千樹，絕學誰當隻手擎。
佳城一閉鬱重陰。追憶師門恩義深。縱使千呼和萬喚，也難重聽我哀音[七]。

六 先生名世瑛字詩英，余博士論文通過教部口試，對記者言余之論文「成一家言」。

七 先生名尹字景伊。民國七十二年先生臥病榮民總醫院，餘其時任教香港浸會學院，聞訊馳歸，於醫院侍疾一週，先生棄養，經理其喪，為時一月，並賦挽詞二十七章，以誌餘哀。

高先生笏之

滿頭白髮似仙翁。設教還存高士風。和藹可親真長者，語音仁厚感渾融。
一言以蔽思無邪。解字論文意孔嘉。金甲篆書加隸楷，先生相與話桑麻。
高年應聘新州去，從此難親長者身。浮海乘桴如孔聖，傳經好在是精神。
天涯相隔意難知。留與生徒不盡思。形像長存情永在，算來真是一良師。

王先生偉俠

平生喜究韓非子，強法自能強國家。百鎰黃金無敢取，只因燙手獨吁嗟。
杜詩韓集愁來讀，如遺痳姑信手爬。受業從公凡兩載，批章修整若丹葩。
老去卻為病所羈。哀吟無復吐華辭。此生完整無瑕疵，三十年來繫我思。
迄今仍有批章在，莊讀難忘受業時。展眼試看塵海上，茫茫能得幾人師。

高先生仲華

照花前後鏡中看。一曲新詞滿座歡。騎馬斜橋紅袖舉，先生風韻續還難。
淮海少年風度好，和雲香桂眾攀攀。詩詞騷賦人皆仰，汩汩無窮豈等閒。

惠我祕書成博士[八]，研尋常憶及門情。論音究韻長難已，不覺東窗已放晴。
記與我公初見面，先生勉我作人師。明經績學宜通達，記問何能出令姿[九]。

宗先生孝忱

繡幄圍香商博議，玉梧泛露詠關雎[十]。一聯垂露懸卅載，珍寶原來盡在書。
左手持杯右持筆，篆書行楷盡奔來。人人得寶欣然去，到處開花到處栽。
臥病長年虧孝女，晨昏相顧不厭煩。百行先德無窮敬，我感斯人鼻已酸。
先生遺墨留香在，文字清新亦足傳。梅雪孤高風百世，尚留詩句有殘編。

王先生壽康

一音不正終生恥[十一]，國嘴言來自有由。滿口清圓京片子，只今想起尚悠悠。
嘴不能言難及腿[十二]，先生名句滿黌宮。可憐一蹶中風後，從此真難續景風。

八　先生名明字仲華，余撰博士論文《古音學發微》，先生適從香港講學歸來，攜歸大量大陸新近出版音韻學著作，皆慷慨借餘閱讀，惠我至多。
九　景伊師初攜我往謁先生，請先生測試我《廣韻》切語上下字之聲紐與韻類，當場測試數題皆答對，先生因勉我云：「記問之學，不足以爲人師。」
十　此一對聯乃餘與詠琍結婚時，先生書以相貽者，字爲玉箸篆體，餘珍藏至今，屈指四十七年矣。
十一　先生嘗曰：「一音不正，終身之恥。」

詳談國語源流史，娓娓言來若說書。五代建都燕地後，相傳一脈自寬舒。
粵鄂京吳爭國語，幸差一票定綱維。先生道出來源後，從此持衡有鑑龜。

李先生辰冬

文學源流河一脈，五期區別自分明。研尋作品須探底，究史方能識道情。
誰作詩經尹吉甫，驚人一語震黌宮。先生不息常探究，自樹旌徽自足雄。
說陶冰炭盈懷抱，仕隱雙途跡可尋。不管他人何所見，無回一往亦堪欽。
課餘邀集先生宅，滿室圖書映夕暉。師母隨和人敬仰，生徒夜語竟忘歸。

龔先生沐嵐

樂府詩篇血淚痕。先生導我始臨門。城南郭北風雲變，好弔湘靈楚客魂。
家教相煩濟我貧[十三]。先生恩澤似陽春。長時相敘雲和室，口若懸河總有神。
白金氏病不宜行。扶疾臨堂見至誠。一載光陰無限好，至今回想有餘馨。
淒涼寂寞獨孤身。冷月寒風不見人。教澤長存音尚在，詩篇寫罷淚潸潸。

十二　先生責備學生發音不正時嘗謂：「嘴比腿還笨。」
十三　先生名慕蘭，字沐嵐。餘讀大學時，生活艱困，先生介紹我任家教，以解困窘，裨益不少。

汪先生薇史

系出吳梅得徑途。黃鍾大呂灌醍醐。先生學問真淵博，課語無停實碩儒。
憶昔曾登君子堂。自朝至暮講難忘。千秋史事盈胸臆，論辯滔滔意氣昂。
香江再謁先生日，喜見情懷尚健強。蓬島生徒無限思，想望恩師歲月長。
三年重踏香城後，竟是音容已渺茫。無限傷心雙淚下，難親長笛曲淪亡。

嚴先生賓杜

長短句中多韻味，先生導我入門來。聲分上去多深意，茅塞推除眼始開。
詞牌從簡到繁枝[十四]。長短由人自擇辭。放意輕吟真有味，寫來還許勝尋詩。
程公到處覓專家。指點津途學足誇。今日我能開此課，當年基礎實非差。
論詞意欲祖東坡。昔日先生許我歌。一瓣心香無處獻，可憐清淚有餘波。

章先生銳初

滿頭白髮老尤神。桃李來前領路津。教法雖新材欲實，和風方足令回春。

十四　先生授詞，按詞牌筆畫繁簡，先簡後繁，逐一講授，自一畫之〈一落索〉起，至〈蝶戀花〉、〈蘇幕遮〉、〈聲聲慢〉、〈蘭陵王〉。

嘗領群生行海島，參觀視學遍臺灣。國文教育盈桃李，時雨春風豈等閑。

只問耕耘不問年。先生真是地行仙。笙簧五典懷鉛槧，磊落光明學有淵。

聞說當年曾齒及[十五]，欲人鼓勵我精研。雖難親沐和風雨，感激先生力引牽。

牟先生宗三

諄諄浩浩說天人。講課滔滔真有神。欲創新儒群仰望，門前弟子激風塵。

我從邏輯攻諸子，哲學難窮眼已斜。教部授勳真博識，昂然自得摘春葩。

信口滔滔固已奇。行文造句葛覃移。滿山滿谷難窮究，盡可齊參玉版師。

義理辭章本相依。還須訓詁解玄機。他山之石堪攻玉，莫笑他人學問非。

閔先生守恒

師輩群中子最青。昭明文選舊門庭，一年才讀三篇賦，未隨香草寫騷經。

武家坡戲人能唱，善誘諄諄有義方。國劇當年群競學，有誰得道錦帆張。

棄育黌宮天下才。卻隨世俗走塵埃。人言金積千千萬，補習班中笑口開。

師門絕學少人傳。絳帳歌聲久斷絃。八垢皆空波萬頃，定將驚倒野狐禪[十六]。

十五　先生名微穎字銳初，據天成師語我，銳初師嘗欲天成師對我多關注，且云：「陳新雄其人應多加注意培育云。」

張先生起鈞

起鈞老子聲名大，美事常言口不離。驕傲適之同進退。北京撤走莫須疑。
五味令人能口爽，烹調技術確非吹。說來學問終能用，大國小鮮何復疑。
一事令人心口服，斷言共產久難支[十七]。請余拭眼觀終始，今日看來有夙知。
北京口語舌常捲，說笑難停亦有緣。放眼能知天下事，哲人終究可通玄。

熊先生翰叔

儒家米店他家藥[十八]，恒久權通互仗依。詮釋仁心真有得，名言確實顯光輝。
一襲長袍儒者服，群經大義即隨生，當年北大從申叔，信手還將絕學擎。
奉新官話古音多。知照同音笑若何。朱子猶如都子樣，課堂信口起春波。
我自蒙恩修博士，論文口試給分多。歐書一筆清奇字，大道還宜學執柯。

十六 先生晚年學佛，言頗善悟。
十七 先生於大學四年級時，任我導師，嘗爲余言：「蘇聯共產主義不通人性，絕難持久，終將失敗。」
十八 先生名公哲字翰叔，嘗有名言謂：「儒家乃米店，諸子百家則藥肆耳。」

魯先生實先

飛揚跋扈意悠如。應是杏壇真碩儒。弟子相從過江鯽，春風雨露仰沾濡。

情豪因有五車書。開講方能得美譽。放眼杏壇誰自悟，我公風骨不欺予。

能將朽腐化神奇。碩學真堪破眾疑，勉我當為名學者[十九]，諄諄相誨永追思。

紅梅送馥有餘清。鐵骨豪情思再盈。寂寞春愁天亦老，詩成花謝意難平[二十]。

華先生仲麐

四十年來分外親。吾師書信誨頻頻。深仁獎掖無餘力，敘舊難忘千里臻。

翻閱遺文意黯然。深恩長繞永無邊。洛城臺北頻傳信，未料今生竟斷緣。

倚聲吟草兩蒙恩[二十一]。賜序相憐有慧根。誨我諄諄情不盡，詩歌期我躍天門。

佳城一閉鬱重陰。從此難親謦欬音。往事存胸猶歷歷，詩情酒伴怎重尋。

十九　先生嘗謂余，其門下生奉告，年輕一輩教師，余教書第一。因勉余曰：「不願爾爲名教授自滿，應以名學者自勵。」

二十　先生聞說我寫詩甚勤，因謂余曰：「幾時抄寫幾首詩送一閱。」余因請吳璵兄陪我前往，而吳兄事忙，未克相陪，非久，先生即歸道山，此事終生引以憾事也。

二十一　余之《伯元倚聲‧和蘇樂府》及《伯元吟草》皆蒙先生賜序，獎勉有加，且每接余呈詩，即大加批閱，望余詩學造詣，榮登五級，期許至深矣。

李先生漁叔

我迓先生到師大[二十二]，課堂宣講杜詩微，黃牛峽口灘聲靜，白馬江寒樹影稀。初聞奇句分平仄，詩學還能進幾層。奉手相貽書一幅，龍門雖峻忝先登。獎勉後昆隨處是，諄諄教誨略能詩。如今思念情難竭，惜未門前奉一辭。華岡師苑常相見，楚楚衣冠學者師。千里齋前曾奉手，至今半紀有餘思。

黃先生天成

壇坫群儒果僅存。每聞笑語即春溫。年年拜謁宮牆日，步履常煩送到門。參觀教學到屏東。狂士居然欲號風[二十三]。但見先生開口語，其人囁囁已辭窮。學到老言終有理，先生五十渡東瀛，案頭伏首勤難已，博士頭銜自有成。六十吟詩七秩詞。八旬作曲祝期頤[二十四]。先生一一令塵壁，栽育生徒費苦思。

二十二　我大學二年級時，景伊師授詩選，因請先生來師大講作詩之法，囑餘前往迎接，先生爲講杜甫〈送韓十四江東覲省〉，奇句四聲相間，極錯綜變化之美，蒙先生書詩一幅相贈。

二十三　先生名錦鋐，字天成。第一次領導師大大四國文教學環島參觀，才三十許耳，至省立屏東中學，有一教員倚老賣老，大放厥辭，攻擊師大，先生從容相駁，氣定神閑，該教師乃訕訕而去。

二十四　先生六十大壽，我賦詩相祝，七十塡詞稱賀，八十作曲獻壽。恭楷書呈，先生皆張之廳壁，嘉勉殊深。

論音絕句三十首

一　吳棫

韻補今來已不奇，當時考證竟離披。
即今詩韻猶依傍，開闢蒿萊建首碑。

二　鄭庠

古音先辨如君少，六部開堂立祖歸。
盡管焦陳塵盡掃，顧江還向此中馳。

三　戴侗

有意栽花花不發，無心插柳柳成陰。
六書故里初明道，只眼真能攝古今。

四　焦竑

弱侯原是韻中豪，力辟荒腔走板操。
上下後前皆可叶，乖音謬說豈容逃。

五　陳第

百里之中言不同，百年之內語難通。
古人自有原音在，一發濤聲萬耳聰。

六　顧炎武

明經識字有階除，炎武千秋炳五書。
齊魯相禪終識道，論音十部得真如。

七　江永

真元蕭後復侵談，六部全從侈斂探。
數韻縈洄同一人，審音俯仰自無慚。

八　戴震

學承江永更精研，撝約段王相繼賢。
一祖三宗崇百世，徽州絕業麗中天。

九　段玉裁

六書音均表相傳，樞始環中學已妍。
考古功深何處見，三分支韻久驚天。
同聲同部學探源，執簡當然可馭繁。
知合能分中肯綮，段君久已躍龍門。

十　孔廣森

陰陽對轉史無前，韻別東冬理更妍。
相對明音成結構，箇中道蘊早通玄。

十一　王念孫引之父子

乾嘉傑出語言家，廣雅疏來盡著花。
因得聲音作根本，九經三史任搔爬。

父子相承經學家，夐乎尚矣實難加。
讀書雜志千金鑒，傳釋經詞盡嘆嗟。

脂至異流真不易，緝盍侵談分兩家。
祭部昂然還獨立，清人音學有津涯。

十二　江有誥

閉戶造車能合轍，十書成若海靈鼇。
枝園論韻歡長夜，知己相逢意氣豪。

廿一部中之建首，幽宵相繼作循環。
侵談葉緝知終始，音理相纏豈等閒。

十三　夏炘　夏燮

夏家兄弟兩嶙峋，究韻研聲各殫神。
廿二部難加與減，齒音分隸出群倫。

十四　錢大昕

十駕齋中學久融，唇音輕重自相同。
繁纓今讀如鞶帶，子貢方人謗乃通。
舌音類隔言誰信，字母家難說古今。
童子沖子原一意，潭潭豈應讀沈沈。

十五　陳　澧

切韻考真冠古今，系聯條例確明音。
法言應許為知己，後學何人敢不欽。

十六　章炳麟

成均圖生泣鬼神，縱橫曉達任鋪陳。
陰陽對轉兼旁轉，當代誰人可並論。
娘日歸泥學有方，音聲無礙道傳揚。
讀書得要名兼實，字母誰堪論短長。

十七　黃侃

青出於藍更勝藍，聲分十九韻深含。
蚍蜉竟欲搖椿樹，多見其身不自慚。
韻聲相挾變循因，此理能明已出神。
門下生徒遍天下，深知此境究何人。

十八　曾運乾

喻三歸匣四歸定，論韻分成卅攝窮。
細究曾黃相近極，互研互啟發塵蒙。

十九　錢玄同

季剛聲韻得風行，應是玄同口玉成。
講遍京城諸大學，終能擲地作金聲。

二十　高本漢

東風無力惜花嘶，西學初興百尺瀾。
瑞典高人名本漢，研尋方語立標竿。
南北是非語不同，古今誰識可相通。
高君擬測千年語，從此黌宮染此風。
高風趙李繼前蹤，從此中華學所宗。
不以音符標漢語，幾如不識古音同。

二十一 趙元任

趙君聽覺自然聰，一曲如何不想公。
人說漢家音學父，來龍去脈續高風。
語言研究自隆崇，幽默神情自可宗。
一譯高公音韻學，風行宇內若雲龍。

二十二 李方桂

上古音成籠兩岸，近年功力竟難窮。
我叨末席勞青眼，相片長存德望崇。
學術純青思想正，不隨犬吠貶前人。
無根論說公何取，脫手自然筆有神。

二十三 羅常培

名自高公翻譯顯，業從疑古季剛來。
沉吟舊學開新局，應嘆音壇不世才。

譯書之內傳統業，盡是莘田一一栽。
講學歐西究新賾，別開生面掃凡才。

二十四 王力

學豐長壽勝常人，音韻長編最有神。
漢語非難窮底本，詩經楚些盡周親。

長壽自能揚絕學，傳人今已滿神州。
新奇異說非鍾愛，深入窮根莫與儔。

二十五 董同龢

董公學術最輝煌，寶島揚名百世芳。
上古音聲成韻表，算來難得爾馨香。

等韻君能窮韻奧，千年秘學賴傳揚。
我從蒙昧能開竅，幸讀遺書得瓣香。

二十六 周祖譔

周秦學術漢時音，一卷流芳費苦心。
青出於藍新國色，先生聲韻更深沈。

二十七 嚴學宭

早歲耕耘筆不停，晚年所得是忘形。
輔音復迭平生學，黃鶴樓前恨不晴。

二十八 周法高

周公綜合有奇功，一寫聲音學百通。
重紐兩篇前後說，即今優劣不能窮。

二十九 林 尹

盡把金針度與人，生徒相繼有前因。
章黃學術揚東海，始識吾師點綴新。

三十　許世瑛

茫茫視界失輿薪，遏密留聽自得真。
默識董公音韻史，口宣手畫有精神。

中華民國一〇一年九月二十八日輯印
中華民國一〇一年十月三十一日增輯

國家圖書館出版品預行編目資料

陳新雄教授哀思錄 / 陳新雄教授哀思錄編
輯委員會編. -- 初版. -- 臺北市文史哲,
民 102.01
面；　公分
ISBN 978-986-314-082-5（平裝）

1. 陳新雄　－　傳記

782.886　　　　102001266

陳新雄教授哀思錄

編 輯 者：陳新雄教授哀思錄編輯委員會
合 輯 者：姚榮松・李添富
出 版 者：文史哲出版社
http:// www.lapen.com.tw
e-mail：lapen@ms74.hinet.net
登記證字號：行政院新聞局版臺業字五三三七號
發 行 人：彭正雄
發 行 所：文史哲出版社
印 刷 者：文史哲出版社
臺北市羅斯福路一段七十二巷四號
郵政劃撥帳號：一六一八〇一七五
電話886-2-23511028・傳真886-2-23965656

定價新臺幣七〇〇元

中華民國一〇一年（2012）九月廿八日哀思版
中華民國一〇二年（2013）元月增訂初版

ISBN 978-986-314 -082-5　　07107